Onder het water

Morgan McCarthy

Onder het water

Karakter Uitgevers B.V.

Oorspronkelijke titel: *The Other Half of Me*
Copyright © 2012 Morgan McCarthy
Vertaling: Hanneke van Soest
© 2012 Karakter Uitgevers B.V., Uithoorn
Opmaak binnenwerk: ZetSpiegel, Best
Omslagontwerp: Mariska Cock
Omslagbeeld: Trevillion Images / Amy Ballinger

ISBN 978 90 452 0077 4
NUR 302

Voor de vertaling van de tekst op pagina 13 is gebruik gemaakt van: *De grote Gatsby*, door F. Scott Fitzgerald. Uit het Engels vertaald door Susan Janssen, Atlas, Amsterdam/Antwerpen, p. 192.

Voor de vertaling van de tekst op pagina 87 is gebruikt gemaakt van: *Na zware pijn...*, Emily Dickinson; http://www.ansbouter.nl/dickinson-after-greatpainaformalfeelingcomes.html.

Voor Cian

2008

Er is niet veel tijd voor nodig om een vorig leven te scheiden van een nieuw leven: een paar minuten, en zelfs minder dan dat. Eén snelle, onrechtvaardige klap en er gaapt een onoverbrugbare kloof tussen jou en de plek waar je even daarvoor nog je tanden stond te poetsen, een krant zat te lezen of je afvroeg waar je je paraplu had gelaten. Maar dat aangename oude leven is voorbij en je moet de onbekende, onzekere wereld in waar alles wat belangrijk is anders is. Mensen verdwijnen, het decor verandert. Dingen waarvan je hield verliezen hun betekenis, en betekenisloze dingen blijven betekenisloos.

Sinds mij dit afgelopen november overkwam, is een van de vervelendste dingen de overgang tussen de hemisferen van slaap en ontwaken. Voor die tijd schudde ik mezelf altijd met een gevoel van opluchting wakker uit mijn dromen en begon ik geestdriftig aan de dag. Ik keek niet om. Nu ontwaak ik in de lege, onaangename schemering van de ochtend uit mijn dromen over mijn vorige leven en denk ik opnieuw: *nee*, met dezelfde heftigheid als het *nee* aan de telefoon die dag toen ik in de kille leegte van de hotelkamer mijn verkrampte vingers om de telefoon klemde, alsof ik daarmee kon voorkomen dat ze zou verdwijnen.

Deze ochtend keer ik het nee de rug toe en duik ik mijn droom achterna die als een munt door donker water naar de bodem zinkt en bij elke kanteling even zwak oplicht (zon op glas, een stem). Hoe harder ik mijn best doe me mijn droom te herinneren, hoe wakker-

7

der ik word, totdat ik weer gewoon in bed lig; ik blijf geërgerd liggen en open mijn ogen als roestige luiken naar mijn nieuwe leven: de bruine muren en vloerbedekking van mijn gehuurde kamer, het grijze licht dat door de ramen naar binnen sijpelt, het ingelijste schilderij van een landschap in kakikleurige tinten. Dan dringt de situatie weer langzaam tot me door. *Ik ben in Engeland. Ik ben alleen.* Helemaal achteraan – een beetje laat maar hardnekkig – hobbelt het schuldgevoel. Een vertrouwde last daalt op me neer, gonzend als een defect apparaat. *Ik had ongelijk.*

Er wordt op de deur geklopt. Het geluid moet me gewekt hebben en de aangename droom uit mijn hoofd hebben verdreven. De enige persoon die aan mijn deur komt, is mijn pensionhouder, meneer Ramsey. Hij komt meestal vroeg en verstoort daarmee mijn gewoonte om zo lang mogelijk uit te slapen, zodat ik een groot deel van de dag kan overslaan.

'Meneer Anthony?' roept hij als het stil blijft. In gedachten zie ik hem aan zijn manchetten friemelen en zich afvragen of ik die nacht misschien zelfmoord heb gepleegd en wat hem dat aan onbetaalde huur, papierwerk en schoonmaakkosten zal opleveren. 'Bent u wakker?'

Als ik opendoe, schrik ik van de gemaakte glimlach die als een nepsnor op zijn gezicht geplakt zit. Behalve mijn zondagskrant heeft hij een gebloemd theekopje in zijn handen.

'Goedemórgen, meneer Anthony. Ik ben zo vrij geweest een kopje thee voor u mee te nemen. Ik wilde sowieso even informeren of uw kamers naar wens zijn. Geen problemen, hoop ik, meneer Anthony?'

Ik kijk hem weifelend aan. Meneer Ramsey doet me doorgaans denken aan een vogelverschrikker, of een strooien Abrahampop: hij

8

lijkt opgevuld en ingezakt in zijn armoedige, geruite trui en oude broek en heeft gerimpelde wangen en grijs, krullend haar. Vandaag lijkt hij echter door elkaar geschud en terug in model geklopt, en komt hij bijna energiek over. Als ik mijn krant en thee aanpak, neemt hij me aandachtig op.

'Nee hoor, alles is in orde,' zeg ik. Ik doe een stap achteruit om aan te geven dat het gesprek ten einde is. Hij blijft echter vastberaden in de deuropening staan, zegt dat het jammer is van het weer, begint een lang verhaal over het Meteorologisch Instituut en de mythe van klimaatverandering en keert dan weer terug naar het weer. Pas als zijn praatje onbeantwoord blijft, loopt hij over de bruine veranda terug naar zijn beige voordeur waarachter hij na een laatste nieuwsgierige blik op mij verdwijnt.

Ik ga verbaasd op de rand van mijn bed zitten en sla de krant open. Ik kan tegenwoordig wel een uur of drie zoet zijn met de zondagskrant, terwijl ik vroeger de katernen 's ochtends in tien minuten doorbladerde en alleen de berichten over architectuuropdrachten of toegekende prijzen las. Nu heb ik tijd te veel; de uren zetten uit, rijzen, traag als deeg. Ik lees alles: een Siamese tweeling die aan het hoofd vergroeid is en waarschijnlijk zal sterven, verpleegsters in verzorgingshuizen die patiënten vermoorden, oorlogen in het Midden-Oosten. Totdat, te midden van alle rampspoed in de wereld, mijn eigen gezicht opduikt.

Het is een foto die gemaakt is net na mijn afstuderen aan Cambridge; er was een feest en een ingehuurde fotograaf. De dag komt weer terug: de regen in de ochtend – hoewel de zon in de namiddag tevoorschijn kwam, zakten onze voeten weg in het gras – de onbeholpen universitaire docenten. Na de foto wendde ik me tot een meisje van wie ik me de naam niet eens meer kan herinneren. Toen ze me op mijn mond kuste, stootte ik haar glas champagne om.

Hoewel het niet eens zo lang geleden is, herken ik mezelf nauwelijks in de jongen op de foto. Hij draagt een licht overhemd en kijkt recht in de lens, maar zijn kwetsbare, broodmagere gezicht geeft niets prijs.

Het is maar een deel van de oorspronkelijke foto; Theo stond naast me. Ik zie een lichte vlek in de hoek links van mij, alsof de foto overbelicht is: het is een stukje van haar haren dat er net niet afgeknipt is. Ik probeer haar gezicht in te vullen, voeg gelaatstrekken samen, maar het lukt me alleen ze los van elkaar te zien. Vernauwde, dwalende ogen, hoopvolle glimlach. Toen we jong waren, wilde ze nooit op de foto; in de albums draait haar gezicht meestal net weg, zodat er vaak niet meer op te zien is dan een veeg kleur en neergetrokken mondhoeken. Vandaar dat er op Evendon maar één ingelijste foto was waar we samen als kinderen op staan. Theo's gezicht stond er onduidelijk op, gevangen op het moment voordat ze bewoog. Ze droeg lakschoenen en een jurk die aan lagen geklopte slagroom deed denken. Onze moeder, Alicia, kleedde haar altijd in lichte witte en roze tinten, alsof ze haar wilde afzwakken, maar het resultaat was nooit helemaal goed. Theo's haar was te geel, haar ogen te blauw, haar wimpers te zwart, als op een oude foto waarop de kleuren met verf waren aangebracht. In haar poppenkleren zag ze er onnatuurlijk uit, opgedirkt, als een kindsterretje.

Op de krantenfoto lijk ik niet op Theo. Mijn ogen, wenkbrauwen en plat gekamde haar zijn bijna zwart. Hoewel ik maar een jaar ouder ben dan zij, lijk ik op een kleine veertigjarige, zo onverstoorbaar als ik daar sta in mijn grijze pak met vlinderstrikje, fronsend tegen het flitslicht, dat mijn gezicht iets eenvoudigs geeft omdat het opgebouwd lijkt uit lichte en donkere vlekken.

Ik lees het bijgaande artikel niet. De kop zegt me genoeg: ERF-GENAAM FAMILIE ANTHONY VERMIST. Dat zou het onderdanige kopje thee van Ramsey kunnen verklaren, maar het zal hem weinig tot niets opleveren. Zelfs als het vliesje op het oppervlak wordt genegeerd, nodigen de duistere diepten niet uit tot nader onderzoek.

Ik zal verder moeten, weg van het gevaar te worden herkend, weg van de ogen die als speurende zoeklichten over me heen glijden. Ik voelde me hier betrekkelijk veilig. De overige gasten zijn twee verwelkte oude dametjes en een gezin dat een lang weekend heeft geboekt en steeds stiller en teleurgestelder lijkt naarmate het besef groeit dat hun 'Zonnige Zeekust'-B&B toch niet zo zonnig is als de brochure beloofde. De dametjes tonen een bescheiden, onschuldige belangstelling voor me, het gezin negeert me. Niettemin had ik het gevoel dat we iets gemeen hadden toen we in de ontbijtkamer – kanten tafelkleedjes, antieke trolley en troebel licht dat verkleurde als stilstaand water – tegenover elkaar zaten: zowel zij als ik waren hoe dan ook gekwetst en teleurgesteld in onze verwachtingen.

Ik loop naar het raam en kijk uit over de grijze zee, waarboven een dun zonnetje zich vanachter de wolken vandaan heeft weten te vechten. Het uitzicht brengt de ochtenddroom in alle scherpte terug. Ik sta in de woonkamer op Evendon. Het is een zomerse namiddag en de deuren naar het terras staan open om de zon binnen te laten. Binnen: geboende lichtvlakken met hier en daar een broos bloemblaadje; buiten: Theo en Sebastian, kaartend op de trap. (Sebastian had geprobeerd Theo te leren pokeren, maar ze kon niet bluffen: ze trok met haar wenkbrauwen, giechelde en praatte overdreven gearticuleerd.) Het uitzicht versnelt en komt dan weer tot stilstand, alsof de deuropening een treinraam is. Het volgende moment verschijnt er een beeld van Maria. Ze staat op het strand met de zee op de achtergrond. Ze glimlacht. Ik kan haar parfum bijna ruiken op de bries die vanaf zee komt waaien.

Ik weet dat ik die gedachten beter niet kan hebben. Sinds mijn aankomst hier heb ik niet meer aan Maria gedacht. De herinnering aan haar brengt een vreemd gevoel teweeg, een oud verlangen, dat niet meer vertrouwd aanvoelt omdat het in onbruik is geraakt. Het verlangen dat ik voor haar voelde is als een muziekstuk dat ik me probeer te herinneren, met hier en daar een crescendo, een fluit-noot, lieflijke passages. Ik vraag me af wat ze nu tegen me zou zeggen, of wat ze zou doen als ze in mijn schoenen stond, maar dat lukt me niet. Ik dacht dat ik haar begreep, maar dat was niet zo. Integendeel.

Later denk ik aan Eve. Ze kwam niet in de droom voor, maar zoals altijd vormde haar afwezigheid een lege plek waar het oog naartoe werd getrokken. Wat zou zíj zeggen als ze mij hier zou aantreffen? *Ik had meer van je verwacht, Jonathan.* Ik zie mezelf door haar ogen, de kleinzoon van Eve Anthony, wegkwijnend in klam-bruine anonimiteit en onwaardig verdriet.

Eve, die tegenwoordig bijna altijd binnen de contouren van een fotonegatief aan mij verschijnt, vraagt aan me: *Wat voor goeds kan het verleden de levenden brengen?* Ze heeft haar armen over elkaar geslagen en haar donkere mond glinstert in het fotolicht, dat als een wervelende vonkenregen om haar heen fonkelt.

Maar ik kan nergens anders heen, zeg ik tegen haar. Eve doet er het zwijgen toe. Ze knippert met haar glanzend zwarte ogen, die hard worden als teer, en haalt haar schouders op.

Deel een

1988

En zo varen we voort, schepen tegen de stroom op,
onophoudelijk teruggevoerd naar het verleden.
F. Scott Fitzgerald, *De grote Gatsby*

Een

Als ik aan een moment in het verleden denk om mee te beginnen, gaan mijn gedachten altijd terug naar een en dezelfde dag: een dag die op het moment zelf niet ongewoon leek maar essentieel was voor wat erna kwam. Het is de laatste dag van een omgekeerd traject: ik kom er vanzelf bij uit, alsof ik de baan van een geworpen bal terugvolg naar de plek waar de werper stond. Op het moment zelf weet je natuurlijk niet dat er een bal werd gegooid. Je hoort de ruit breken en holt naar het raam om te zien wie de boosdoener is.

De dag waaraan ik denk, begint met een zomerochtend; intens groen gras, een nieuwe, honinggele zon. Ik was bijna acht en zat in het gras naast een stuk grond waar ik een aantal irissen uit had getrokken om er een kasteel van lego op te kunnen bouwen. Ik zag de kruin van Theo's hoofd tussen de bloemen die ik had laten staan. Ze verzamelde lieveheersbeestjes en slakken, die ze liefdevol in haar poppenwagen zette terwijl ze zachtjes in zichzelf zong en praatte, een monoloog waarop ik – en dat kwam niet vaak voor – niet hoefde te reageren en die dan ook grotendeels langs me heen ging.

Achter ons lag het huis in een waas van licht; de zon blikkerde in de talloze ramen, waar je alleen maar naar kon kijken als je je ogen samenkneep. Evendon, dat ergens in de donkere vijftiende eeuw was gebouwd en in de ambitieuze negentiende eeuw door een excentrieke voorouder was opgesmukt, leek in niets op de andere landhuizen in Carmarthenshire, die lichter, chiquer en homogener

15

waren. Ons huis was grijs – allerlei verschillende tinten donkergrijs – en had hoge, puntige leidaken, trapgevels, lichte hoekstenen, witte en zwarte sierlijsten langs de dakgoten en rondboogvensters met witstenen omlijsting. Het had iets van een Escherpaleis voor een heks, barok maar streng, soms mooi, soms absurd – te imponerend – en doemde als een hallucinatie op uit de saaie vlakken van de tuin. Zelfs voor ons kinderen had het huis iets eigenaardigs.

Op dit vroege tijdstip in de ochtend herbergde Evendon maar twee mensen, die allebei nog sliepen. De ene was onze moeder, Alicia. Ze gaf niet veel om ons. Niet dat ze een hekel aan ons had, maar ze leek gewoon niet genoeg energie te hebben om het een of het ander te voelen. De andere was juffrouw Black, ons kindermeisje, die wél een hekel aan ons had.

De rest van de bewoners arriveerde pas in de loop van de ochtend: mevrouw Wynne Jones, de huishoudster, mevrouw Williams, de kok, en vervolgens de tijdelijke dienstmeisjes en tuinmannen wier namen nooit lang genoeg in omloop waren om ze te kunnen onthouden. Deze mensen tezamen waren verantwoordelijk voor het lawaai en de drukte op Evendon; ze namen het 's avonds met zich mee naar huis en brachten het in de ochtend mee terug. Vandaar dat het nu nog stil was, alsof er niemand in huis was. Op onze heuvel, met het stille huis aan de ene kant en een randje van het hoge gras en een streep zee aan de andere kant, zouden Theo en ik ons alleen op het topje van de wereld kunnen wanen.

Theo onderbrak haar liedje voor de insecten en riep: 'Jonathan?'

Haar gezicht verscheen boven de bloemen en ze zwaaide met haar hand. Haar neus was al rood van de ochtendzon.

'Jonathan?' zei ze. 'Zouden hommels het niet warm hebben met die dikke vacht?'

Tegen de tijd dat ik besefte dat ze een hommel in haar hand hield die ze aan mij wilde laten zien, had het dier zich al verzet en haar luid zoemend van frustratie gestoken. Ze staarde me even met open mond en wijzende vinger aan, alsof ze gestoord werd in een toespraak. Toen greep ze naar haar hand en barstte in tranen uit.

Ik trok haar mee naar het huis, op zoek naar Alicia, die inmiddels op was en in een donker hoekje van de zitkamer in een tijdschrift zat te lezen. Haar blonde haar was bijna kleurloos in het schemerlicht, haar ogen koel en wazig, als regendruppels. Ze keek met lome verbazing naar ons op toen we binnenkwamen. Theo snikte bijna onhoorbaar en stak haar hand uit, alsof hij in brand stond.

'Wat doen jullie hier in hemelsnaam?' vroeg Alicia.

'Theo is gestoken door een hommel,' verklaarde ik, waarna Alicia met een half oog naar Theo's opgestoken vinger keek.

'Ach, hemeltje... Juffrouw Black!' riep ze. 'Juffrouw Black! Wat vreselijk.'

Juffrouw Black kwam niet opdagen, maar in de keuken troffen we mevrouw Williams aan, die zojuist was gearriveerd en bezig was lasagne vanuit de supermarktverpakking over te hevelen in een ovenschaal. Toen ze ons zag, greep ze happend naar adem naar haar hart.

'Ik schrik me nog eens een keer dood van jullie!' zei ze. 'En nog iets. Geen woord hierover tegen jullie moeder, hè, denk erom. Sommige mensen denken maar dat je alles kunt. Ik ben toch geen duizendpoot? Ik heb zelf genoeg aan mijn hoofd.' Ze zweeg toen ze zag dat Theo huilde. 'Wat is er aan de hand, lieverd?'

Theo stak haar hand weer uit en mevrouw Williams bekeek de steek met een zelfvoldane blik, alsof ze ons had gewaarschuwd voor hommels en nu gelijk had gekregen. Die blik kenden we, omdat ze bij praktisch elk huishoudelijk ongelukje een dergelijk gezicht trok.

'Dat is een gemene steek,' zei ze. 'Daar helpt citroensap tegen. Of azijn. Daar gaat de pijn van weg.'

We liepen achter haar aan naar de koelkast, waar ze een fles citroenvinaigrette uit pakte waarvan ze vervolgens een beetje op Theo's vinger druppelde, die nu niet meer snikte maar gilde.

'Hmm, zou citroensap misschien tegen een wespensteek zijn?' zei mevrouw Williams. 'Ik weet zo gauw niet meer wat je bij een hommelsteek moet doen.'

Toen Theo's vinger eenmaal was schoongemaakt en mevrouw Williams er een pleister omheen had gedaan, kwam Theo tot bedaren. We bleven in de keuken hangen en keken toe terwijl mevrouw Williams een sigaret opstak. Ze had een aansteker in de vorm van een matador, die, zo vertelde ze ons, haar zoon Gareth als souvenir had meegebracht voor haar. Ze liet ons de voeten van de stierenvechter tegen elkaar ketsen totdat er aan de bovenkant van zijn hoofd een vlam uit kwam en gaf ons een paar van haar extra sterke pepermuntjes. Daarna leunde ze achterover en legde met een demonstratieve zucht haar voeten op een stoel. Mevrouw Williams was een kleine, plompe vrouw van rond de vijftig, met dof, lichtgeel haar dat er plastic uitzag. Ze had een onduidelijk aantal kinderen en andere verwanten, over wie ze praatte zoals ze over personages in soaps praatte, zodat je nooit precies wist wie er echt bestonden en wie niet. 'Wat je ook van Gareth mag vinden, hij is goed voor zijn moeder,' zei ze nu. 'Het zijn... die advocaten waren het probleem.'

Theo zat met een vertrokken gezicht op het aanrecht.

'Doet je vinger nog pijn?' vroeg ik.

Ze schudde haar hoofd en begon weer te huilen. 'Waarom was die hommel boos op mij?'

'Hij was niet boos op jóú,' zei ik voorzichtig. Als ik zei dat ze de hommel had laten schrikken, zou ze nog erger van streek raken en zou ik alleen moeten spelen.

'Was hij boos omdat hij het warm had?' vroeg Theo. 'Door zijn dikke vacht?'

'Ja,' zei ik. 'Dat denk ik wel. Maar heb je weer zin om buiten te gaan spelen?'

Theo begon nog harder te huilen. 'Die arme hommel,' snikte ze. 'Waarom heeft hij ook zo'n dikke vacht?'

Ik overwoog haar te vertellen dat de hommel nu dood was omdat hij zijn angel kwijt was, maar bedacht me. 'Heb je zin om weer buiten te gaan spelen?' vroeg ik nogmaals.

'Jullie kunnen beter binnenblijven. Het is veel te heet buiten,' zei mevrouw Williams tegen Theo. Om haar hoofd kringelde rook, alsof ze een orakel uit de oudheid was. 'En jij moet je zusje voortaan beter in de gaten houden. Dan was ze vast niet gestoken.'

Haar opmerking was zo onterecht dat ik besloot haar te negeren, een straf die mevrouw Williams ontging omdat ze de televisie al op haar favoriete programma had gezet en de geagiteerde stemmen opzoog, haar hoofd een tikje scheef, als een kanarie. 'O nee toch! Heeft zíj de moord gepleegd?' riep ze uit.

'Kom, Theo, dan gaan we in de bibliotheek spelen,' zei ik, en ik pakte nog een pepermuntje.

Toen we de keuken uit liepen, zei mevrouw Williams: 'Familie moet altijd goed op elkaar passen,' hoewel ik niet wist of ze het tegen mij of de tv zei.

In de bibliotheek van Evendon, waar Theo en ik kastelen van leer bouwden door boeken op elkaar te stapelen of tegen planken duwden om de magische draaideur te vinden die ons een donkere, geheime gang zou onthullen, bevonden zich onze voorouders. Er was een tijd geweest dat ze statig over de trap hadden getuurd, maar in een daad van oneerbiedigheid had iemand (Eve) hen gedegradeerd tot de bibliotheek, waar veel minder ruimte was en de wanden vol hingen met schilderijen van dode Bennetts; degene die het langst dood was, hing bij de deur, mijn overgrootouders helemaal achteraan in een hoekje.

Juffrouw Black had ons de schilderijen van onze overgrootvader George en zijn vrouw Louisa Bennett laten zien. Ze vertelde ons dat George een beroemde archeoloog was geweest, die de Mayatempels in de regenwouden van Honduras had ontdekt en begraven lag in Westminster Abbey. 'En daar worden alleen héél belangrijke mensen begraven,' zei ze, waarmee ze leek te suggereren dat Georges grootste verdienste was geweest dat hij toegelaten was tot de meest exclusieve grond van Londen. Van Louisa herinnerde juffrouw Black zich alleen dat ze al voor haar dertigste was overleden. 'Ze was een ziekelijke vrouw,' zei ze met afkeuring in haar stem.

Louisa Bennett maakte een ietwat schuldbewuste indruk. Misschien voelde ze zich bezwaard omdat ze ziek was. Ze zat kaarsrecht, maar keek argwanend, alsof ze betwijfelde of ze wel recht op het canvas had. Naast haar stond George, wiens hand op een met diamanten bezette schedel rustte. Hij had een hoekig gezicht met een snor, en kleine, vierkante, blauwe ogen. Hij had iets ongeduldigs over zich.

Soms vertelde mevrouw Williams ons verschillende verhalen over onze familie. Volgens een van die verhalen zou Georges vader, Sir James Bennett, het familiekapitaal hebben verdronken. Het enige wat hij deed was drinken, totdat zijn ouders stierven van teleurstelling en hij zelf in beschonken toestand van een paard viel waarmee hij over een hek wilde springen omdat hij een weddenschap had afgesloten. Maar, zo voegde ze eraan toe, Sir James had een groot hart. Hij voelde zich niet te goed om zich in de plaatselijke pub onder de dorpelingen te mengen, iets wat George nooit zou hebben gedaan. En dan was er nog het verhaal over Louisa, die slechts de dochter van een potlodenmaker was ('Hij trouwde met haar om haar geld, snap je.'). Ze legde me uit dat George het familiekapitaal weer terugverdiende, en zelfs meer dan dat ('meer geld dan goed voor iemand is'), maar dat hij uiteindelijk net zo'n grote pechvogel was als zijn vader.

'Dat kwam door die trap in de hal,' zei mevrouw Williams met een knikje in de richting van de marmeren entree met de twee identieke pilaren en de wenteltrap die zich in tweeën splitste, als de bek van een reusachtige, gefossiliseerde slang met stenen tanden en een gevorkte tong. 'Op een dag (en vertel dit maar niet aan je zusje, want die raakt daar maar door van streek) moet hij over een trede zijn gestruikeld en helemaal naar beneden zijn gerold. Je hebt nergens houvast aan, hè? Je kukelt omlaag totdat je onder aan de trap op de vloer smakt. En hoe denk je dat het met je grootvader is afgelopen?'

'Hoe dan?'

Mevrouw Williams pauzeerde even en stak haar sigaret aan. Ze wist hoe je een verhaal moest rekken.

'Hij was dóód,' zei ze. 'Hij werd dood onder aan de trap gevonden.'

Het allermooiste familieportret hing niet bij de Bennetts in de bibliotheek, omdat het portret het enige schilderij was van een levende persoon: Sir James' kleindochter, George en Louisa Bennetts dochter, Alicia's moeder en onze grootmoeder. Eve Anthony.

Het schilderij van Eve hing in de eetkamer, waar ze welwillend en waakzaam uitkeek over de tafel, mooi als Sneeuwwitje, met haar zwarte haar en bleke huid, en haar taps toelopende ogen, als pijlpunten. Ze droeg een bloedrode jurk, en ook al was ik onder het schilderij opgegroeid, de intense kleur verraste me elke keer als ik de kamer binnen kwam.

Evendon was Eves eigendom, maar Theo noch ik had haar ooit

ontmoet terwijl we toch al zo lang als we ons konden herinneren op Evendon woonden. Ze had het landgoed na de dood van haar vader geërfd, maar in plaats van er te gaan wonen, was ze naar Amerika vertrokken om pas twintig jaar later, toen haar tweede huwelijk op de klippen was gelopen, terug te keren. Volgens juffrouw Black had ze het huis vol muizen en meeldauw aangetroffen. Bijna alles moest worden weggegooid, de van houtworm vergeven houten vloeren moesten worden verbrand, het vochtige pleisterwerk van de muren gehakt. Wat overbleef was een huis zonder vloeren en ramen, als een skelet. Maar ze zwaaide met haar beurs en veranderde het huis in een paleis vol buitenissige kostbaarheden. De zitkamer richtte ze in met rode zijde, Turkse tapijten en twee uit hout gesneden, met goud vergulde olifanten uit India, zo groot als Deense doggen (in de jaren zeventig geschonken aan Eve door een smoorverliefde radja). De zitkamer met de kroonluchter was uitgevoerd in roomwit en stond vol vazen met lelies en rozen en zitjes met ivoorkleurige damasten fauteuils, als groepjes duiven. De bibliotheek werd gevuld met boeken achter glas en in de eetkamer zette ze de lange walnoothouten tafel, omringd door stoelen als statige bewakers.

Na een paar jaar vertrok ze alweer naar Amerika, aangetrokken door de sirenenzang van het internationale zakenleven. Haar kamers werden afgesloten tot de dag dat ze weer zou terugkeren naar Evendon. Niemand scheen echter veel vertrouwen in die dag te hebben. Volgens juffrouw Black was de kans te verwaarlozen dat Eve weer in Wales zou willen wonen. (Ze zei 'in Wales' op een manier zoals mevrouw Williams 'te ambitieus' zei. 'Mevrouw Anthony is veel te ambitieus om hierheen terug te keren.')

Alles wat wij van Eve wisten terwijl we opgroeiden in haar denkbeeldige voetsporen, was van horen zeggen. We kregen te horen dat ze tegenwoordig een beroemde, rijke zakenvrouw was, maar dat ze in een ver verleden politica was geweest in Amerika. Juffrouw Black liet ons televisiebeelden zien van een toespraak die ze had gehouden: Eve – ze was toen de volksvertegenwoordigster Eve Nicholson – stond op een platform in bleke, gebroken kleuren en met poppenachtige golven in haar haar. Als gehypnotiseerd keken we naar het scherm, alsof het portret tot leven was gekomen. De filmopnamen toonden vertraagd haar bewegingen; ze praatte en zwaaide vanaf haar platform door de afstand in de tijd. Haar stem bewaard in barnsteen, rond en gaaf. Ons werd weinig verteld over wat ze nu eigenlijk dééd; kennelijk ging het erom dat ze op dat platform stond. Juffrouw Black zei dat Eve de weg had geëffend voor vrouwen die na haar kwamen.

'Zijn er nu veel vrouwen zoals zij?' vroeg ik.

'Het gaat niet om het aantal maar om het... principe,' zei juffrouw Black.

Eve was ook op televisie verschenen in haar meest recente incarnatie: Eve Anthony, filantrope en hotelmagnaat. Het belang van deze kwalificaties, en van haar bedrijf, Charis, ontging me. We zagen haar in het nieuws voor een groot gebouw linten doorknippen in een wit mantelpakje. Behalve haar kapsel, dat ze nu golvend tot op haar schouders droeg, zag ze er nog hetzelfde uit als op de oude filmbeelden. Ze sloeg haar ogen neer, keek ernstig in de camera en zei: 'Ja, ik hou ervan het verleden in ere te herstellen. Ik breng graag iets terug wat anders verdwenen zou zijn.'

Dan waren er ook nog de Eves die we elke dag zagen: de ingelijste debutante Eve Bennett, in haar romantische roomwitte jurk; Eve Nicholson, met lichtblauwe hoed en parelketting in de zitkamer; de Eve Anthony die Theo in een tijdschrift had ontdekt, waarop ze met haar stralende glimlach naast een andere, veel minder mooie vrouw met een kroon op staat. Ik kon me niet voorstellen dat dit mijn grootmoeder was. Ze deed me denken aan Theo's papieren aankleedpoppen die eindeloos met hun uitknipbare garderobe konden worden aan- en uitgekleed. Ook van Eve waren talloze versies, altijd tweedimensionaal en met hetzelfde gezicht, dezelfde donkere irissen en dezelfde rood-witte mond. Toen Theo jonger was, zag ze Eve als een sprookjesfiguur, een sprankelende tandenfee ('Kan Eve vliegen?' vroeg ze dan. 'Kan ze verdwijnen?'), en ik wist nog altijd niet zeker of ze nu wél geloofde dat ze bestond. Maar dat gold ook voor mij: hoe meer Eves ik zag, hoe moeilijker het werd in haar te geloven. Niet omdat ze niet echt leek; het was eerder dat ze té echt was, echter dan wie dan ook.

~

Later op de dag schatte ik – terecht – in dat mevrouw Williams was vergeten dat ze tegen ons had gezegd dat we binnen moesten blijven, en dus gingen we weer de warme, rustige middag in. We bleven uit de buurt van de ramen en zwierven door de uitgestrekte tuin naar de greppels aan de bosrand, waar we een paar bijzondere voorwerpen opgroeven: een roestige speelgoedkruiwagen die op z'n kop tussen de hoge varens lag, een avondhandschoen, een dode kraai, een schaar... allemaal spullen die bijna verdwenen waren in het kreupelhout.

De grootste ontdekking deden we echter aan het einde van de dag. Tijdens onze verkenningstocht waren we op een verhard pad gestuit dat vanaf het grasveld door een ogenschijnlijk ondoordringbaar bos vol varens voerde. We bewapenden ons met stokken en scharen en baanden ons een weg door het bos, schoppend tegen wortels en onkruid dat tussen de tegels van het netjes aangelegd pad groeide. Terwijl we verder het bos in liepen, nam het zonlicht af en hing er alleen nog in de kruinen van de berken en wilgen een flauw, koel waas rond het bladerdak.

'Waar gaan we naartoe?' vroeg Theo achter me.

'We volgen dit pad,' zei ik tegen haar. 'Ik ben benieuwd waar we uitkomen.'

'Misschien wel in de hemel,' zei Theo. (Ze had kortgeleden voor het eerst het Onzevader gehoord en wilde maar niet geloven dat de hemel geen bestaande plek was die je gewoon aan het einde van de straat zou kunnen vinden, nabij Laugharne of St. Clears; maar dan waarschijnlijk wel met minder regen en meer chocolade.)

Nadat we ons eindelijk een weg hadden gebaand door de uitlopers en stekels van de hondsroosstruiken, struikelend over wortels en verdwaalde straatstenen, kwamen we op een open plek aan de rand van een grote waterplas. Het water had een vreemde glans in het zilvergroene licht en was bedekt met waterlelies, waaronder kleine, donkere vissen te zien waren. Om de poel lagen ruïnes: het stenen pad, zichtbaar onder de brandnetels, een marmeren nimf op een voetstuk, chagrijnig overhellend naar één kant, de bleke nek overwoekerd door klimop. Het was een vreemde plek, die lang geleden moest zijn afgesneden van de tuin en tot rust was gekomen onder de druk van de vergetelheid.

'Zou hier iemand wonen?' vroeg Theo me, en ze betastte voorzichtig het stenen haar van de nimf.

'Nee,' zei ik, zonder veel overtuiging.

'We zijn niet in de hemel, hè?'

'Nee.'

We probeerden om de poel naar de andere kant te lopen om te zien waar het pad ophield, maar de doorgang werd bemoeilijkt door brandnetels en braamstruiken. Daarna probeerden we liggend op onze buik – vergeefs – vissen te vangen met onze handen totdat het licht naar avond begon te kleuren en wolken muggen zich dreigend boven onze hoofden samenpakten. Teleurgesteld en groen besmeurd probeerden we het oorspronkelijke pad door het bos terug naar huis te vinden, maar de schemering was ingevallen en de omgeving was onherkenbaar veranderd: wat eerst een open plek was, was nu een wilg en wat een wilg was, was nu een groepje varens, en waar we een groepje varens hadden gezien, was nu alleen duisternis.

'Zijn we verdwaald?' vroeg Theo. Ik liet niets van mijn eigen onzekerheid merken en zei: 'Doe niet zo raar. Het is deze kant op.'

Ik dook een tunnel tussen de bomen in en kwam uit op een steil, onbekend pad. Theo volgde me stilletjes. Op het zeurende gezoem van de muggen en het gekraak van het kreupelhout na was alleen onze angstige ademhaling hoorbaar. Het pad voerde ons omhoog, werd onbegaanbaar, leidde ons in een rondje terug, totdat we weer in de vertrouwde omgeving van het oorspronkelijke verharde pad kwamen.

'Ik zei toch dat we niet verdwaald waren,' pochte ik opgelucht. 'Hier is het pad. En daar de gele klimop en de oude eik. Precies zoals ik het me herinner.'

Theo keek vol bewondering rond. 'Wat ben je toch knap, Jonathan.' Ze begon met gespreide armen van steen naar steen te springen totdat ze met een verrukt kreetje bij de oude eik bleef staan. 'Heb jij hier een geheime boodschap voor ons in geschreven?'

'Hè?'

Ze wees naar de boom: iemand had diep in de barsten en groeven van zijn krokodillenhuid een hart gekerfd. De lijnen waren grijs van ouderdom en korstmossen vervaagden de randen, maar de letters waren nog leesbaar. M.C. A.A.

'Wat betekent het?' vroeg Theo. Ze liet haar vingers over de letters glijden.

'Geen idee, ik zie het voor het eerst,' zei ik verbaasd. 'Dat moet van onze ouders zijn.' Met mijn vinger volgde ik de omtrek van het hart en ineens besefte ik dat de verborgen initialen, die onze vader waarschijnlijk al was vergeten zodra hij ze erin had gekerfd, het enige was wat we van hem hadden.

Onze vader, Michael Caplin, was een week na de geboorte van Theo, toen ikzelf net één jaar was geworden, vertrokken. Juffrouw Black, die hem nooit had gekend, zei dat hij naar Australië was gegaan, waar hij was omgekomen bij een auto-ongeluk. Niemand praatte over hem en hij kwam nooit ter sprake in de rijk bevolkte roddels van mevrouw Williams. En wat ik Alicia ook vroeg over hem, ik kreeg altijd hetzelfde antwoord: ze fronste en zei dat ze het zich niet meer kon herinneren. Na verloop van tijd vroeg ik er niet meer naar. Er waren geen foto's van hem; geen bruidegom naast een opgedirkte Alicia in trouwjurk, geen kersverse vader die met gespeelde onwetendheid een fles of luier omhooghoudt. Alsof een tornado dat eerste jaar had uitgewist en er niets uit de puinhopen was gered. Na de tornado was er geen Eve en geen vader meer. Eve was teruggegaan naar Amerika, waar ze zakenmagnaat en filantrope werd, onze vader – M.C. – was voorgoed verdwenen.

Toen we de laatste prikkende braamstruiken eindelijk achter ons lieten en bij de rand van het bos kwamen, was de hemel diepblauw. De lichtere horizon gloeide nog na in de verte en dichter bij huis brandden enkele lantaarns die hun zwakke licht op het terras wierpen, dat leek te trillen in hun warme gloed. De grasvelden kleurden vreemd groen en golfden als de zee in de wind die uit het bos kwam en een zware, zoete rozengeur verspreidde.

Ik was bang dat we straf zouden krijgen, maar in huis leek het alsof de tijd had stilgestaan: Alicia en juffrouw Black zaten nog precies zoals wij ze uren daarvoor hadden achtergelaten. De zondagskrant, gelezen en vervolgens op de grond gegleden, had de goudkleurige salon aan de achterzijde van het huis veranderd in een woestenij van verstrooide krantenpagina's als waren het dode vogels; de twee vrouwen zelf lagen bijna bewegingsloos op de banken.

'We hebben een geheim meer ontdekt,' verkondigde Theo.

'Een meer?' zei Alicia, opkijkend. 'Een meer of een vijver?'

'Een grote vijver,' zei ik.

'O, een grote vijver.' Ze dacht even na. 'Nee... ik geloof niet dat er hier in de buurt een vijver is.'

'Een meertje dan.'

'Ik heb ook nooit een meertje gezien,' zei Alicia. Ze wendde zich tot juffrouw Black. 'Jij?'

'Ik hoop niet dat het weer een van jullie verzinsels is,' zei juffrouw Black tegen ons.

Juffrouw Black was jong en plomp als een gemberbroodvrouwtje, met haar dikke vlecht en rozijnenoogjes, maar als ze echt van gemberbrood was, dan was ze koud en ongebakken; haar molligheid was allesbehalve troostrijk. Ze glimlachte nooit tegen ons, alleen tegen Alicia, met wie ze graag praatte. Op verveelde, bijna wetenschappelijke toon bespraken ze de affaires en huwelijken van Alicia's vrienden, alsof ze zelf dat soort zaken allang ontstegen waren.

Op dat moment kwam mevrouw Williams met de thee binnen, alsof ze net uit de keuken kwam en niet achter de deur had staan luisteren. 'Ik weet waar die vijver is,' zei ze. 'Daar is het niet veilig. Eve is er vroeger als kind een keer in gevallen. Ze was er in haar eentje opuit gegaan en moest gered worden door de tuinman.' Ze zette juffrouw Blacks kopje thee zo hardhandig neer dat de thee over de rand golfde. ('Jezus, kan die juffrouw Black zelf geen thee zetten?' had ze in de keuken tegen ons gemopperd.)

'Hoe dan ook,' zei juffrouw Black, 'jullie blijven dus voortaan uit de buurt van die vijver.' Ze zei het streng, om Alicia tegemoet te komen, die haar tijdschrift weer had opgepakt en al niet meer luisterde.

'Heb jij dan niet in die boom geschreven, mama?' vroeg Theo.

'Samen met papa?' Dit 'papa' was nieuw in haar vocabulaire en het klonk alsof ze het woord uitprobeerde.

'Waar heb je het over?' reageerde Alicia sneller dan gewoonlijk, zodat juffrouw Black haar verbaasd aankeek.

'Pápa,' zei Theo nogmaals. 'Zijn naam staat in de boom. En die van jou ook.'

Alicia fronste nadenkend en zei toen: 'Ik begrijp absoluut niet wat je bedoelt, Theodora. En ga nu maar gauw ergens anders spelen. Hup.'

Theo bloosde gekwetst, dus ik trok haar aan haar arm mee de kamer uit. 'Kom. Het heeft toch geen zin om er met die twee over te praten.'

'Wat vind je van krokodillenleer, Alicia?' hoorden we juffrouw Black achter ons vragen.

'Vulgair,' zei Alicia.

Sindsdien gingen we elke dag naar de vijver, maar het lukte ons nooit ook maar één vis te vangen. Ik kwam er graag. Ik hield van het eigenaardige, troebele water van de poel, waarvan ik niet wist hoe diep die was; van de kromgebogen bomen; van de boom met de initialen, als een herkenningsteken, of als de lantaarnpaal in *Het betoverde land achter de kleerkast*, die de weg wijst naar de open deur. Het leek zo toepasselijk, en op een prettige manier ook wel spannend, dat de plek verbonden was met een bijna-verdrinking: Eves bijna-verdrinking. Net zoals het verhaal over de marmeren trap, waar overgrootvader George vanaf was gevallen. Beide plekken van dood en bijna-dood brachten onze onbekende voorouders dichterbij, ook al was het maar als geesten die bij hun vroegere huis waren blijven rondspoken. Ik zei er niets over tegen Theo. Dat soort dingen maakte haar van streek.

Aan het einde van de zomer kwam oom Alex op bezoek. We hadden hem jarenlang niet gezien. Alex was Alicia's oudere broer en hij was doctor aan de universiteit. Ik wist toen nog niet dat je als doctor ook iets anders kon studeren dan medicijnen, dus toen ik hoorde dat hij geen stethoscoop zou meenemen was ik diepteleurgesteld. Ik stond dan ook enigszins argwanend tegenover zijn doctorstitel en had op een of andere manier het gevoel dat Alex een bedrieger was.

Mevrouw Williams dacht er net zo over als ik. 'Sociologie,' zei ze tegen mevrouw Wynne Jones. 'Wat stelt dat nu helemaal voor?'

'Het is toch echt een wetenschap, hoor,' reageerde mevrouw Wynne Jones. 'Onze Jane heeft het vak gekozen voor haar eindexamen.'

'Nou, het lijkt mij maar een rare studie,' zei mevrouw Williams gedecideerd. (Ze had herhaaldelijk tegenover Theo en mij beweerd dat mevrouw Wynne Jones een over het paard getilde tuthola was, want haar man werkte nota bene bij een tánkstation.)

Alex en Alicia verschilden maar een paar jaar in leeftijd, maar Alex, met zijn grijzende haar en fronsrimpels, leek veel ouder. Zijn ogen kleurden flets Delfts blauw achter zijn brillenglazen en zijn huid had de vaalwitte kleur van klei, alsof hij een recentelijk opgegraven artefact was dat net weer aan het licht was blootgesteld. Hij begroette Theo en mij beschroomd, alsof hij niet wist hoe hij zich tegenover ons moest gedragen, en keek onzeker naar Alicia, in de hoop dat zij hem zou helpen. Maar Alicia mompelde iets over het slechte weer en zei dat Alex niet helemaal vanuit Oxford naar Wales had hoeven komen, wat ik een nogal overbodige opmerking vond omdat hij er toch al was.

Ik voelde geen echte genegenheid voor Alex maar eerder een soort medelijden vanwege zijn breekbare, keramische lichaam en zijn onbeholpenheid tegenover ons, alsof we geen kinderen waren maar iets kostbaars waarmee je heel voorzichtig moest omspringen. Het was dan ook een vreemde gewaarwording toen zijn ogen aarzelend in contact kwamen met de mijne en ik besefte dat hij geen oogcontact had gezocht omdat hij ook medelijden met óns had en niet omdat hij zich ongemakkelijk voelde. Dat verwarde me; ik had geen flauw idee waarom hij medelijden met ons zou moeten hebben. Na de eerste koetjes en kalfjes bleken Alex en Alicia elkaar weinig te zeggen te hebben. Ze bewogen zich in dezelfde kamers, waar hun bleke ogen de temperatuur deden dalen en ze niet veel meer zeiden dan: 'Het lijkt vandaag iets minder hard te regenen,' totdat Theo en ik op een avond tot onze opluchting werden weggestuurd.

Destijds deden Theo en ik vaak alsof we naar bed gingen en glipten dan later onze kamers weer uit om te kamperen op een van onze verstopplekken in huis: onder een logeerbed, onder de eettafel. (Eigenlijk hoefden we niet eens te doen alsof, omdat juffrouw Black toch nooit merkte dat we niet in bed lagen, maar dat wisten we toen nog niet, en juist de spanning van het vooruitzicht te worden betrapt maakte het slapen in onze tent zo leuk.) Die avond hadden we onze kussens en dekbedden naar de zitkamer gesleept en hadden we achter een van de sofa's een holletje voor onszelf gemaakt.

Theo viel als eerste in slaap en zelf sliep ik ook al half toen Alex en Alicia de kamer binnen kwamen en het licht aandeden. Ik dook in paniek ineen, maar ze zagen me niet en gingen aan de andere kant van de kamer zitten. Alicia zei iets wat ik niet verstond, waarop Alex zei: 'Ze komt terug, geloof me.'

Ik keek voorzichtig om de armleuning van de sofa heen en zag mijn moeder zwijgend haar glas bijvullen uit de karaf.

'Wat ga je doen als ze terugkomt?' vervolgde Alex. 'Blijf je doen alsof er niets is gebeurd?'

Er viel een korte stilte. Toen zei Alicia: 'Ik begrijp niet wat je bedoelt.'

'Lulkoek.'

'Let alsjeblieft op je woorden.'

'Oké, dan houden we erover op en doen we alsof er niets aan de hand is. Ik snap alleen niet hoe je het volhoudt. Dat je precies kunt onthouden waar je over moet liegen. Zoals waar de lichamen zijn...'

Toen zette Alicia haar glas met een klap neer en slikte Alex zijn woorden in. Er viel weer een stilte. Alicia slaakte een zucht en pakte haar glas weer op. Uit de zucht viel moeilijk op te maken of ze boos, verdrietig of moe was. Ze zwegen lange tijd, waarna Alex op vriendelijker toon vervolgde: 'Herinner je je dat grote huis in Californië nog waar we vroeger woonden? En ons dienstmeisje Leonie? Ik zou wel eens willen weten waar ze nu is. Ze zong altijd een liedje voor ons... daar danste jij altijd op... hoe ging dat liedje ook alweer?'

Alicia haalde haar schouders op en nam een slokje uit haar glas. Ze zag er beeldschoon uit in het licht van de kroonluchter en de schemering die door het raam naar binnen viel. Toen sloeg ze haar ogen neer; haar wimpers wierpen schaduwen op haar wangen, het ijs tinkelde tegen het glas.

'Helaas herinner ik me geen van de dienstmeisjes,' zei ze.

Ik probeerde wakker te blijven voor het geval Alex en Alicia iets zouden zeggen over de leugens die Alicia zou vertellen of over welke lichamen waar verborgen zouden zijn, en of ze met degene die terug zou komen misschien Eve bedoelden. Maar dat gebeurde niet en ik kon me niet langer verzetten tegen de slaap. Ik legde mijn hoofd op het kussen en al snel mengden mijn gedachten zich als cakebeslag door elkaar tot zware, zachte, ondefinieerbare vormen.

Ik dacht aan Eve, over wie ik anderen alleen maar in de verleden of toekomende tijd hoorde spreken. De enige plek waar ze niet bestond, was het onbestemde heden; we leefden allemaal in het besef van haar afwezigheid, verdord en ingeteerd door Evendons stilte en het gevoel dat er iets belangrijks ontbrak. Het ging immers niet alleen om Eve, maar om al de verdwenen bewoners van Evendon: onze overgrootvader George, dwalend door de gangen van de tempelruïne met zijn zaklantaarn; onze vader, zorgvuldig zijn initialen in een boom kervend. Eve was degene die hen had gekend en aan het hoofd had gestaan van een pantheon van mensen die reëler waren dan Alicia, die nooit ergens antwoord op gaf, en Alex, die met medelijden naar me keek.

Ik vroeg me af wat er met Evendon zou gebeuren als Eve terugkeerde, maar was zo slaperig dat haar beeld vervaagde en haar gezicht slechts nu en dan even scherp werd. Eve op haar schilderij als Sneeuwwitje, met een appel in haar hand, Eve op het podium, als een standbeeld, vlak voordat ze aan haar toespraak begon, Eve die zich omdraaide en glimlachte, de professionele schittering van haar tanden in het onbeweeglijke oog van de camera... en van mij.

De volgende ochtend vertrok Alex weer naar huis. Alicia kreeg een snelle kus op de wang, die ze zoals gewoonlijk met lichte ergernis accepteerde, en Theo en ik een onzekere aai over de bol. Nadat de deur in het slot was gevallen, stonden we gedrieën nog even zwijgend in de hal, totdat Alicia zich omdraaide en weer naar bed ging.

'Oom Alex vindt het hier niet leuk,' zei Theo.

'Natuurlijk wel.' Ik verdedigde Evendon. 'Anders zou hij toch niet op bezoek komen?'

'Maar hij komt maar één keer per jaar. En verder komt er nooit iemand.' Theo maakte een pirouetje op het marmer en liet haar armen en haren in het rond zwaaien. 'Wij gaan wel bij andere mensen op bezoek. Met verjaardagen en zo. Maar zelf geven we nooit een verjaarsfeest.'

Ze zei het op zakelijke toon, onervaren als ze was in de kunst van het ressentiment. Maar ik was ouder en verder dan zij; in gedachten hinkelde ik naar de volgende vakken. Er kwam niemand langs op Evendon omdat Alicia niet van bezoek hield. Eve kwam nooit. Het moest dus wel aan Alicia liggen.

Die middag ging ik op zoek naar Alicia, die zoals gewoonlijk op haar kamer een dutje deed. Ik wist dat we haar daar niet mochten storen, maar omdat het nooit met zoveel woorden tegen ons was gezegd, duwde ik de deur van haar kamer op een kiertje en glipte naar binnen. De gordijnen waren gesloten maar omdat ze, net als de muren en het beddengoed, wit waren, hing er een matte, bleke schemering in de kamer, als verdicht licht. Alicia lag met geopende ogen op haar bed. Ze droeg een oesterkleurige jurk en dito parelsnoer, in bijna dezelfde kleur als de kamer, alsof ze zelf een parel in een schelp was. Haar hoofd, dat op haar hand rustte om te voorkomen dat haar haren in de war zouden raken, draaide naar me toe. Ze had een afwezige blik in haar ogen, die traag bewogen in hun kassen.

'Wat doe jij hier?' vroeg ze monotoon, waardoor het eigenlijk geen vraag leek.

'Wanneer komt Eve bij ons op bezoek?' vroeg ik.

Er viel een stilte. Toen trok de dromerige afstandelijkheid weg uit Alicia's blik, als stof dat van een glazen oppervlak wordt geblazen.

'Heb je haar gesproken? Heeft ze gebeld?' vroeg ze.

'Nee...' Ik werd verrast door de verandering in haar stem, hoewel haar lege blik nog altijd op mij rustte. 'Ik vroeg het me gewoon alleen maar af.'

Alicia draaide haar hoofd weg en keek weer naar het plafond. 'Oké,' zei ze, en ze mompelde iets in zichzelf wat ik niet kon verstaan.

Omdat ze me niet wegstuurde en in een vreemde, open stemming leek, bleef ik bij haar bed staan. De kamer was zo goed als leeg; geen foto's, geen schilderijen, nergens rondslingerende kleren of schoenen die erop wezen dat dit de kamer van een vrouw zou kunnen zijn. De enige persoonlijke voorwerpen in de kamer waren een karaf, een glas water naast het bed en een doosje dat ik met een schuin hoofd las. Valium. Diazepam.

Ik keek weer naar Alicia. Gewoonlijk zou ze me allang een van haar drie standaardantwoorden hebben gegeven: Dat herinner ik me niet. Ik heb hoofdpijn. Ik weet niet waar je het over hebt. Maar ze lag daar maar naar het plafond te staren.

'Je wilt niet dat ze terugkomt,' zei ik.

Alicia lachte, een droge, witte ruis, en zei zonder me aan te kijken: 'Ik heb niets te willen. Daar ga ik niet over. Ze doet toch wat ze wil. Het maakt haar niets uit of ik wil dat ze terugkomt of niet.'

Toen knipperde ze met haar ogen en was de betovering verbroken. Ze was zichzelf weer. Ze keek me aan alsof ze me nu pas voor het eerst zag.

'Ik heb hoofdpijn,' zei ze kil, en ze wuifde me vermoeid weg. 'Sluit de deur zachtjes achter je.'

Twee

In september gingen Theo en ik weer naar de basisschool, een kleine school op een halfuur rijden van Evendon. Elke ochtend werd het weer buiten de autoraampjes grijzer en kouder, totdat de raampjes zelf het merendeel van de dagen beslagen waren door de regen. We zagen de vertrouwde heuvels van Carmarthenshire door een lens van water, almaar waziger en kleurlozer.

Ik ging graag naar school, voor mij een warme kring van licht, bijeengehouden door lijm en plakband, een perfecte globe van papier-maché. Binnen deze kleine wereld had ik een verbond gesmeed met de drukke, leeghoofdige Charlie Tremayne; we speelden de baas bij balspelletjes op de speelplaats en demonteerden lesmateriaal zoals aardappelklokken en plastic skeletten. Charlies cijfers leden onder ons slechte gedrag, de mijne niet.

Theo zag ik niet veel op school. Deels omdat we niet in dezelfde klas zaten, deels omdat ik haar had verboden mijn vrienden en mij lastig te vallen. Tijdens de lunch zat ze bij de meisjes uit haar jaar en fluisterde en giechelde ze met de anderen mee. Behalve door haar wilde bos lichtblond haar was ze in niets van de anderen te onderscheiden. Ondanks mijn contactverbod merkte ik dat ze vaak in mijn richting keek, in de hoop dat ik me zou omdraaien, zodat ze naar me zou kunnen zwaaien, haar volle glimlach wit en stralend als een zeil, en een en al opwinding omdat ik haar had opgemerkt.

Na de kerst kwam Charlie Tremayne bij ons logeren. Zijn ouders

gingen naar Antigua en hun kindermeisje had er kennelijk op gestaan dat ze twee weken verlof zou krijgen. 'Wat vreselijk,' had Alicia tegen Anne Tremayne verzucht aan de telefoon. Aangezien onze
eigen juffrouw Black niet zo'n druk sociaal leven had en op tweede
kerstdag altijd alweer voor de deur stond, reageerde Alicia kalm bij
het vooruitzicht van een derde kind in huis. 'Dat kan makkelijk,' zei
ze tegen juffrouw Black.

Charlie Tremayne, de held van de speelplaats, kwam op Evendon
minder goed uit de verf. Zijn stem was te schel en hij deed te hard
zijn best. Ik merkte dat ik uitkeek naar het einde van de logeerpartij.

'Hebben jullie wel eens een horrorfilm gezien?' vroeg hij aan ons.

'Ik wel. Vorige week in de bioscoop. Hij ging over zombies.'

'Daar ben je nog veel te jong voor,' zei ik. Ik wilde niet dat hij er
in Theo's bijzijn over zou praten.

'Ik mocht er toch in, hoor,' zei Charlie. Hij had ons ook verteld
dat hij de week daarvoor een cobra had gevangen in hun tuin. 'Maar
die heb ik weer vrijgelaten,' voegde hij eraan toe.

Uiteindelijk opperde ik dat hij met ons naar de geheime vijver
zou kunnen gaan, in de hoop dat ik daar in alle rust zou kunnen vissen. We waren er sinds de zomer niet meer geweest. Theo wilde er
niet meer heen. Ik had haar nog een paar keer meegekregen, maar
omdat ze telkens alleen maar nerveus had zitten wachten tot we
weer zouden gaan, had ik het opgegeven.

'Ik wil niet naar de vijver,' zei ze nu. 'Mevrouw Williams zegt dat
het daar spookt.'

'Ach, natuurlijk niet. Er is niemand verdronken daar. Je had ook
niet moeten zeggen dat we weer bij de vijver waren geweest. Ze
probeert ons alleen maar bang te maken omdat ze niet wil dat we
er komen.'

'Alsjeblíéft, Jonathan,' zei Theo. 'Het is al donker... Ik vind het
eng daar. Laten we hier blijven.'

We keken naar buiten. De tuin was bijna opgelost in de duisternis van de avond en de horizon lichtte wit op aan de rand van de heuvel. Het uitzicht was ineens onherkenbaar, inktzwart en koud als de bodem van de zee.

'Ik wil best iets anders gaan doen, hoor,' zei Charlie.

'Bang?' zei ik, en ik gaf hem een stomp tegen zijn arm.

'Natuurlijk niet,' snauwde hij.

Toen ik de deur opende en naar buiten liep, gaf hij me een duw in mijn rug. Theo sjokte mismoedig achter ons aan. 'Je hoeft niet mee, hoor,' zei ik tegen haar, maar ze schudde slechts haar hoofd. Hoe vervelend ze de dingen die ik deed ook vond, ze vond het nog erger om alleen achter te blijven.

Terwijl we over het terras naar de tuin liepen, keek ik door de ramen de verlichte zitkamer in. Juffrouw Black stond met haar rug naar ons toe en Alicia, wier hand langs haar glas omlaag gleed, stond op het punt in te dommelen. Er hing vorst in de ijle lucht en de winteravond hulde ons in diepe duisternis. Hoe dichter we de bosrand naderden, hoe zompiger het gras dat aan onze natte schoenen zoog.

'Als ik een spook zie, sla ik zijn kop eraf,' zei Charlie. 'Báf!' Hij gaf het denkbeeldige spook een dreun en stak vervolgens fluitend zijn handen in zijn zakken. Ik kon zelf niet fluiten, hoe hard ik ook had geoefend, en het geluid – hoog en agressief – irriteerde me.

Bij het bos aangekomen worstelden we ons door de varens een weg naar de wilgengang – een donkere, loodgrijze tunnel, met slechts hoog in de kruinen een zwak avondlicht – die deed denken aan een onderaards goblinpad. We gingen op zoek naar de eik met de initialen, maar daarvoor bleek het te donker en Charlie interesseerde het toch niets ('Klinkt stom'). De vijver vonden we wel. Hij lag er glinsterend en stil bij, en het water reflecteerde de donkere lucht als een oude, gevlekte spiegel. Nu de zomer zich echter had teruggetrokken en alle zonlicht en lieflijkheid waren verdwenen, zag alles er anders uit. De vochtige lucht had iets drukkends en plakte aan onze huid. Als we stilstonden, hoorden we het zacht klotsende water en het zuigende, soppende geluid van het mos.

'Dit is onze geheime vijver,' zei ik onzeker.

'En als de geest nu tevoorschijn komt?' zei Theo. Ze greep de mouw van mijn trui vast. 'Misschien wil hij niet dat wij hier komen.' Ik schudde haar hand van me af.

'Het spookt hier niet, Theo. Hou op.'

'Straks zien we zijn gezicht tussen de bomen.' Theo wees naar de andere kant van de vijver, waar de duisternis het diepst was, een beklemmend niets, giftig van kleur, als een blauwe plek. We hielden alle drie onze adem in en luisterden naar het zachte geritsel en gekraak van de bomen in de troosteloze wind. Het zwakke licht in de toppen viel in stukken uiteen boven ons hoofd. Theo keek angstig om zich heen, en toen Charlie dat merkte, liet hij zijn blik ook nerveus rondgaan. Ik liet een smalend 'pff' horen, dat werd opgeslokt door de duisternis.

'Dadelijk zien we de geest ons met zijn enorme spookogen zoeken,' vervolgde Theo. 'En als hij ons ziet dan... slaat hij zijn verschrikkelijke klauwen naar ons uit, want hij heeft honger en is boos... en dan... zweeft hij naar ons toe en grijpt ons bij ons nekvel.'

Haar opmerking werd beloond met een luid gekraak in de bomen achter ons. We schrokken ons dood.

'Het spook!' gilde Charlie. Hij draaide zich om en zette het op een rennen. Theo holde krijsend achter hem aan. Ik slenterde aanvankelijk rustig achter hen aan, maar nadat ik nog een keer had omgekeken, begon ik ook te rennen, totdat we gedrieën de bosrand bereikten en zo hard als we konden al glijdend en struikelend de heuvel af holden. We begonnen te lachen. Evendon lag geruststellend in de diepte, de ramen gekleurd door het licht in de kamers. Lachend renden we naar huis.

Charlie en ik zaten elkaar met hernieuwde energie achterna door het gras en probeerden elkaar onder het slaken van indianenkreten omver te duwen. Theo hobbelde een eind achter ons aan totdat ik bleef staan om op haar te wachten.

'Kom op, lach eens.' Ik gaf haar een duw tegen haar schouder en rende om haar heen totdat er een onzeker glimlachje doorbrak en ze uiteindelijk weer straalde. Maar later zei ze bedachtzaam: 'Dat enge mens had ons bijna te pakken.'

'Wat is het nu, een geest of een mens?'

'Een geestmens. Een dood mens. We moeten er niet meer naartoe gaan.'

Na die bewuste avond weigerde Theo nog langer bij de vijver te gaan spelen. Het was de eerste keer dat ze ervoor koos alleen achter te blijven – een schaduw die zich losscheurt – maar als ik zonder haar naar de vijver ging, voelde ik me schuldig omdat ik wist dat ze thuis voor het raam zou zitten wachten totdat ik terugkwam. En ik gaf het natuurlijk niet graag toe, maar in mijn eentje was het lang niet zo leuk bij de vijver, waar de stilte van de winterkou zo nu en dan werd onderbroken door een onverwachte windvlaag die de laatste droge bladeren aan de bomen deed ritselen. Dus uiteindelijk hield ik het – vijver, vissen, boom en ruïne – voor gezien en ging ik er niet meer naartoe.

Na Kerstmis veranderde er iets in Alicia, alsof er iets eigenaardigs in haar kalme apathie was gekropen, een soort barst die alleen vanuit een bepaalde hoek kon worden opgemerkt. Ze las nog altijd dezelfde tijdschriften, maar nu met een frons, en kon lang naar een bladzijde staren zonder iets te lezen. Soms reageerde ze snauwerig; ze vroeg aan mevrouw Williams waarom haar eten niet gaar was of aangebrand, in plaats van, zoals gewoonlijk, het eten op haar bord onaangeroerd te laten. Haar gezicht was niet langer onbewogen; ze had een onrustige energie over zich, en een geërgerde, bezorgde frons die rimpels in haar gladde voorhoofd trok.

Ik nam mezelf voor deze vreemde verandering in mijn moeder aan te moedigen. Ik snoeide de knoppen van haar rozen, wat ze zelf niet leek op te merken, maar juffrouw Black wel, met als gevolg dat ik een week geen zakgeld kreeg. Vervolgens gebruikte ik in bad een van haar hoeden als boot voor een bataljon Action Men. Alicia zei tegen Miss Black: 'Ik snap niet dat kinderen zo destructief kunnen zijn,' en de daaropvolgende dagen fronste ze licht als ze me zag. Hierna kreeg ik twee weken lang geen zakgeld, maar Theo kocht van het hare snoep voor mij totdat het op was. Niettemin voelde ik me aangemoedigd door de reactie die ik kreeg. Tegelijkertijd wist ik niet precies waarom ik al dat kattenkwaad wilde uithalen; ik had geen idee waarom ik de druk op de ketel wilde opvoeren, een standje wilde uitlokken, of zelfs een klap.

Mijn pièce de résistance was een volgzame Theo te verkleden in Alicia's zijden shawl, handschoenen en witte bontjas, om haar vervolgens naar de steilste helling in de tuin te loodsen en haar naar beneden te rollen. Ze verdween in een wit waas, als een paardenbloempluis, en belandde met een smak in de modder onder aan de heuvel. Daarna liep ik met haar terug naar huis, Theo druipnat en druk, ik stil en stijf van de adrenaline vanwege de uitbrander die me te wachten stond.

Het liep echter anders dan mijn bedoeling was. Juffrouw Black nam ons verbijsterd op toen ze ons zag en bracht ons, geschrokken van de ernst van het wangedrag, meteen naar Alicia, die een dutje deed in de zitkamer. Haar mond was een tikje opengezakt en een tijdschrift lag losjes in haar handen. Toen juffrouw Black zei: 'Mag ik even storen, Alicia?' schrok ze wakker en perste ze haar lippen meteen weer strak op elkaar.

'Wat is er aan de hand?' vroeg ze aan juffrouw Black, die uitlegde wat we hadden gedaan en een verruïneerde handschoen van zich af hield alsof het een dode muis was. Alicia keek er afkeurend naar, wendde zich af en keek toen een tijdje uit het raam, alsof ze iets had gevraagd en van het raam een antwoord verwachtte. Ze liet Theo en mij links liggen.

'Ik wist niet wat ik moest doen...' zei juffrouw Black ten slotte.

'Zorg dat ze uit mijn kamers blijven,' antwoordde Alicia. 'Daar heb ik je toch voor aangenomen?' Ze had een eigenaardige klank in haar stem: niet boos of wat dan ook, slechts een echo tegen een kale muur.

Juffrouw Black schrok van de berisping. Later die avond hoorde ik haar huilen op haar kamer. Zowel Theo als ik kreeg als straf een maand geen zakgeld om er de rekening van de stomerij van te betalen. Ik zei tegen Theo dat we ons voortaan maar weer beter moesten gedragen, hoewel het mij niet om het zakgeld ging. De ware reden was Alicia's opmerking: 'Zorg dat ze uit mijn kamers blijven.' Haar rustige stem, de bleke ellips van haar gezicht als een lege kom, afgewend van haar vervelende en storende zoon, die wachtte op wat er komen ging.

'Sorry, Jonathan,' zei Theo, alsof het allemaal haar schuld was.

Niet lang na mijn provocatiecampagne schrok ik wakker van iets waarvan ik dacht dat het – omhooggeschoten in mijn bewustzijn – een schreeuw was. Het vroege licht dat door een kier in de gordijnen viel, was melkachtig grijs; ik keek er met samengeknepen ogen naar en vroeg me loom af wat het geluid geweest kon zijn. Toen klonk er nog een schreeuw, van beneden, en de voetstappen van meerdere mensen die zich over de marmeren vloer in de hal spoedden. Ik stapte uit bed, mijn benen nog onzeker van de slaap, en ging naar beneden, waar twee van onze jonge tuinmannen met gebogen hoofden en geschokte gezichten onder aan de trap stonden, hun handen slap langs hun lichaam, als vergeten handschoenen. Rhys, de leukste, zei altijd: 'Alles goed, baas?' als hij me zag. Maar die ochtend keken ze me allebei met een vreemde, bijna angstaanjagend ontwijkende blik aan.

'Juffrouw Black,' riep ik opgelucht toen ik haar bij de telefoon zag staan. 'Wat is er aan de hand?'

Ze hoorde me niet. Ze zei: 'Bij Llansteffan. Nee, leeg. Geen idee.'

Ze bleef maar naar de open deur van de gouden salon staren, en dus glipte ik langs haar heen de salon in.

In eerste instantie schoot ik bijna in de lach, omdat ik alleen Alicia zag, die met gesloten ogen op de bank zat. Ik was gewend haar daar te zien doezelen. Totdat me opviel dat haar haren los over haar schouders hingen; het haar zag er anders uit, ongekamd. Ze zat in elkaar gedoken, met gebogen hoofd, en haar mond was opengevallen. Ik staarde naar haar gezicht, dat grijzig was, onduidelijk, alsof ze zich onder water bevond.

Een van de tuinmannen kwam de salon binnen en nam me mee naar buiten. Hij zei iets wat ik niet begreep. Toen klonken er sirenes, en het geluid van wielen op grind, als knarsende glasscherven. Ik ging op de trap voor het huis zitten en keek de ambulance na. Ik dacht niet aan mijn moeders silhouet achter het autoraam, omringd door opgewonden geschreeuw, maar aan haar ineengezakte gestalte op de sofa, slap, bleek, verdronken.

Theo, wier slaapkamer aan de achterkant van het huis lag, sliep altijd vast, op het comateuze af. Ze liet zich niet zien terwijl de di-

verse huisgenoten als kippen zonder kop rondrenden, whisky dronken (mevrouw Williams) en de gebeurtenissen van de ochtend zo
vaak doornamen totdat ze elke menselijke weerklank hadden verloren en waren verworden tot een nietszeggende reeks momenten
die uitentreuren werden herhaald.

'En toen zag John haar door het raam... en toen heeft hij Rhys
erbij geroepen... en toen klopten ze op het raam.'

Het was vreemd stil in mijn oren, alsof ze gevuld waren met een
zware lucht. Ik ging op de grond zitten en liet de stemmen verdwijnen in de koude, gekristalliseerde lucht, die werd samengeperst
tot stilte.

Uiteindelijk kwam er een telefoontje van het ziekenhuis en kwam
juffrouw Black naar me toe om te zeggen dat ik me geen zorgen
hoefde te maken en dat het heel goed met mijn moeder ging. Ze
was weggegaan om tot rust te komen en zou terug zijn voor ik er
erg in had. Ze was bijna lief van opluchting en gaf me een kneepje
in mijn hand.

'Vertel maar niet aan Theo wat er is gebeurd,' zei ze. 'Misschien
begrijpt ze het niet.'

Ik begreep het zelf ook niet, maar ik zei niets. Mevrouw Wynne
Jones stond bij ons met een glimlach – een meewarige glimlach,
maar toch – om haar mond, alsof ze wist dat er iets ergs was gebeurd, maar tegelijk vond dat het verdiend was. Ze was een grote
vrouw, met stug, loodgrijs haar; ze had iets hardvochtigs over zich.
Ze sloeg haar armen over elkaar en schudde haar hoofd.

'Ga je mevrouw Anthony nog bellen?' vroeg iedereen de daaropvolgende dagen aan juffrouw Black. Waarmee ze Eve bedoelden. Alleen
al bij de gedachte leek juffrouw Black zenuwachtig te worden. Na ruim
een week wist ik nog altijd niet of ze Eve had gebeld. Ze was vaak in
de studeerkamer aan het telefoneren, maar als ik langsliep, hoorde ik
haar dingen zeggen als: 'Ik weet niet of ik een hoger salaris kan krij-

gen,' waaruit ik afleidde dat ze met haar moeder aan het bellen was. Theo begreep wel degelijk iets van de sfeer in huis. Toen ze de volgende ochtend in haar roze, gebloemde pyjama stilletjes bij me kwam zitten op mijn kamer, legde ik haar uit dat Alicia op vakantie was gegaan.

'Waarheen?' vroeg Theo. Ze had donkere kringen om haar ogen.

'Eh... Spanje,' zei ik. 'De Costa del Sol.' Daar ging mevrouw Williams ook altijd naartoe als ze met haar gezin op vakantie ging.

'O,' zei Theo, en ze dacht even na. Toen klaarde haar gezicht op, als een bloem die opengaat, en ze glimlachte goedgelovig. 'Daar komen de sinaasappels vandaan. Spanje is leuk.'

Een week na Alicia's opname stond ik in de keuken het ontbijt klaar te maken. Mevrouw Williams was er niet (zonder Alicia's toezicht waren haar werkuren flexibel als Dali's klokken) en de lege keuken zag er koud uit, groot en wit, als een laboratorium of een ziekenhuis. Dat veranderde toen ze kwiek kwam binnenzeilen met haar geelblonde haar. Ze pakte een asbak uit de besteklade en zette de ketel op het vuur.

'Wat voer jij in je schild? Zijn jullie verstoppertje aan het spelen?' zei ze toen ze me zag. 'Als iemand ernaar vraagt, was ik hier om acht uur. Begrepen?'

'Mag ik deze hebben?' vroeg ik. Ik hield een doosje met spikkels omhoog.

'Ga je gang. Ik denk dat ik vandaag toch geen cake hoef te bakken.'

Op dat moment kwam mevrouw Wynne Jones binnen, die mevrouw Williams een heel goede morgen wenste. Kennelijk hadden ze een wapenstilstand gesloten om samen over Alicia te kunnen roddelen, wat ze ook deden zodra ik de keuken uit was. Ik bleef aan de andere kant van de deur met mijn doosje snoep zitten luisteren.

'Het schijnt dat ze na de geboorte van Theo,' begon mevrouw Williams, 'dríé dagen geen woord heeft gezegd. Postnatale depressie.' Ik kon me Alicia – onze moeder van porselein en zijde – niet voorstellen met een dikke buik, moeizaam waggelend, zoals ik andere zwangere vrouwen had zien doen. Misschien kon ze het zichzelf ook niet voorstellen, en was dat het wat haar dwarszat. Ze had altijd iets van verwondering in haar blik als ze naar ons keek, nieuwsgierigheid zelfs, alsof ze zich niet kon voorstellen dat wij haar kinderen waren.

'Geen wonder dat ze vertrokken is,' vervolgde mevrouw Williams iets zachter.

'Wat hebben ze de kleine meid verteld over Alicia?' vroeg mevrouw Wynne Jones.

'Vakantie.'

'Gelooft ze dat?'

'Theodora... nou ja, je weet wel. Die spoort niet helemaal, als je het mij vraagt. Maar dat verbaast me niks.'

'Eve zou terug moeten komen,' zei mevrouw Wynne Jones.

'Dat moet ze zeker,' zei mevrouw Williams. 'Maar ik betwijfel...'

'Jij zult er wel verstand van hebben,' zei mevrouw Wynne Jones koel.

Mevrouw Williams was immuun voor sarcasme. 'Ze komt niet terug,' verklaarde ze. 'In geen miljoen jaar.'

Ik trok een lelijk gezicht in de richting van de keukendeur. Ik stelde me Eve voor, een sprankelende zwart-witfiguur die met haar stralende glimlach als Sneeuwwitje in een oogverblindend visioen aan mij verscheen. Ze zou met haar privéjet op het gazon landen, ze zou tegen ons zeggen dat ze blij was om ons te zien, ze zou taart bij zich hebben en extravagante cadeaus. Mevrouw Williams en mevrouw Wynne Jones zouden ongelijk krijgen, en niet zo'n klein beetje ook.

≈)

Destijds ging ik door een fase waarin ik veel televisiekeek. Niet voor de programma's zelf, maar voor de reclamespotjes. Theo zong de jingles uit volle borst mee, totdat ze de openingsbeelden van een bepaalde wasmiddelreclame herkende en met haar handen tegen haar oren gedrukt achter de bank dook. Vroeger rende ze zelfs naar boven als er werd aangebeld, bang dat de Bonte Reus haar kwam halen. Mijn favoriete reclames waren die voor supermarkten of voedingsmiddelen. Daarin kwamen meestal een moeder en twee kinderen in kleurige T-shirts en spijkerbroeken voor. Ze straalden of kibbelden gezellig en verorberden hun voorverpakte voedsel met goedkeurende smakgeluiden.

's Nachts in bed verbeeldde ik me dat ik me in een dergelijk spotje bevond. Ik liep achter mijn moeder aan – niet Alicia, maar een vrouw in een roze trui en een nette spijkerbroek – die met een winkelwagen door de supermarkt liep en boodschappen in gestreepte tassen stopte. Ik zat met mijn broertjes en zusjes in de keuken terwijl mijn moeder gebakken aardappels, knalgroene erwtjes en een glanzende rollade voor ons op tafel zette. Maar voordat ik de jus kon opscheppen, viel ik in slaap. Daarna ging de keukendeur open en bleek het toch Alicia te zijn, met een juskom in haar handen. Haar grijsblonde haar hing los over haar schouders, als spinnenwebben. Ze wankelde even, richtte haar aandacht toen op mij en kwam vervolgens langzaam op me toelopen. Ik was bang voor haar, maar kon niet opstaan. Ik voelde mijn mond bewegen alsof het de mond van iemand anders was. Ineens veranderde de juskom in een grote, zilveren schotel met een rond deksel, als een glimmende robotborst. Ze zette hem voor me neer en lichtte het deksel op: er zat niets onder.

⁓

Ongeveer twee weken na Alicia's opname (sinds die dag telde ik de tijd, zoals voor en na Christus: voor Alicia's vertrek in de ambulance; na Alicia's vertrek in de ambulance) lag ik op de grond in de zitkamer en bouwde een fort van dominostenen. Ondanks het mooie weer had ik geen zin om buiten te spelen. Een winterzonnetje viel door de open ramen op de stofdeeltjes die opdwarrelden van de crèmekleurige damasten bank en de gordijnen voor de ramen en weer neerdaalden op Alicia's rozen die nog steeds in de vaas op het bijzettafeltje stonden. De uitgedroogde rozen leken van crêpepapier en naast de vaas lagen dode blaadjes die nog niemand had gezien of weggegooid.

Theo kwam de kamer binnen dansen en draaide vrolijk rond op haar gespitste tenen, galmend: '*When will I be famous?*'

'Sst,' siste ik. Voorzichtig legde ik een dominosteen op de poort aan de voorkant van het fort, dat op instorten stond.

'Eve is beroemd, hè?' zei Theo. 'Maar ik wil niet beroemd worden. Ik wil niet dat mijn foto in de krant komt.'

'Dan kun je geen ballerina worden,' zei ik. Dat was Theo's laatste droom.

'Ik word kunstenaar.'

'Kunstenaars kunnen ook beroemd worden.'

Theo was even stil. Toen begon ze weer te zingen, draaide een stuntelige pirouette en bleef met haar voet achter het tapijt haken. Het fort stortte in.

'Kun je me niet eens gewoon met rust laten?' snauwde ik.

Theo's mond zakte open en ze verliet met tranen in haar ogen de kamer.

Ik deed de dominostenen terug in de doos. Ik geloofde geen moment dat Eve terug zou komen naar Evendon. Nog niet. In de eerste dagen, toen iedereen haar als redder in nood wilde terugroepen, zoals Bloody Mary in de spiegel, dacht ik dat ze wel terug móést komen. Maar niemand sprak meer over haar, en ook niet over Alicia. Ik vroeg me af wanneer Alicia thuis zou komen en hoe ze dan zou zijn. Het idee dat ze thuis zou komen en anders zou zijn dan daarvoor was zo vreemd dat ik het me niet eens kon voorstellen. De dag ervoor had Theo nog gezegd: 'Misschien is Alicia vrolijk als ze terugkomt van vakantie', maar daar had ik niet op gereageerd. Als Alicia niet vrolijk was, betekende dat dan dat ze verdrietig was? Dat gevoel had ik niet, zelfs niet in de perioden dat ze prikkelbaar was. Ze lachte nooit, maar ze huilde ook nooit. Ze kwam dagelijks tegen de middag met een luchtje op en opgestoken haar uit haar slaapkamer, keurig opgepoetst voor de buitenwereld. Daarna las ze tijdschriften, snoeide ze rozen, beantwoordde ze een incidentele uitnodiging (*Helaas moet ik afzeggen*) en belde ze voor drankjes. Vervolgens ging ze weer naar bed. Blij of verdrietig waren woorden die niet op haar van toepassing waren; ze bevond zich simpelweg niet in dezelfde emotionele ruimte als de rest van ons.

Theo had dat nooit echt begrepen. Als peuter liep ze Alicia altijd overal achterna en probeerde ze haar vast te pakken aan haar armen of benen, maar zodra Alicia dat merkte werd ze weggewuifd. Ze leken allebei verbaasd en begrepen elkaar niet. Uiteindelijk gaf Theo het op en liep ze achter mij aan in plaats van achter Alicia.

Soms is het lastig om door iemand achternagelopen te worden. Vooral als je zelf niets hebt om achteraan te lopen – niemand die naar je omkijkt en je wenkt. Niemand die voor je uit loopt.

Precies een maand na Alicia's opname zaten we in de keuken te lunchen met mevrouw Williams en mevrouw Wynne Jones. De huisregels – voor zover die er al waren geweest – waren nu helemaal afgeschaft en we smeekten erom in de keuken te mogen eten, waar we tv konden kijken en overal mayonaise bij konden doen.

Mevrouw Wynne Jones, die met haar behaarde armen over elkaar tegen de koelkast leunde, zei: 'Dus hij kan niet in hoger beroep?'

'Het is een beste jongen,' zei mevrouw Williams. 'De rechter was het probleem.'

Mevrouw Wynne Jones glimlachte zuinigjes. 'Natuurlijk.'

Mevrouw Williams voelde zich niet te goed om een gezicht te trekken achter mevrouw Wynne Jones' rug, wat ze dan ook deed.

Theo, die haar boterham terzijde had geschoven en nu chocoladesaus over haar cornflakes goot, zei tegen mevrouw Williams: 'Mijn moeder is op vakantie in Spanje en als ze terugkomt, neemt ze sinaasappels voor ons mee.'

'O ja?' zei mevrouw Williams. Ze trok haar wenkbrauwen op boven Theo's hoofd.

'We krijgen ook een cactus,' zei Theo.

'Cactussen kunnen heel gemeen prikken,' zei mevrouw Williams. Theo luisterde niet en begon aan haar cornflakes, terwijl ze de melodie van een tv-show neuriede.

'Zie je wel, net haar moeder,' mompelde mevrouw Williams tegen mevrouw Wynne Jones, en ze tikte tegen de zijkant van haar hoofd.

Ik staarde nijdig naar hun ruggen, die zwaar en stug waren, net als hun stemmen. Ze straalden beslistheid uit en bezaten een veroordelende kracht. Vergeleken bij mevrouw Williams en mevrouw Wynne Jones was onze familie gewichtsloos; ze konden ons zo wegblazen, alleen al door over ons te praten.

'Ik haat je,' zei ik tegen mevrouw Williams. Ik schoof mijn stoel naar achter en vertrok met luidruchtige waardigheid. Ik sloot de deur van mijn slaapkamer af en maakte tekeningen van haar waarin ze omkwam onder een lawine of in een brand, in het besef dat Theo buiten mijn kamer op mij zou wachten. Toen ik mijn kamer uit kwam, zat ze in de vensterbank op de overloop met het raam wijd open en staarde naar de bocht aan het einde van de oprit, waar de weg in het bos verdween. Ze zat vaak zo, met haar kin steunend op de buitenvensterbank en het raam als een guillotine boven haar hoofd. Ze ging verzitten en legde haar hoofd op mijn schouder toen ik naast haar ging zitten.

'Waarom schreeuwde je tegen mevrouw Williams?' vroeg ze.

'Ze zei...' Ik aarzelde. 'Ze is stom.'

'O.' Theo dacht even na. 'Oké.'

We zaten in stilte naast elkaar en keken naar de bocht in de weg, waar we Alicia voor het laatst hadden gezien.

'Wat doen we als Alicia niet terugkomt?' vroeg Theo. Ik keek haar aan om te zien of ze tranen in haar ogen kreeg, maar het leek een praktische vraag.

'We kunnen juffrouw Black, mevrouw Williams én mevrouw Wynne Jones ontslaan en hier alleen blijven wonen,' zei ik.

'Kunnen we dan meringue maken?'

'Ja, en trifle.'

'Kunnen we dan een glijbaan maken op de trap?'

'Natuurlijk.'

'En kopen we dan ook een trampoline? Dan kunnen we naar onze slaapkamer springen en van de glijbaan weer naar beneden glijden. Dan hoeven we nooit meer met de trap.'

'Ja. En we kunnen ook twee honden nemen en een paard,' zei ik.

'En een uil!' riep Theo uit. We staarden schouder aan schouder voor ons uit, niet naar de lege oprit, maar naar onze regenboogkleurige droomversies, die met hun handen vol trifle van de glijbaan af kwamen geroetsjt. Ik hoopte stiekem dat Alicia, net als onze vader, nooit meer terugkwam.

Drie

De stilte die over Evendon hing, was geen gewone stilte maar een die met het verstrijken van de jaren en het langzaam afkoelen van de tijd zwaar en apathisch was geworden. Het zwaarst viel de stilte in de gewelfde hal, met de twee reusachtige pilaren (lang geleden door een Bennett geroofd uit Griekenland) en de marmeren vloer, als een ijszee. Het was een van die dingen waaraan we gewend waren geraakt en die we al zo vaak hadden ingeademd dat het niemand meer opviel. Net zoals de afwezigheid van Eve, de afwezigheid van onze vader, de afwezigheid van Alicia. De ambulance die Alicia had opgehaald, had de stilte kort verstoord, maar toen hij weer weg was, was ze weer neergedaald, koud en wit, om twee maanden later, in maart, pas weer te worden doorbroken.

Het eerste teken dat er iets ongewoons stond te gebeuren was het geluid van automotoren voor het huis, gevolgd door het geluid van dichtslaande portieren. Theo en ik renden naar de hal en luisterden naar de kakofonie van stemmen en het hongerige geknerp van het grind. Ik herinner me vooral de lach op de trap, dat vloeibare, heldere geluid. Ik kon me niet herinneren een volwassene ooit zo te hebben horen lachen. Theo en ik staarden als gehypnotiseerd naar de voordeur, terwijl juffrouw Black nerveus achter ons aan de hal in kwam gehold.

'Wat krijgen we... wat is er aan de hand?' vroeg juffrouw Black.

Mevrouw Williams, die er altijd als de kippen bij was als ze drama rook, volgde in haar kielzog.

'Het is Eve!' zei ze. 'Heb je haar toch gebeld?'

'Nee!' zei juffrouw Black. Er werd aan de deur gemorreld, gevolgd door het geluid van een sleutel die in een slot werd gestoken. 'Ik wilde wel bellen... maar...' En toen gingen de deuren open. De stilte huiverde en trok zich schielijk terug in alle hoeken en gaten van het huis, weg van de drukte en de kleuren van de mensen, anoniem in de verblindende lichtstrook die de hal binnen viel.

De eerste die ik kon onderscheiden was Alicia, die in een perzikkleurig jasje binnenkwam en toen met een verveeld gezicht rondkeek, alsof ze daar al de hele dag stond. Ze droeg parels en haar huid had een onwerkelijke glans; haar irissen waren bleek, alsof er water in gelopen was, haar pupillen groot en zwart. Ondanks haar fragiele voorkomen had haar blik iets ondoordringbaars, en zelfs Theo, die onzeker achter me was blijven staan, holde niet naar haar toe. In plaats daarvan keken we roerloos toe. Om Alicia heen waren mensen druk in de weer met grote leren koffers en hoedendozen. Ze maakten een gejaagde indruk. De laatste bezoeker die binnenkwam was anders. Ze droeg niets en bewoog zich snel en kordaat: een vrouw in een rood mantelpak, met een witte huid en haar zo zwart als merelvleugels.

Het was Eve – dat kon niet anders – en ze glimlachte alsof ze genoot van de effecten van een goed geplaatste grap. Haar ogen namen de bedrijvigheid snel op, gleden in één blik over de vertrouwde omgeving en bleven toen op mij rusten.

'Jonathan!' zei ze, en ze keek toen langs me heen. 'En daar heb je Theo! Ik ben het, Eve. Ik kom bij jullie wonen.' Haar stem op televisie, hoe aangenaam ook, had klein en ingeblikt geklonken, alsof ze daadwerkelijk in een kastje opgesloten zat. Hier, in onze oren, klonk hij ongewoon solide; niet hard, maar soepel en vloeiend, als kwik.

Theo gaapte Eve met bange ogen aan, en keek toen naar Alicia, die ons nu pas leek op te merken. 'Dag, kinderen,' zei ze, op dezelfde manier zoals wij onze antwoorden opzeiden in de klas. Ze reikte een van de mensen om haar heen haar jas aan, wuifde afwezig in onze richting terwijl ze langs ons liep en verdween de trap op naar boven. Toen hoorden we het geluid van een deur die werd dichtgedaan.

Eve fronste even, zette toen weer een lachend gezicht op en knielde voor ons neer om ons een hand te geven. Nu ik van de eerste verbazing was bekomen, zag ik dat ze minder lang was dan ik had gedacht – niet eens zo lang als Alicia. Ze was slank maar compact, waardoor ze iets strengs uitstraalde, en haar benen naast me waren hard en zijdeglad. Het waren haar ogen die haar zo bijzonder maakten – haar ogen of haar mond, of misschien wel iets anders. Ik probeerde niet te staren.

'Jullie moeder is helaas doodmoe van de reis. Zullen we eerst maar eens even de koffers uitpakken, dan kunnen we daarna op ons gemak een babbeltje maken,' zei ze met een knipoog tegen ons. Toen stond ze op en gaf de mensen met de koffers en de dozen aanwijzingen, waarna ze een voor een vertrokken totdat Theo en ik alleen in de hal waren achtergebleven.

'Was dat echt Eve?' fluisterde Theo.

'Wie zou dat anders moeten zijn?' zei ik.

'Ze is met mama terug uit Spanje gekomen,' zei Theo nadenkend. 'Dus dan moet ze het wel zijn.'

Die avond bleven we op in de zitkamer met Eve. Ik zat naast haar, Theo lag in een nest van kussens voor de open haard, haar handen verstrengeld. De kleuren van het vuur gleden over haar gezicht, weerkaatsten als honderden vlammen in de vensterruiten en ver- spreidden zich over het kleed tot net iets voor Alicia, die aan de an- dere kant van de kamer voor zich uit zat te staren.

'Hebt u opa Sam gezien in Amerika?' vroeg ik aan Eve (ze wilde niet dat we haar oma noemden, maar dat gold kennelijk niet voor Sam). Sam was niet echt onze grootvader; hij was ooit Eves tweede echtgenoot geweest, maar ze was van hem gescheiden. We hadden hem niet meer gezien sinds we als baby's in LA op bezoek waren geweest: er was een foto waarop Theo door een flat kruipt; een blauw zwembad, fel zonlicht, een wit gehaakt hoedje. Opa Sam stuurde ons elk jaar met kerst hobbelpaarden, sleeën, een radiogra- fisch bestuurbare Porsche – waarover mevrouw Wynne Jones zo gedenkwaardig was gestruikeld – een diamanten halsketting, die Theo was verloren, een windbuks, die juffrouw Black in beslag had genomen.

'Jazeker. Jullie krijgen de groeten van hem.'

'Komt hij ook terug?' vroeg Theo.

'Nee, lieverd, helaas.' Eve glimlachte en Theo ook, met een be- duusd gezicht.

'Zo…' zei Eve, 'en vertellen jullie me nu maar eens hoe het hier gaat… Alicia heeft natuurlijk geen idee.' (Alicia leek dit niet te horen.) 'Gaat het goed op school?'

Eve was, op de leraren na, de eerste die echt geïnteresseerd leek in mijn hoge cijfers. Ze glimlachte en gaf klopjes op mijn hand; haar vingers voelden koel en sterk aan, alsof ze handschoenen droeg. Tot dusver hadden we alleen handklopjes van Eve gekregen, geen knuffel, en haar lippen raakten onze huid niet als ze ons kuste, alsof we volwassenen waren. Maar ze gaf ons een ernstig soort aan- dacht en dat was nieuw voor ons. Het stoorde me dat Theo ineen- kromp onder haar nieuwsgierige blik, als een oester die zich sloot. Ik wilde niet dat Eve haar interesse in ons verloor.

Eve vertelde ons over de eerste keer dat ze naar Engeland kwam. 'Ik ben geboren in Amerika, maar mijn vader was altijd liever in Groot-Brittannië. Hij had een hekel aan New York – te onbeschoft. We zijn kort na de dood van mijn moeder teruggevaren, toen ik nog klein was.'

'Gingen jullie naar Evendon?' vroeg ik.

'O nee.' Eve liet de wijn rondwalsen in haar glas. 'We verhuisden naar Mayfair, hoewel de Blitz toen net voorbij was. Mijn grootvader James woonde hier. Die zat hier min of meer vast. Hij kon zich Londen niet meer veroorloven. Bovendien konden die twee niet zo goed met elkaar overweg.'

'Waarom niet?' vroeg Theo.

'Wie zal het zeggen?' zei Eve, haar handen heffend. 'Mijn vader kon met de meeste mensen niet overweg. Hij was nogal... kritisch.'

Eve had destijds een hekel aan Londen, zei ze.

'De stad was toen heel anders dan nu. Het was er altijd aardedonker! Het stonk er naar puin en armoede. In Amerika had je chocolade. We hadden zelfs fruit. Maar in Engeland waren dergelijke producten schaars, zelfs bij gegoede families. En de mensen waren onvriendelijk. Ik merkte niets van de sfeer van verbroedering waar altijd zo hoog van werd opgegeven. De mensen trokken zich terug onder hun zwarte paraplu's en haastten zich voort door de straten, als opgeschrikte duiven. Zelfs in de zomer regende het... en 's winters hing er een dichte mist. Je had maar een paar meter zicht door de chemicaliën in de lucht.'

'Van de bommen?' vroeg ik.

Eve lachte. 'Nee, van de steenkool die er dagelijks in Londen werd verstookt. Het was gewoon vervuiling. Een paar jaar later, na James' dood, verhuisden we naar Evendon. Ik herinner me dat ik mijn ogen uitkeek, zo mooi en groen was alles hier. Ik kende alleen Londen en New York. Als ik 's nachts mijn ogen dichtdeed, leek alles nóg groen. En zo stil. Ik kon de eerste nachten amper slapen omdat ik gewend was aan het constante lawaai van mensen, verkeer en muziek.'

'Arme Eve,' zei Theo.

'O, daar heeft iedereen last van die van de stad naar het platteland komt. Ik had het ook toen ik hier eind jaren zeventig terugkwam. Ik weet nog dat Alicia en Alex het verschrikkelijk vonden hier. Ze waren toen tieners. Vooral Alicia miste de feestjes van haar vrienden in LA.'

Theo en ik keken voorzichtig naar Alicia, die zo te zien – een nauwelijks zichtbare trilling van het ooglid, de lagere hoek van haar nek – in slaap was gevallen.

'Ik zal er vanavond wel weer last van hebben als ik ga slapen... Ik moet weer wennen aan de rust en de stilte.' Ze keek voldaan de kamer rond. Ik besefte dat wat voor Eve stilte leek, voor mij een lichtere stilte was dan daarvoor, alsof ze het geheim van de mensen, het verkeer en de muziek mee had genomen.

'Waarom bent u zo lang weggeweest?' vroeg ik.

Eve trok nadrukkelijk haar wenkbrauwen op. 'Zaken! Ik heb het de afgelopen jaren erg druk gehad. Ik was natuurlijk veel liever hier geweest. Ik ben kort nadat Alicia hier met jullie ging wonen vertrokken. Jullie waren toen nog klein, maar ik wist dat jullie drietjes goed op Evendon zouden passen totdat ik terug zou komen.'

Theo keek bedremmeld. 'Hoe lang blijft u nu dan?'

'Ach, lieverd,' Eve glimlachte, 'deze keer blijf ik voorgoed.'

⁓

Evendon veranderde na Eves terugkeer. Zo ging mevrouw Williams voortaan naar buiten om te roken. Ook kwam er een einde aan haar gewoonte om zelf te eten van wat ze had gekookt of om de 'overgebleven' runderlappen of kippenbouten in een draagtas mee naar huis te nemen. Mevrouw Wynne Jones was vaker aanwezig en hield toezicht op een groepje in het zwart geklede dienstmeisjes. Het huis zelf werd lichter, meer aanwezig, en ik besefte dat er een stoflaag was opgelicht, als een sluier, en dat het laagje grijs op de ramen was weggeveegd. De eettafel glom, het zilverwerk glansde. De gordijnen waren lichter, fris als melk. Het winterlicht, dat niet langer werd buitengesloten, weerkaatste op de geboende vloeren, op het met slangen afgezette palissander, op de wijzerplaten van de klokken. Evendon was ontwaakt uit zijn slaap, uit zijn gesluierde wachtstand; het huis sprankelde en was zonnig, als Eve zelf, alsof het een piano was die alleen zij kon bespelen en waaruit alleen zij de spookachtige muziek kon oproepen.

Alicia voelde zich verloren in het nieuwe Evendon. Ze leek schimmiger, bleker, terwijl zij de enige in huis was die haar gedrag niet had veranderd. Haar haar zat weer in het eeuwige knotje, de klok kon 's middags nog altijd gelijk worden gezet op haar eerste gin-tonic, waaraan ze zuinigjes nipte alsof ze zat te lunchen in het Dorchester. Eve besteedde weinig aandacht aan haar, dus wij ook. Ik was bijna vergeten dat er een tijd was dat ik haar graag kwaad maakte.

Juffrouw Black was, net als het stof, een van de eerste slachtoffers van Eves terugkeer. Toen we op een middag na het spelen thuiskwamen, zagen we Eve vanaf het terras naar ons kijken. We waren op het hek op de grens van het landgoed geklommen, waaraan Theo haar jurk had gescheurd, en mijn schoenen zaten onder de koeienpoep.

'Wat hebben jullie uitgespookt?' vroeg ze vriendelijk.

'We hebben in de wei gespeeld,' zei Theo voordat ik iets kon zeggen. 'We hebben zwart-witte koeien gezien.'

'En waar is juffrouw Black?'

Dat wisten we geen van beiden.

Een paar dagen later zei Eve: 'Volgens mij zijn jullie oud genoeg om zonder kindermeisje te kunnen,' en dat was het einde van juffrouw Black. De dag van haar vertrek was eerder vreemd dan verdrietig, hoewel Theo huilde. Juffrouw Black probeerde ons tot onze verbazing een knuffel te geven. (Ik denk dat ze van streek was omdat Alicia slechts emotieloos een paar woorden ten afscheid had gemompeld.) Toen ze zich naar me toe boog, rook ik haar parfum, een dunne glazuurgeur.

Theo treurde bijna een maand om juffrouw Blacks vertrek. De enige reden die ik kon bedenken was de knuffel die ze ons had gegeven.

'Je hoeft niet verdrietig te zijn,' zei Eve tegen haar. 'Je kunt juffrouw Black altijd een brief schrijven als je haar mist.'

'Maar als ze dan doodgaat?' vroeg Theo. Op die vraag had niemand een antwoord.

Een andere verandering was dat er weer feesten op Evendon werden gegeven, waarvoor teams van onberispelijk in zwart-wit gekleed personeel werden ingeschakeld die als monochrome kabouters wonderen verrichtten. Als ze klaar waren met hun werk, waren de tuinen verlicht met honderden lantaarns en zagen ijssculpturen van droevige nimfen toe op de ronddravende obers, rijen champagneglazen, jazzpianisten, de bloementorens met hun oplichtende blaadjes in het deinende licht van de lampions.

Voordat de feesten begonnen, zaten Theo en ik bij Eve terwijl ze zich klaarmaakte. Dan maakte ze de kluis in de muur open en haalde er diamanten, parels en opalen uit. De juwelendozen brachten haar in een jolige stemming. 'Kijk hier eens naar, Theo,' zei ze, en ze hield een hanger met een robijn omhoog. De steen glansde helder als een konijnenhart. 'Onthou dat een vrouw nooit haar eigen juwelen moet hoeven kopen.'

Het was de bedoeling dat we naar bed gingen voordat de eerste gasten arriveerden, maar omdat we niet konden slapen, lieten we ons naar de overloop lokken door de geluiden van de gasten, die de vloer deden deinen met hun weerspiegelingen, en de lucht die geurde naar parfum en sigarenrook. De muziek steeg in flarden naar ons op terwijl we beduusd van boven aan de trap door de spijlen naar beneden staarden. Op een van die avonden hadden we ons met een schaal canapés onder de eettafel verstopt om naar de benen van de gasten te kijken. De voeten van de vrouwen waren interessanter dan die van hun zwartgeschoende partners, met hun gelakte nagels, schoenen versierd met veren, kristallen en bloemen, en een keer zelfs een zilveren hagedis met ogen van amethist. De geluiden van het feest zweefden over onze hoofden; flarden van gesprekken die ik niet begreep.

Ik heb tegen hem gezegd dat het voorbij is als hij niet met haar stopt. Ze hebben geen seks, zegt hij.

Wat niet weet, wat niet deert.

Het leek wel een hoer.

We kunnen de hele boel beter verkopen. Al was het maar voor de verzekeringskosten.

'Wat is een hoer?' fluisterde Theo.

'Ik denk een of ander beest,' zei ik. Ik schraapte de glanzend zwarte bolletjes van mijn canapé en stopte het in mijn mond.

Ten slotte hoorden we Eves gonzende stem boven de andere stemmen uit.

'O, dat lossen we wel op,' zei ze als antwoord op een vraag die ik niet had verstaan. En toen was ze alweer weg.

Echt spannend werd het pas heel laat op de avond. Theo lag al opgerold naast me te slapen; op haar wang plakte een plukje peterselie. Een vrouw in een glanzend groene jurk smeet haar glas op de grond en riep iets naar een man. De gasten vielen stil, waarna ze door twee andere gasten de voordeur uit werd gedragen. Ze siste en kronkelde als een slang, totdat de deur achter haar dichtviel en iedereen zich weer omdraaide en verder praatte.

De volgende ochtend zaten we met Eve aan het ontbijt. Ik probeerde niet te gapen, terwijl Theo zich gretig op de croissants en de jus d'orange stortte en aan Eve vertelde dat ze had gedroomd dat ze ook een feestje had gehad, maar dat ze niet verzekerd was.

'Mmm,' zei Eve, waarna ze glimlachend de *Financial Times* opensloeg.

'Waarom komt oom Alex niet op onze feestjes?' vroeg Theo. We hadden hem sinds Eves terugkeer niet meer gezien.

'O, hij houdt niet van feestjes,' zei Eve.

'Zijn ze dan niet leuk?'

'Natuurlijk wel! Maar je kunt mensen niet dwingen om feestjes leuk te vinden.' Eve zuchtte. 'Jullie oom Alex is niet zo sociaal... hij weet niet hoe hij moet omgaan met mensen die belangrijk voor hem kunnen zijn.'

Eves feesten hadden altijd een doel. Er was altijd wel iemand die ze per se op haar gastenlijst wilde hebben en die ze met alcohol en beroemde gasten wilde paaien. 'En dan moet je zaken met ze doen,' legde ze ons vrolijk uit.

'Wat zijn zaken?' vroeg Theo.

'Voor mij zijn dat hotels. Maar dat is voor iedereen weer anders. Sommige mensen doen zaken met geld. Anderen maken misschien jam of boren naar olie. Het kan eigenlijk van alles zijn.'

'Wat doet mevrouw Williams voor zaken?' vroeg Theo toen mevrouw Williams met een bord aangebrande bacon aan de ontbijttafel verscheen.

'Ik maak lekker eten klaar,' zei mevrouw Williams schaamteloos.

'Ik wil huizen bouwen,' zei ik tegen Eve.

'O ja, jij kunt wel aannemer worden,' mengde mevrouw Williams zich in het gesprek. 'Ik zie jou wel op een bouwplaats rondlopen, haha!'

Terwijl mevrouw Williams lachend de keuken verliet, nam Eve ons bedachtzaam op. Toen zei ze: 'Een ogenblikje', en ze verdween, om even later terug te keren met een groot fotoalbum.

'Kom maar eens kijken.' Ze opende het album en liet ons een zwart-witfoto zien van een beeldschoon meisje met golvend haar, als een stijf hoedje. Ze droeg een jas met een bontkraag en had lakschoenen aan haar slanke benen. 'Ik was achttien,' zei ze.

'Wanneer ben ik achttien?' vroeg Theo.

'In een veel beter jaar dan ik achttien was, lieverd. Dat was in 1955. De mensen waren toen helemaal niet gelukkig. Ik herinner me een dag in Londen dat ik na een toneelstuk van Coward uit de schouwburg kwam. Het regende en ik keek niet uit waar ik liep, en toen botste ik tegen een ander meisje op. Ze liep gehaast, zonder paraplu, en droeg een goedkope jas. Ik denk dat het een winkelmeisje was. Uiteraard verontschuldigde ik me.

Ze zei tegen me: "Waar moet jíj je nu voor verontschuldigen?" en liep door voordat ik nog iets kon zeggen. Ik denk dat ze alleen maar een lege bontjas zag en een paar bengelende oorparels.

Ik moest me wél verontschuldigen. Ik was ook een vrouw. Ik was een minderwaardig, nutteloos wezen. Iedereen noemde de twintigste eeuw de grote motor van verandering. Je hoorde niet anders. Of eigenlijk moet ik zeggen dat het de mannen waren die dat zeiden. Vrouwen werden niet geacht de motor achter veranderingen te zijn.' Eve glimlachte even, maar haar glimlach verflauwde snel, alsof ze aan iets anders dacht.

'Waarnaartoe?' vroeg Theo belangstellend. 'Waar reden ze met die motor naartoe?'

'O, bij wijze van spreken. Hoe dan ook, die dag besloot ik dat ik me niet langer door mannen zou laten domineren. De tijden zijn veranderd, maar er zijn nog altijd mensen die je proberen te ontmoedigen. Als jij huizen wilt bouwen, Jonathan, dan moet je huizen bouwen. En Theo, als jij... wilt doen wat je ook maar wilt doen, dan moet je je daar door niemand van laten afbrengen.'

'Ik wil in een rood-gele trein naar Afrika rijden,' zei Theo. Ze sprong van haar stoel en maakte joelend een stammendansje om de tafel.

'O,' zei Eve lachend, 'is dat zo!' Waarna ze haar aandacht weer op haar krant richtte.

Naderhand zei ik tegen Theo: 'Wat kun jij soms toch kinderachtig doen.' Toen ze me met een vragende, gekwetste blik aankeek, zei ik dat het me speet. (Soms – al was het maar voor één keer – was ik graag de strijd met haar aangegaan. Schelden, aan de haren trekken; een eerlijkere verdeling van schuldgevoelens.)

De onverwachte veranderingen binnen onze familie maakten me gelukkig, maar brachten ook nieuwe zorgen met zich mee. Ik voelde me verantwoordelijker, alsof ik een beheerder was die de harmonie die op ons was neergedaald moest bewaken en proberen te behouden. Ik maakte me bijvoorbeeld zorgen dat Theo karaktertrekken had die Eve, niet vertrouwd met de nukken en grillen van haar persoonlijkheid, vreemd zou vinden of, erger nog, niet zou kunnen waarderen.

Rond die tijd was Theo op school volgens de brieven en telefoontjes van haar onderwijzers 'in een uitdagende fase'. Het meest recente voorval was haar reactie op het leren klok kijken. Ze had aan de onderwijzer gevraagd waar de tijd naartoe telde.

'Nergens naar,' zei de onderwijzer. 'Hij gaat eeuwig door.'

'Hoe weet u dat?' vroeg Theo.

'Dingen worden almaar ouder,' antwoordde de onderwijzer. 'Net als jij. Jij wordt ook elk jaar groter, totdat je volwassen bent.'

'Wat verschrikkelijk,' wierp Theo tegen. 'Het is gewoon niet waar.'

Eve had met de telefoon in haar hand in de zitkamer gestaan, haar mooie hoofd onbeweeglijk rechtop, de vingers van haar linkerhand onregelmatig trommelend op haar been. Theo had het gesprek afgeluisterd en zei later tegen mij: 'Eve vindt mij een raar kind.'

'Dat heb je vast verkeerd verstaan,' zei ik.

Maar ik zag dat Eve steeds vaker op een bepaalde manier naar Theo keek. Die uitdrukking zag ik voor het eerst toen ze ons het verhaal vertelde van de mier en de sprinkhaan, waar Theo om moest huilen. Ze begreep niet waarom de mier aan het einde van het verhaal de sprinkhaan niet wilde helpen. (Ikzelf had de kant van de mier gekozen. Ik ergerde me aan de sprinkhaan, die het vertikte zich voor te bereiden op de koude, vijandige winter.) Vervolgens zag Theo een keer op televisie de Boze Heks uit het Oosten doodgaan en kon ze een week lang niet slapen. Daarna verscheen de uitdrukking telkens op Eves gezicht als ze haar moest uitleggen dat er geen geesten, elfen of leeuwen in de kleerkast zaten. Eves mond werd strakker, haar wenkbrauwen kregen iets vragends, en dan dacht ik dat dat kwam omdat ze Theo probeerde te begrijpen. Ik denk dat ik bang was voor wat er zou gebeuren als ze uiteindelijk tot een conclusie zou komen.

Het werd weer zomer en op de dagen dat Eve niet thuis was, overschreden Theo en ik de grens tussen Evendon en Wales en zwierven we door de heuvels naar de omringende dorpen of boerderijen. Op een van die dagen liepen we naar Carmarthen, waar de stenen stadswallen en kantelen van het voormalige kasteel nog langs de smalle straten te zien waren. We stuitten op een chocoladewinkel, waar volgevreten vliegen uitrustten onder de glazen toonbank, en keken verlekkerd naar de taartjes totdat we werden weggestuurd. In de hoofdstraat werden we door de meeste mensen genegeerd en zachtjes opzij geduwd door boodschappentassen en rolstoelen. Aanvankelijk zei Theo nog glimlachend 'hallo' tegen de mensen die we tegenkwamen, maar de meeste keken terug zonder iets te zeggen. Niet dat ze onvriendelijk waren, maar er waren slechts een paar mensen die hallo terugzeiden, en ten slotte zei ik dat ze ermee moest ophouden.

Een andere keer liepen we in de volle zon naar het strand bij Llansteffan. We deden er bijna een uur over, maar dat deerde ons niet. We waren duizelig van de geur van de warmte, de zee waarvan we door de gaten in de heggen een glimp opvingen en de lucht als een puurder destillaat van het blauwe water. Het grootste deel van de weg liepen we door een smal laantje met aan weerszijden bomen. Als er auto's passeerden, stapten we even in de berm. De gestreepte schaduwen in het licht dat over de autoramen gleed, verhulden telkens even de verbaasde gezichten van de inzittenden, die eerst naar de glimlachende en zwaaiende Theo met haar roze strohoed en haar emmer en schepje keken en dan naar mij, met de opgerolde deken over mijn schouder. Twee dwergtoeristen.

Llansteffan was klein. Een paar straten met carnavaleske huisjes in vrolijke pastelkleuren, met balkons en tuinen met palmachtige bomen. Op de klip boven het dorp lag een kasteelruïne die eenogig – lichtblauw, net als de ogen van Theo – met haar raam op ons neerkeek. We spreidden onze deken uit bij de rotsen aan de rand van de baai en begonnen een zandkasteel te bouwen. Ik liep naar de zee om water te halen en waadde door de ondiepe branding, die op het vlakke, roomkleurige zand uitrolde in een bewegende spiegel. Toen ik terugkwam, stond Theo te kijken naar een man en een vrouw met een klein kind, dat ze aan de handjes vasthielden terwijl het door het ondiepe water waggelde.

'Waarom hebben wij onze vader nooit gezien voordat hij doodging?' vroeg ze aan mij.

Ik schrok van haar vraag. Het was lang geleden dat we het over onze vader hadden gehad. Toen Eve net terug op Evendon was, had ik gehoopt dat ze ons iets meer over de mysterieuze Michael Caplin zou kunnen vertellen, vanaf het begin tot aan zijn auto-ongeluk aan de andere kant van de wereld. Maar ze deed net zo vaag over hem als Alicia altijd was geweest, en reageerde met dezelfde blik en lichte frons als ik naar hem vroeg. Ik merkte dat ze liever niet over hem praatte en vroeg uiteindelijk niet meer naar mijn vader.

Het ergerde me nu dat Theo naar mijn vader had gevraagd. Ik stelde me voor hoe ze er thuis over zou beginnen, op de manier waarop ze aan dikke vrouwen kon vragen of er een baby in hun buik zat en, zo ja, hoeveel, of wilde weten waarom er wel donkere mensen op de televisie waren en niet bij ons thuis. Ik had het gevoel dat het nieuwe leven op Evendon – het geluk van Evendon – breekbaar was, dat er een balans bestond tussen dingen waarover wel en die waarover niet werd gepraat. Ik wilde niet dat Theo die met haar onverwachte, lastige vragen zou verstoren. Dus zei ik: 'Geen idee. En heb het niet steeds over hem. Hij is dood. Je moet niet over dode mensen praten, want dan raken mensen van streek. Dat weet je toch?'

'We hebben het ook over andere dode mensen...' zei Theo, maar na nog wat gemompel gaf ze het op en vulde ze haar emmertje opnieuw met zand.

'Je moet het zand goed aandrukken,' zei ik, vriendelijker nu. 'Anders stort de toren in.'

Terwijl we verder bouwden, zag ik twee jongens vanaf een afstandje naar ons kijken. Uiteindelijk kwamen ze aarzelend en met gespeelde onverschilligheid bij ons staan. 'Mogen we meehelpen?' vroeg een van de jongens met een zwaar Welsh accent.

'Joepie!' riep Theo uit, voordat ik nee kon zeggen. Ik werd liever alleen gelaten, maar de jongens hadden een grotere emmer. We werkten een tijdje in stilte samen aan het kasteel.

'Mooie toren,' zei ik tegen een van hen.

'Jouw gracht is ook goed,' zei hij met een verlegen knikje. 'Zijn jullie hier op vakantie?'

'Wij wonen hier,' zei Theo, waarna ze er trots aan toevoegde: 'We zijn helemaal alleen naar het strand komen lopen.'

'Maar jullie komen uit Engeland,' zei de andere jongen. 'Jullie praten als Engelsen.'

Op dat moment kwam er een ouder, hooghartig meisje in een gebloemde bikini op haar tenen door het zand naar ons toe gelopen. Ze pakte de jongens bij de arm en trok ze mee. 'Kom mee. Hup, méé.' We konden de rest van wat ze zei niet verstaan, maar de jongens kwamen niet meer terug. Een eindje verderop begonnen ze aan hun eigen kasteel.

'Ik begrijp niet waarom ze zo ver weg gaan zitten,' zei Theo. 'Jij?'

Ik begreep het ook niet precies, maar ik wist wel dat we om een of andere reden werden afgewezen. 'Omdat het sukkels zijn,' zei ik. 'Daar willen we niet mee spelen.'

'Nee?' zei Theo.

'Nee.' We gingen verder en besteedden geen aandacht aan de schep die een van de jongens had laten liggen, totdat een van de twee naar ons toe kwam rennen om hem op te halen. Ik keek hem niet aan, maar Theo sprong meteen op. 'Willen jullie alsjeblieft weer meehelpen?' zei ze.

De jongen schudde koppig zijn hoofd. 'We willen niet meer met jullie spelen,' zei hij. 'Jullie denken dat jullie beter zijn dan wij.'

'Nee hoor,' zei Theo ontdaan.

'Wel waar,' zei de jongen. 'Dat zegt mijn zus.' Toen hij zijn schep opraapte, pakte Theo het handvat beet om hem tegen te houden, maar de jongen rukte de schep uit haar handen, zodat ze achteroverviel in het zand. Van schrik sprongen de tranen in haar ogen.

Ik sprong op en gaf hem een harde klap, net naast zijn neus. We staarden elkaar een ogenblik verbouwereerd aan. Toen werd zijn gezicht vormloos. Hij barstte in snikken uit, draaide zich om en rende half struikelend weg door het zand.

Ik was het voorval op het strand allang vergeten, toen Theo een paar weken later aan me vroeg: 'Vinden mensen ons wel aardig?' Kennelijk zat het incident met de jongens haar nog altijd dwars.

'Nee,' zei ik. Ik begon te begrijpen hoe de dorpelingen, zoals Alicia ze noemde, ons zagen. Ze mochten ons niet, net zoals mevrouw Wynne Jones ons niet mocht. Ik wist dat de mensen in die gekleurde huisjes aan het strand, op elkaar gepakt als snoepjes in een pot, niets van ons moesten hebben. Ik zat er niet echt mee: ik hoefde hun goedkeuring niet.

'Waarom niet?' vroeg Theo.

'Omdat wij meer geld hebben dan zij.' (Dat had Eve mij verteld.)

'Ik niet hoor,' zei Theo meteen. 'Ik heb gisteren al mijn zakgeld opgemaakt.'

'Nee,' zei ik. 'Eves geld. Want dat is eigenlijk ook óns geld.'

Ik vertelde Theo – die nog steeds bedremmeld keek – dat wij dat geld zouden erven als Eve overleed. Niet dat ik me kon voorstellen dat Eve zou doodgaan. De dood was iets wat Alicia zou kunnen overkomen; zij was al zijn vertrouwde geestverwant. Maar Eve was aanweziger dan wie ook; haar kleuren waren helderder, haar contouren scherper. Eve was als de mensen in de reclamespotjes: een soort uitvergroting en versterking van de werkelijkheid. Te werkelijk om zomaar te verdwijnen.

'Ik wil helemaal geen geld,' zei Theo. 'Ik geef het dan wel aan de mensen die ons niet aardig vinden en dan is iedereen weer blij.'

'Waar wil je gaan wonen als je geen geld hebt?' vroeg ik aan haar.

'En wat ga je dan eten?'

'Ik kom bij jou wonen,' zei Theo. Ze legde haar hoofd op mijn arm en glimlachte naar me. 'En dan bestellen we pizza.'

Vier

Ik denk dat ik in die tijd het meest genoot van de zomeravonden, wanneer de terrasdeuren openstonden naar het koele blauwgroen van de tuin, die aan de randen leek te verdwijnen in de zwartglanzende zee. In de rode zitkamer gloeiden de lampen; de kranten onder Eves handen glommen als ze bewoog. De avond was haar leestijd, zei ze: kranten, contracten, stapels knipsels, brieven die werden opengereten met een met juwelen bezette briefopener.

'Waarom leest u geen verhalen?' vroeg Theo eens.

'Ik heb genoeg verhalen van mezelf,' zei Eve.

Ik gaf de voorkeur aan Eves verhalen, als ze tenminste zin had om ze te vertellen, boven de piraten en brandweermannen in mijn eigen, verwaarloosde boeken. Haar leven zoals zij het vertelde bestond uit een reeks gebeurtenissen: schokkende voorvallen en onthullingen, momenten die eenvoudig door een gesprek te weven waren; soms vertelde ze een anekdote tijdens de lunch, dan weer was ze in de stemming om 's avonds een langer verhaal te vertellen. Dan zat ze roerloos in haar stoel en gebaarde ze met één hand, alsof ze met een dirigeerstokje zwaaide. Als ze goedgeluimd was, vertelde ze ons over senator A die te veel dronk of prins B wiens kinderen in werkelijkheid van een ander waren. Eve zei dat het goed was dat wij dit soort dingen te horen kregen omdat we moesten weten hoe het er in de echte wereld daarbuiten aan toeging. Ontrouw en verslaving; ze vormde ons.

Eves beste verhalen gingen over haarzelf. Die vertelde ze echter zelden. Je moest aandringen, bedelen, smeken. Zo vertelde ze ons waarom ze Engeland had verlaten ('Het is niet echt interessant, hoor... Maar als jullie het per se willen weten.') toen een paar van haar Amerikaanse vrienden bij ons dineerden.

'Ik ging dus na het overlijden van mijn vader terug naar mijn moeders familie in New York. Ik was achttien,' zei ze. 'Het was niet alleen uit verdriet, hoewel dat wel meespeelde, maar omdat Amerika kort na de Tweede Wereldoorlog meer te bieden leek te hebben.'

'Was Engeland er erg aan toe?' vroeg een van de gasten.

'Natuurlijk. De Engelsen waren bezig met de wederopbouw na de Blitz terwijl de Amerikanen dansten op Rock Around the Clock. De mensen hier waren armer, zelfs de rijken. De schitterende landhuizen van de aristocratie werden een voor een verkocht. Ook voor vrouwen verslechterde de situatie. Tijdens de oorlog hadden sommige vrouwen die ik kende een eigen tweedekkervliegtuigje, en een vriendin van mijn tante bestuurde een kanaalboot voor de River Emergency Service. Maar zodra de mannen terugkeerden, werden die vrijheden teruggedraaid. Ons leven werd weer ingeperkt. Ik was een debutante, maar ik had het gevoel dat ik aan het begin stond van niets. Door te vertrekken kon ik aan mijn debutantenbal ontsnappen. Ik had geen enkele reden om te denken dat vrouwen het in Amerika veel beter hadden, maar de situatie werd er in elk geval niet slechter op. Er werd geld verdiend en de mensen hadden hoop. Amerika leek – toentertijd – een land van succes en niet van achteromkijken.'

'Ik vind het zo dapper van je dat je dat alleen aandurfde,' mompelde een van de vrouwen.

Eve lachte. 'Ik voelde me allesbehalve dapper! Het was mijn eerste vliegreis. Toen we opstegen dacht ik dat ik doodging, ik kreeg bijna geen lucht meer. Totdat ik eindelijk mijn ogen opendeed en de stewardessen met thee zag rondgaan. Het leken wel soldaten met hun stijve hoedjes. Hun handen trilden niet eens. Ik bewonderde hen enorm. Op dat moment nam ik me een aantal dingen voor. Ik besloot naar de universiteit te gaan, als eerste vrouw in mijn familie, en het te gaan maken in Amerika. Het waren natuurlijk voornemens van niks. Ik had geen idee hoe ik het moest aanpakken, maar ik had er alle vertrouwen in dat het me zou lukken. Dat is het mooie van jong zijn.'

'Ik vraag me af of je vader hetzelfde gevoel had toen hij de jungle in trok,' zei een andere gast. 'Kennelijk heb je die drang naar avontuur van hem.'

'Ik denk het wel,' zei Eve met een glimlach om haar mond, maar haar ogen bleven koel.

Na de gebeurtenissen van de daaropvolgende dag vroeg ik me af of dit verhaal – Eves verhaal – de aanleiding was geweest. Ze had de doden in de familie aangeroepen, het ontbrekende verleden opgerakeld en oud zeer naar boven gehaald.

De dag zelf, een zondag, verschilde in weinig van de andere zondagen. Eve was thuis en bracht het grootste deel van de tijd door in de kamer die ze had omgetoverd tot kantoor. Alicia, met tuinhandschoenen aan, een breedgerande hoed op en een glas op het tafeltje naast haar, zat op het terras en stond zo nu en dan op om te doen alsof ze de rozenstruiken ging snoeien. Theo was naar een feestje van een schoolvriendinnetje en ik verveelde me. Mijn favoriete speelgoed – de radiografisch bestuurbare auto, de tinnen soldaatjes, de kapotte voetbal – kon me niet boeien. Ik vond een vergrootglas en een paar droge takjes en probeerde uit het zicht van Alicia tevergeefs een vuurtje te stoken. Het raam van Eves kantoortje stond open. Het was een warme dag, en een wisselvallige zeewind blies de gordijnen van Eves raam telkens naar buiten en weer terug, als het zeil van een schip. Ik zat in de buurt van het raam toen er plots schel telefoongerinkel klonk en Eve opnam. Ik kon haar stem vrij duidelijk horen. Ik had haar wel eens eerder aan de telefoon horen praten, maar toen had ik er weinig aandacht aan besteed. Nu deed haar toon mij de oren spitsen. 'Wanneer is hij aangekomen?' vroeg ze, zonder hallo te zeggen. Het zeil werd weer naar binnen geblazen waardoor ik even niets hoorde. Toen bolde het weer naar buiten en zei Eve: 'Waar zou hij anders naartoe gaan?'

Het was even stil. Ik ging onder het raam staan om beter te kunnen horen wat ze zei. Toen hoorde ik recht boven me: 'Stuur maar een paar mensen naar Evendon', en voor het eerst meende ik boosheid in haar stem te horen.

~

Uiteindelijk blies de winderige dag de zon uit als een kaars en daalde de koele avondschemering neer over het huis. Er kwam nog een telefoontje. Theo's feestje was uitgelopen en de chauffeur die Eve had gestuurd om haar op te halen stond nog altijd ver weg in Engeland te wachten voor een dierentuin.

Terwijl ik onder aan de trap stond te luisteren, voelde ik me steeds ellendiger worden omdat Theo nog niet terug was. De schaduwen op de vloer kropen als het getij steeds dichter naar me toe en ik wilde nog niet gaan slapen. Ik liep naar Alicia in de gouden salon. Als ik me stilhield, zou ik misschien niet naar bed worden gestuurd.

Alicia zat naar een oude film te kijken. Haar gezicht lichtte grijs op in de kleurloze projecties, haar ogen zakten langzaam dicht. De acteurs op het scherm, die naar elkaar toe bewogen, waren onscherp, vervaagd onder het gewicht van de tijd. Ik was niet geïnteresseerd in het einde, maar staarde klaarwakker naar de vage randen van de zwart-witte lippen en tanden. Alles beter dan naar bed te moeten gaan en mijn ogen te sluiten voor de duisternis terwijl de beveiligingsmensen die ik had gezien om de zoveel tijd langs mijn raam liepen. Op een of andere manier wist ik dat de noodtoestand was uitgeroepen.

Ik voelde me nog ellendiger toen Eve binnenkwam en tegen Alicia snauwde: 'Naar wat voor draak van een film zit jij te kijken?' Doorgaans gaf ze geen commentaar op wat mijn moeder deed, en Alicia schrok dan ook wakker en keek haar kalm maar verbaasd aan.

'Geen idee,' zei ze.

Vervolgens keek Eve naar mij.

'Jonathan! Moet jij niet allang in bed liggen?' zei ze. 'Kom, dan loop ik met je mee.'

Op de trap sloot ze haar droge hand om de mijne en glimlachte naar me met iets meer dan haar gebruikelijke koelbloedigheid.

'Wilde je soms opblijven vannacht?' zei ze plagend.

'Waarom lopen er bewakers om het huis?' vroeg ik.

'O, lieverd, maak je daar maar niet druk om. Er zijn in de buurt een paar inbraken gepleegd, dus het leek me verstandig een paar mannen om het huis te laten lopen. Dat schrikt af. Natuurlijk hebben we camera's en alarm, en kunnen ze niet zomaar ín huis komen, maar...' Ze maakte haar zin niet af, maar lachte en gaf me een kneepje in mijn hand. Toen we boven aan de trap waren, zei ze: 'We zijn hier volkomen veilig. Zo, en nu gauw naar bed. Hup.'

Toen ze zich omdraaide, galmde het diepe geluid van de deurbel als een koude bronzen golf over ons heen. Geschrokken keken we elkaar even aan. Toen knipperde ze met haar ogen en zei: 'Lieve hemel, dat moet Theo zijn. Ik was haar bijna vergeten!'

Theo werd slapend binnengebracht door de chauffeur. Haar mond hing open. Ze sliep altijd heel vast, alsof ze in een onverklaarbaar coma lag. Haar haren waren om haar nek gedraaid en plakten aan haar blozende wangen. In haar blauwe feestjurk was ze een opvallend kleuraccent in de loodgrijze omgeving van de hal. 'Loop maar achter mij aan,' zei Eve tegen de chauffeur, die Theo de trap op droeg. Ik bleef staan treuzelen om naar de voordeur te kunnen blijven kijken, die prompt werd gesloten door een marineblauwe gestalte van de beveiliging. Toen rende ik achter hen aan.

Zodra Eve weg was, ging ik naar Theo's kamer. Ze lag in bed te snurken. Ik schudde haar wakker. Ze hapte geschrokken naar adem, kwam sputterend overeind alsof ze gereanimeerd was na een bijna-verdrinking en keek me toen verrukt aan.

'Jonathan!' riep ze uit. 'Ik heb je gemist.'

'Hoe was het in de dierentuin?' vroeg ik. Met een half oog keek ik naar haar slaapkamerdeur, waardoor een streep licht als een laserstraal op het speelgoed en de kleren viel die de donkere schaduwplekken op de vloer doorbraken. In huis was het stil.

'Leuk,' fluisterde Theo blij. 'Ik had een feestmuts gekregen, maar die ben ik verloren. Maar weet je wat ik van plan ben? We gaan samen een dierentuin kopen als we groot zijn. Dan kan ik de dieren voeren en kunnen we bij de dierentuin gaan wonen, in een huis, met flamingo's in de tuin. En dan kun jij een leeuw als huisdier nemen.'

'De leeuw zal de flamingo's opeten,' zei ik. Ik probeerde de geluiden van buiten op te vangen.

'We kopen een krokodil om ze te beschermen tegen de leeuw,' redeneerde Theo. 'Ik wil ze niet allemaal in kooien opsluiten. Ik werd vanmiddag heel verdrietig toen ik die leeuw in zijn kooi zag.'

Terwijl ik met Theo praatte, besefte ik waarom ik haar wakker had gemaakt. Het was dit alledaagse dat ik wilde, de zonnige sfeer die ze had behouden van haar dagje uit, de vrolijke resten van verjaardagstaart en feestmutsen. Maar nu fronste ze en was de glimlach van haar gezicht verdwenen, alsof de spanning in huis op haar was overgeslagen.

'Het is warm hier,' zei ze ineens.

Ze had gelijk. Ondanks het warme zomerweer waren eerder op de dag alle ramen in huis dichtgedaan. Ik liep naar het raam, opende het voorzichtig en leunde even naar buiten. De koele lucht streek langs mijn klamme gezicht. Theo's kamer keek uit over de tuin, waar in het goudkleurige licht slechts vage patronen te zien waren. De enige geluiden kwamen van het geruis van de bomen en de zee, en een uil in de verte, waarvan de roep onbeantwoord bleef.

Theo was weer in slaap gevallen op het bed achter me. Haar oogleden trilden. Ik trok het dekbed over haar heen, aarzelde, maar ging toen toch naast haar liggen en viel uiteindelijk in slaap.

Ik herinner me dat ik wakker werd van gedempte, onverstaanbare stemmen in de kamer onder me. De slaapkamer was donker en de lucht buiten vertoonde nog geen tekenen van de ochtend. De stemmen verhieven zich en gingen dan weer omlaag, hard van onvrede, totdat ze weer onhoorbaar werden. Nadat ik een tijdje had gewacht – met opgeheven hoofd, de oren gespitst – of ze nog terugkwamen, liet ik me weer terug in het kussen zakken.

Toen hoorde ik buiten iemand huilen. Het was een zacht geluid, dat opsteeg naar het open raam. Het klonk alsof het mijn moeder zou kunnen zijn, maar Alicia huilde niet. Ik stapte uit bed, mijn slaapdronken hoofd dromerig en wankel, en liep naar het raam, waar ik op een stoel ging staan om op het terras te kunnen kijken.

Ik zag mijn moeder; ze stond in een lange schaduw. Ik besefte dat de schaduw – lang, dun en gerimpeld als een donker beekje – van iemand moest zijn die in de terrasdeuren onder mij stond, net buiten mijn gezichtsveld. Mijn oog werd getrokken door een schittering in een glasscherf op het terras. Ik kon Alicia's gezicht duidelijk zien, vervormd als een weerspiegeling in water. Op haar bleke huid lagen zwarte lijnen van haar uitgelopen oogmake-up.

Toen sloeg mijn moeder haar handen voor haar gezicht en voegden zich andere schaduwen bij de lange schaduw, totdat de schaduwvlek uitgroeide tot een monsterlijk gedrocht met talloze armen en benen dat zich langzaam van haar verwijderde. Op hetzelfde moment hoorde ik een schreeuw, een mannenstem die overging in een redeloze oerkreet. Het had 'Niet doen' kunnen zijn, maar net zo goed 'Ik wist het' of 'Jij Judas' of 'Wie is dit?'. Toen waren de schaduwen weg. Alicia zei iets tussen haar handen door wat ik niet verstond, met een stem die ik nooit eerder had gehoord, vol onbekende gevoelens.

Toen kwam Eve het terras op lopen. In tegenstelling tot Alicia, die onvast op haar benen stond, was Eve snel en vastberaden. Ze ging naast Alicia staan en sprak alsof ze het niet tegen Alicia had maar tegen zichzelf. Alicia op haar beurt keek niet naar Eve. 'Dit hadden we eigenlijk wel kunnen voorzien,' zei Eve. Haar stem was zoals altijd zo duidelijk dat hij me met alle intonaties intact – scherp, vol woede – bereikte. 'Kennelijk zijn we niet duidelijk genoeg geweest.' Ze wendde zich ongeduldig tot Alicia. 'Mijn god, je hoeft niet meer te huilen. Het is voorbij. Er is niets gebeurd.'

Op dat moment ging de deur van de slaapkamer open en sprong ik geschrokken weg van het raam, maar omdat ik was vergeten dat ik op een stoel stond, viel ik op de grond. Een beveiligingsman stak zijn hoofd om de deur, zag me liggen en kwam fronsend naar me toe lopen.

'Wat voer jij in je schild, Johnny?' vroeg hij.

'Ik heet geen Johnny,' zei ik. Ik stond op en greep boos naar mijn pijnlijke elleboog.

We keken allebei naar het open raam, waarna de beveiligingsman ernaartoe liep en het sloot. Theo maakte in bed een snurkgeluid.

'Kom, dadelijk maken we je zusje nog wakker,' zei hij met dezelfde ongemakkelijke jovialiteit. 'Waar is jouw kamer?'

Er zat voor mij niets anders op dan me naar mijn kamer te laten brengen, waar ik moest toestaan dat de beveiligingsman bij me bleef totdat ik was 'weggezakt', zoals hij het noemde.

'Een inbreker is het terrein op weten te komen,' zei hij opgewekt, 'maar we hebben hem opgepakt. Hij is niet eens in de buurt van het huis gekomen.'

'Ik dacht dat er iemand in huis was,' zei ik.

'Nee hoor. Alleen beveiligingsmensen. De politie zal er zo wel zijn, dus je kunt nu rustig gaan slapen.'

Zijn mond bewoog soepel en zijn gezicht was ondoorgrondelijk. Ik begreep dat het geen zin had te vragen wat de inbreker naar mijn moeder had geroepen of waarom Eve niet duidelijk genoeg was geweest, omdat zijn mond ook dat bedekt zou hebben. Volwassenen praten en praten, dacht ik. Ze praten overal over en persen het allemaal in de vorm die ze wensen. Daar kon ik niet tegenop.

Toen ik wakker werd, scheen de zon en was de beveiligingsman niet meer in mijn kamer. Er zat niet eens een kuil in de bank bij het raam waarop hij had gezeten. Maar er zat een blauwe plek op mijn elleboog, en toen ik rechtop ging zitten, rolde mijn maag zich op als een slang, glibberig van ongerustheid.

Op de trappen en in de hal was het stil toen ik beneden kwam, maar ik volgde de geluiden van serviesgoed naar de ontbijtkamer, waar Eve, Theo en Alicia bij elkaar zaten. Eve schonk net koffie in, waarbij ze als een geisha de mouw van haar zijden kamerjas opzij hield. Alicia las een tijdschrift op de bank en negeerde me, alsof het een ochtend was als alle andere. Theo, die afwezig op een snee toast knabbelde, riep in plaats van te groeten: 'De jam is op!'

Ik begreep eerst niet wat ze zei; het was een stem vanuit een andere plek, van vóór afgelopen nacht. Het leek alsof ik die nacht had gedroomd. Alles wees erop: de kranten, de toast, de koffie, de zon die de frisse graslucht naar binnen dreef. Ik keek door de terrasdeuren naar buiten en zocht naar het kapotte glas. Het lag er niet meer.

'Goedemorgen, lieverd,' zei Eve met een glimlach. 'Je ziet er nog een beetje moe uit. Mark zei dat je nog op was toen hij op je kamer kwam kijken of alles goed was. Heb je slecht geslapen?'

'Nee, best goed,' zei ik.

'Mag ik naar beneden?' vroeg Theo. 'Ik wil mevrouw Williams vragen of ik jam mag maken.'

'Natuurlijk mag dat,' zei Eve.

Toen Theo de kamer uit was, zette Eve haar kopje neer en zei: 'Oké, Jonathan, het leek ons beter niets tegen Theo te zeggen over de inbreker van gisteravond. Alles is nu in orde...' Ik keek naar Alicia, maar haar ogen gleden zonder enige onderbreking over de bladzijde. '... dus je kunt haar maar beter niet ongerust maken. Je weet hoe gevoelig ze is.'

Na het ontbijt ging ik naar de keuken, waar alles zo was als altijd. Theo zat op een stoel en deed afwisselend aardbeien in een kom en in haar mond. Mevrouw Williams raapte een paar gevallen plakjes tomaat van de grond. Ze blies erop.

'Zo blaas je de ziektekiemen eraf,' verklaarde ze. Ze legde de plakjes boven op een quiche en veranderde toen van onderwerp.

'Jullie twee weten niet half hoeveel geluk jullie hebben. Ik heb vanmorgen slecht nieuws gekregen. Ik heb gingivitis, wat dat ook mag zijn. Klinkt niet als een ziekte, als je het mij vraagt. Ze verzinnen de helft, die tandartsen. Daar kunnen ze die dikke auto's van betalen. Ga dat dus maar nooit studeren.' Ze keek ons beschuldigend aan.

'Ik word geen tandarts,' zei Theo. Ze schonk gele kandijsiroop in de kom met aardbeien. 'Ik word kok en dan ga ik arme mensen in ontwikkelingslanden voeden.'

'Wil je ze soms voeden met jam? Daar zullen ze denk ik niet zo blij mee zijn,' zei mevrouw Williams, en ze lachte. 'Wat denk jij, Jonathan?'

'Nee, dat denk ik ook niet,' beaamde ik. Ik luisterde maar half. Ik ging aan de tafel zitten en at een paar aardbeien terwijl ik mijn gedachten probeerde te ordenen. Ik begreep niet wat er de afgelopen nacht was gebeurd, maar het was nu voorbij, en ik wilde geen vraagtekens zetten bij het eigenaardige geluk dat ervoor had gezorgd dat alles weer zo was als daarvoor, met een knip van de vingers en een stralende glimlach. De nacht was opgehaald als een gordijn en onthulde Evendon zoals het behoorde te zijn: Theo met aardbeiensap om haar mond, de zon op de tafel, mevrouw Williams in haar tas zoekend naar haar sigaretten. Niets ontbrak en alles stond op zijn plek.

Slechts één ding was er na die dag veranderd; de dag van de nachtmerrie, zoals ik het voor mezelf was gaan noemen. Theo, die altijd sliep als een roos, was sindsdien nooit meer helemaal van de wereld. De nacht daarop kwam ze snikkend mijn kamer binnen geslopen. Toen ik wakker werd, was haar gezicht nat van de tranen en haar hand, die de mijne omklemde, was warm en nat van angst.

'Wat is er?' Ik dacht aan de inbreker en vloog overeind. 'Is er ingebroken?'

'Nee, de geest is hier,' huilde Theo. 'Hij is het huis binnen gekropen en zit onder mijn bed.'

Ik liet me opgelucht terug in mijn kussen vallen.

'Theo! Je laat me schrikken. Er is geen geest. Je hebt het gedroomd.'

'Hij wil terugkomen,' zei ze. 'Hij wil terugkomen maar dat lukt niet.'

Ik bleef stilliggen. Ik was nog slaapdronken en prikkelbaar, en het duurde even voordat ik doorhad dat ze rilde. Ze had donkere kringen onder haar ogen en haar klamme gezicht was grauwwit.

'Je mag hier wel slapen, als je wilt,' opperde ik aangedaan. Ik sloeg mijn arm om haar heen. 'Geesten mogen mijn kamer niet in.'

'Arme geest,' zei Theo, en ze sloot haar ogen. Ik bleef doodstil liggen om haar niet te verstoren totdat haar ademhaling regelmatiger werd en ik dacht dat ze sliep. Toen mompelde ze bang en nauwelijks verstaanbaar: 'Pas goed op mij.'

'Zal ik doen.'

'Beloof je dat?'

'Dat beloof ik.'

Toen viel ze snel en zonder verdere problemen in slaap.

Ik kon niet slapen. Ik herinner me dat ik nog lang wakker lag. De hemel was zo helder dat het leek alsof de sterren in mijn kamer stonden en het was zo fris in mijn kamer dat mijn ogen openbleven. Theo lag op haar rug, met haar mond open, haar haren zilverachtig in het flauwe licht en opkrullend rondom haar gezicht, haar oogleden sereen wit, als schelpen. Ze murmelde iets onverstaanbaars in haar slaap; een lage, onbegrijpelijke brom, de muziek van mijn onaangename nacht.

In de maanden die volgden ging Theo gehoorzaam naar bed als Eve in de buurt was en mocht het licht in haar kamer uit. Maar 's ochtends lag ze weer in mijn kamer, op de grond of in mijn bed, met haar deken om zich heen geslagen, als een vlinderpop, haar hand om de mijne of om mijn laken geklemd en tegen haar wang gedrukt. Op sommige nachten rolde ze zich niet alleen in haar eigen laken maar ook in dat van mij, en als ik haar dan terug probeerde te rollen, klemde ze zich er in haar slaap aan vast, als een babyaapje.

Eve ergerde zich aan Theo's angsten. Ze zei dat ik mijn deur op slot moest doen totdat ze had geleerd alleen te slapen. Maar dat kon ik niet. Ik wist dat Theo me nodig had, meer dan iemand mij ooit nodig zou hebben: ze was niet flexibel en liet zich niet makkelijk sturen.

'Weet je nog dat je vroeger vaak nachtmerries had?' vroeg ik haar eens.

'Ik geloof het wel,' zei ze, en haar mondhoeken gingen omlaag.

Ik probeerde me mijn eigen dromen te herinneren, maar dat lukte me niet. De nacht was voor mij een gesloten oog, een lege ruimte. Ik kwam er niet in voor.

2008

Het is bijna drie uur als ik opkijk van de krant die meneer Ramsey me eerder heeft gebracht en waarin ik allang niet meer aan het lezen ben. Op het oppervlak van het volle theekopje naast me drijft geschifte melk, als kleine ijsschotsen. Het herinnert me eraan dat ik boodschappen moet doen, eten en drinken moet kopen. Ik moet mijn best doen om aan dit soort dingen te denken, omdat de dagelijkse gang van zaken anders dreigt vast te lopen, als oude tandwielen.

Als ik de woning verlaat, loop ik het gezin van beneden tegen het lijf, dat net in een minibusje stapt. Ze maken een vrolijke indruk nu ze naar huis gaan en zwaaien uitgelaten naar me. Dan stuift de auto weg. De vrouw begint een babbeltje met haar echtgenoot, de jongen zit al met zijn neus in een stripboek. Hun geluk cirkelt de auto rond, onaantastbaar en sterk als rubber. Ik vraag me af hoe mijn geluk eruit zou zien als ik het nog eens opnieuw kon proberen. Ik kan me niet voorstellen dat het zo stralend fris zou zijn; het zou iets smoezeligs hebben, iets dofs, stroefs, gehavends.

Op de strandboulevard zie ik een patatkraam. Ik loop erheen en als het zacht begint te regenen, versnel ik mijn pas. Twee tienermeisjes in korte rokjes komen me tegemoet. Hun Engelse, witte benen zien schraalrood van de wind. Ze lopen ongemakkelijk op hun hoge hakken, als opgejaagde ooievaars, en drinken ieder uit een flesje. Een van de twee kijkt me aan en als ze voorbij zijn, hoor ik hen giechelen. Het geluid drijft terug, een eigenaardige, zachte toon te midden van het geraas van de zee en het gekrijs van de meeuwen.

De geur van patat roept altijd dezelfde associatie bij me op: de kleine keet bij het strand van Llansteffan, waar de patat in kartonnen bakjes met dikke, tweetandige houten vorkjes werd geserveerd en we het opaten terwijl de zon achter ons onderging en we uitkeken over het blauwachtige zand. Hier is geen strand. De betonnen weg maakt een scherpe bocht die verdwijnt in bootmasten die het ondoorzichtige, staalgrijze water doorspietsen. De harde wind van zee ruikt koud en rauw, als oesters, en mengt zich met de warme-oliegeur van de patatkraam tot een misselijkmakend geheel. Het interieur van de kraam is betegeld als een toilet en wordt verlicht door een fluorescerend blauwe kabeljauw met een vette grijns. Achter de toonbank staat een dikke vrouw, als een waarschuwing; haar blond geverfde haar kleurt groen in het licht.

'Zout & azijn?' vraagt ze kortaf. Zonder mijn antwoord af te wachten begint ze de patat in te pakken. Ik neem het vettige pakketje met patat aan, samen met een warm blikje cola. Nog voordat ik haar kan bedanken, wendt ze zich tot de volgende klant.

Als ik mijn patat bijna opheb, zie ik dat het ingepakt was in het krantenartikel dat me die ochtend had opgeschrikt. Mijn jongere gezicht staart me met een zelfgenoegzame glimlach aan. De foto glanst van de olie. ERFGENAAM FAMILIE ANTHONY VERMIST. Ik vraag me af hoe mijn vermissing tot stand is gekomen. Ik word niet vermist, ik ben vertrokken. Bovendien heb ik iedereen verteld dat ik wegging. Als ik het artikel beter lees, begrijp ik dat mijn moeder, 'met betraande ogen' tegen een journalist heeft gezegd dat ze niet weet waar ik ben.

Ik bel haar met mijn nieuwe mobiel, waarvan ik niemand het nummer heb gegeven, behalve meneer Crace. Ik wil in deze eerste vreselijke weken niet gebeld worden. Wie stuurt er nu een sms'je om zijn condoleances over te brengen? Ik wist niet dat zulke mensen bestonden, maar dat is dus wel zo, en het blijken ook nog vrienden van mij te zijn.

'Jonathan?' zegt Alicia als ze opneemt, maar haar toon is moeilijk te peilen. 'Waar ben je?'

'Ik zei dat ik een tijdje weg zou gaan. Dat heb ik tegen je gezegd. Ik word niet vermist. Heb je het met journalisten over mij gehad?'

'Nee, natuurlijk niet.'

'Je wordt in een krant geciteerd.'

'O, ik weet niet meer wat ik precies heb gezegd... Ik was in de war.'

'Ja, dat staat hier ook. "'Ik ben in de war,' zei Alicia Anthony tegen ons."'

'Ik had niet verwacht dat ik de pers te woord zou moeten staan.' Nu herken ik de toon: geërgerd. 'Omdat jij weg bent, kan ik hier alles alleen opknappen.'

'Je bent niet alleen. Je hebt mensen genoeg om je heen.'

'Alleen personeel. De kok doet alles verkeerd en de dienstmeisjes... nou ja, daar heb ik ook niets aan.'

'Alicia, je zult het nu zelf moeten oplossen. Ik bel alleen om te zeggen dat het goed met me gaat.' Dan lieg ik: 'Mijn batterij is leeg, ik kan niet langer bellen', en hang op.

Ik leg de telefoon niet neer. Hij is warm geworden in mijn hand, alsof hij wakker wordt uit een winterslaap. Het schermpje geeft geen oproepen aan. Niettemin luister ik mijn voicemail af, in de hoop dat het telefoontje van meneer Crace er als gevolg van een of ander ondoorgrondelijk mechanisme van mijn mobiele telefoon tussendoor is geglipt.

Er is niet gebeld. Enerzijds is dat een opluchting, omdat ik niet weet wat er zal gaan gebeuren als hij wél belt. Wat ik te horen zal krijgen, en of ik het misschien liever niet had willen weten. Maar aan de andere kant besef ik dat het, praktisch gezien, beter voor mij zou zijn als ik ergens anders naartoe werd geroepen en Southampton zou moeten verlaten. Het was waarschijnlijk niet zo slim van me om door te rijden tot ik op de zee stuitte, waar ik, aangetrokken door de branding, toekeek hoe ze in- en uitademde; ik luisterde naar haar eeuwige gezucht en gesteun en hoorde haar belofte aan dat ze me kan omarmen als ik dat wil: me kan omhullen en veranderen in een stipje, een oogwenk. Feiten zouden van me af vallen als opgedroogde modder: Jonathan Anthony, architect, erfgenaam, broer, kleinzoon. Ik zou vergeten dat ze dood is en ik zou zelf niets meer zijn... vrij en zonder hoop.

Deel twee

2000

Wat zet de voeten toch in gang
De grond, de lucht, een drang
Nog houterig
Voldaan omdat
In steen ook kwarts kan zijn vervat –
       Emily Dickinson, *Na zware pijn...*

Vijf

Aan het einde van mijn eerste jaar in Cambridge reed ik terug naar Wales. De zomerregen had de bermen aan weerskanten van de weg in modderpoelen veranderd en ik probeerde me op het grijze asfalt te blijven concentreren om maar niet aan mijn kater te hoeven denken. Het gehobbel van de auto werkte op mijn evenwichtsorgaan en maakte me misselijk, en mijn ogen lagen zwaar en vermoeid in hun kassen. Ik sloeg me erdoorheen door naar de weg te blijven kijken, niet na te denken en te luisteren naar mijn medepassagiers, die onze uitgaansavond aan het reconstrueren waren. Ik moest er vooral niet bij stilstaan hoeveel uur ik nog te gaan had voordat ik op Evendon zou aankomen.

'Ben je gisteravond nog met die meid het bed in gedoken?' vroeg Sebastian aan mij.

'Ja,' zei ik. Ik remde af voor een minibusje dat als een meikever blindelings voor mijn neus de weg op kwam. Ik vloekte afwezig op de kinderen op de achterbank, die zich omdraaiden en naar me zwaaiden.

'En, was het wat?' vroeg Felix. Hij droeg een politiepet en had zijn arm om Caroline Tyler geslagen, een derdejaars studente die bekendstond om haar schoonheid en gebrek aan humor. Carolines mooie maar vermoeide hoofd rustte op Felix' schouder; haar ogen gingen schuil achter een grote zonnebril. Ze had de hele rit nog geen woord gezegd, maar zo nu en dan duwde ze Felix' hand weg als die weer eens naar haar borst gleed.

'Ik dacht 't wel,' zei ik.

'Je weet haar naam niet eens meer,' zei Sebastian pesterig.

Ik had het afgelopen jaar veel namen moeten onthouden: Foster, Gaudí, Lloyd Wright; atrium, mansardedak, kraagbalk; Louvre, Casa Botines, Guggenheim Bilbao. In dit rijtje degelijke namen was weinig plaats voor vrouwennamen – hippe namen, dronken namen, kantachtig en krachteloos, tussen de lakens, rondhangend bij collegezalen, afzenders van sms'jes.

'Jawel hoor,' loog ik.

'Hoe heette ze dan?'

'Hou op.'

Sebastian lachte en keek om naar Charlie, die ineengezakt als een bankroete bankier naast Caroline zat. 'Jezus, moet je dat gezicht van Charlie zien! Hij ziet helemaal groen. Kijk dan! Heb je ooit iemand met zo'n kleur gezicht gezien?'

'Misselijk,' mompelde Charlie.

'Volgens mij moet hij overgeven,' waarschuwde Felix me.

'Shit.' Ik gaf richting aan. 'Hou binnen, Charlie. Ik ga stoppen.' Caroline slaakte een kreet. 'Te laat,' zei Felix lachend. 'O jee.'

We reden de parkeerplaats van een tankstation op, openden de portieren en duwden Charlie de regen in die in vlagen in zijn gezicht striemde en zijn haar tegen zijn voorhoofd plette. Hij stond te wankelen op zijn benen en veegde moedeloos over de voorkant van zijn shirt.

'Maar laten we niet van onderwerp veranderen,' zei Felix tegen mij. 'Je was vreselijk op de versiertoer gisteren. Casanova was er niks bij.'

'Terwijl wij bijna verkracht werden in een politiecel,' zei Sebastian. Hij trok een blikje cola open, waarvan een deel van de inhoud over zijn kleren morste.

Ik was om negen uur in de ochtend thuisgekomen van een feest en wilde net naar bed gaan om te slapen toen de telefoon ging en ik naar het politiebureau moest om Felix en Sebastian op te halen. Ze hadden de nacht op het bureau moeten doorbrengen omdat ze een ladder hadden gestolen die ze op weg naar huis bij een bouwplaats hadden gevonden. Om vier uur in de ochtend was er politie langsgereden die hen met de ladder had zien sjouwen en toen hadden ze voor de grap gedaan alsof ze inbrekers waren. Dat hadden ze met zoveel overtuiging gedaan dat de politie niet geloofde dat ze studenten waren en hen mee naar het bureau had genomen.

'Ik had jullie daar moeten laten,' zei ik.

Sebastian fluisterde tegen Felix: 'Jonathan is chagrijnig.'

Ik tuurde door de beregende autoruit: het verkeer op de weg leek af te remmen. Charlie stond nog steeds te kokhalzen in de berm. Ik deed mijn best een paar herinneringen aan het meisje van de vorige avond op te roepen. Donker haar en een pony. Een kort rokje met stippen, dat me aan Minnie Mouse had doen denken. Haar mond had een bittere, verschaaldesigarettensmaak en haar borsten waren verrassend zwaar voor zo'n klein, slank meisje. Na het vrijen was ze in slaap gevallen in de slaapkamer van de onbekende eigenaar en had ik me weer in het feestgewoel gestort.

'Laura Chamberlain,' zei ik triomfantelijk. 'Ze studeert architectuur. Ze zit bij ons in de werkgroep, Felix.'

'O ja, ik ben vorig semester al met haar naar bed geweest,' zei Felix. 'Ik vond het een kreng.'

'Ik wou dat ik het me kon herinneren,' zei ik. Ik legde mijn hoofd op het stuur. De vermoeidheid schoof in mijn blikveld als een zwerm opvliegende duiven. 'Willen jullie tegen Charlie zeggen dat hij weer de auto in kan komen?'

Een paar uur later waren Felix en Caroline afgezet bij het huis van zijn ouders in Londen (Felix stak snel twee duimen op achter haar rug) en Charlie in Aberthin. De harde regen was overgegaan in een dichte mist die de ramen van de auto lichtgrijs kleurde. 'God, geen regen in Wales?' zei Sebastian. Hij was weer op krachten na zijn vierde blikje cola en dook ineen in zijn stoel om naar de heuvels te kijken die aan weerszijden van de snelweg oprezen.

'Dit is niet de gebruikelijke route,' zei ik. 'Nu je niet meer terug kunt, kan ik je wel vertellen dat je beter niet had kunnen komen logeren op Evendon.'

'Alles beter dan mijn vakantie door te moeten brengen met mijn eigen familie,' zei Sebastian met een grimas. 'Mijn moeder wilde dat ik naar LA ging. Maar ik heb het rare gevoel dat LA de stad is waar ik zal sterven... Hé, wanneer komt Theo terug?'

'Ze is al thuis,' zei ik. 'Ze sms't elke dag een paar keer om te vragen wanneer ik kom.'

'Heeft ze nog naar mij gevraagd?'

Sebastian was zichtbaar verliefd op Theo sinds ze de eerste keer op bezoek was geweest op de etage die wij deelden op de campus. Zijn aanvankelijk gretige belangstelling, die ze na maanden nog niet had opgemerkt, was overgegaan in een ongelukkige, verdrietige belangstelling, waar we geen van beiden over spraken: tactvol en opgewekt als verpleegsters in een sterfhuis.

Ik vroeg me af hoe Theo, die de zomer na het behalen van haar eindexamen ook op Evendon zou doorbrengen, zou zijn als we aankwamen. De laatste keer dat ik haar zag, had ze bij me voor de deur gestaan met een schele zwerfhond waarvan ze vond dat die wel bij mij kon wonen, en de keer daarvoor was ze vergeten dat ik haar zou komen ophalen bij het studentenhuis waar ze een kamer had. Ze had zich verslapen en ik moest mijn schoen tegen haar raam gooien om haar wakker te krijgen.

Theo en ik verschilden nog net zoveel van elkaar als toen we nog kinderen waren. Vroeger leek ik op een kleine, gevoelloze zakenman en zij op een wezen van glas en veren, gepassioneerd en gewichtsloos. 'Is dat jouw zus?' zeiden mensen verbaasd als ze ons net leerden kennen. Ze dachten dat ze voor de gek werden gehouden. We deelden hetzelfde familiesjabloon – Eves postuur – maar waren anders ingekleurd. Ik heb donker haar, Theo's haar is licht. Mijn ogen zijn ondoorzichtig, de hare helder en transparant als een gasvlam. Ik gedraag me naar de gangbare regels: zaaien en oogsten, actie en reactie, inspiratie en transpiratie. Terwijl Theo... Theo's motieven zijn een mysterie, ook voor haarzelf.

Toen ik eindelijk de oprit van Evendon op reed, was Sebastian allang in slaap gevallen bij het geluid van de ruitenwissers en de heen en weer rollende lege blikjes aan zijn voeten. Zijn hoofd – met de donkere kringen onder zijn ogen en zijn slappe, alle kanten uit staande haar – had iets van de verfomfaaide ongekunsteldheid van een kind. Ik was blij dat er niemand tegen me aan kletste en dat ik het vertrouwde uitzicht op de slingerende weg met bomen en de bijzondere gloed van het licht voor mezelf had. Evendon zelf verscheen langzaam in mijn blikveld, het donkere dak glanzend van de regen, de ramen wit als de lucht.

Tot mijn verrassing stond er een aantal – zwarte – auto's en busjes voor het huis die ik daar nooit eerder had gezien. De natte lak weerspiegelde de omgeving. In geen van de auto's zag ik mensen zitten. Ik zette de motor af, opende het portier en genoot van de weidse rust: het geluid van vogels, het monotone getik van regenwater op het autodak. De bomen bewogen niet, het huis was uitdrukkingsloos. Een mineurtoon gonsde in mijn borststreek alsof de dirigent op het verkeerde been was gezet. Ik keek naar Sebastian, die nog steeds sliep, en toen weer naar het huis. Op dat moment hoorde ik Theo roepen: 'Jonathan!'

Ze zat op de trap voor het huis en ging grotendeels schuil achter een busje: een kleine gedaante onder een grote golfparaplu, wiebelend met haar blote voeten, een lichte wolk van krullen. Ze zwaaide enthousiast, stond op en liep toen voorzichtig over het grind van de oprit in onze richting.

'Theo, wacht!' riep ik. Ze negeerde me, hupte met een vertrokken gezicht naar ons toe en ging aan mijn arm hangen totdat ik mijn koffer losliet, die op mijn voet viel. Sebastian geeuwde en wurmde zich aan de andere kant uit de auto.

'O, Jonathan, ik dacht dat je bij die andere lui hoorde,' zei ze in mijn hals. 'Hallo, Sebastian!'

'Wat is hier aan de hand?' zei Sebastian ongelovig. 'Is dit jullie huis? Staan we echt midden in een bos? Hoe barbaars. De gebroeders Grimm zouden het verzonnen kunnen hebben. Wedden dat ik straks een oven in word geduwd door een heks? En dat alleen omdat ik niet naar LA wilde om granaatappelcocktails te drinken en mijn moeder te zien flirten met haar yogagoeroe.'

'Wat is er aan de hand?' vroeg ik. 'Wie zijn hier allemaal?'

'Een hele hoop mensen,' zei Theo geheimzinnig. 'Daarom ben ik buiten gaan zitten. Ze maken een documentaire over Charis.'

'Daar wist ik niks van,' zei ik opgelucht, hoewel ik niet wist waarom ik me ongerust had gevoeld. We liepen met onze koffers naar de voordeur en stapten over de talloze kabels de glanzende, witte hal in die onze plotseling zwakke stemmen uittilde boven onze hoofden. De hal, met het roerloze licht, was al even verlaten als de oprit, en we volgden de loop van de kabels alsof we op speurtocht waren. Theo trippelde voorzichtig achter ons aan.

Uiteindelijk vonden we Eve in de woonkamer. Ze stond als de Venus van Botticelli in het centrum van een tableau, omringd door mensen, met een enorm bloemenarrangement op een hoge sokkel achter haar en een zilverkleurige paraplu die het licht reflecteerde op haar ovale gezicht. Rondom haar voeten lagen kabels als een kluwen slangen, boven haar hoofd hing een bontmicrofoon. Iemand draaide zich om en maande ons tot stilte, dus we bleven in de deuropening staan en keken toe terwijl Eve haar verhaal deed voor de camera.

'Ik denk dat mijn jeugd bepaald werd door drie onrechtvaardige sterfgevallen,' zei ze met haar karakteristieke accent dat niet helemaal Engels was maar ook niet Amerikaans of iets daartussenin. Het was, besefte ik, een stem die speciaal bedoeld was voor televisie: vol, rond, vloeiend. 'Na de dood van mijn moeder in 1943 besloot mijn vader George naar Engeland te verhuizen. Pas veel later, na zijn dood in 1955, ben ik teruggegaan naar New York. Waarschijnlijk deel ik zijn drang om na een pijnlijk verlies mijn koffers te pakken. Daarna, in 1969, stierf mijn echtgenoot Freddie. We waren met vakantie op Cape Cod met een paar vrienden, de Bressards, en Sam Anthony. Ik zal het gesprek dat we die ochtend hadden, over de vraag of we zouden gaan varen, nooit vergeten. De Bressards waren zeer ervaren zeilers en we waren die dag bijna niet gegaan, omdat ze ziek waren. Maar het was een prachtige zonnige ochtend en Freddie haalde ons over om een tochtje te maken. Hij kreeg een klap van de giek en sloeg bewusteloos overboord. Sam noch ik kon goed zwemmen (ik zat met een gebroken pols door een onnozele valpartij) dus we konden niet op tijd bij hem komen. Hij ging binnen een mum onder. Ik zie zijn lichaam nog wegzakken in de diepte. Dat was het laatste wat ik van hem zag. Er is later nog door duikers naar hem gezocht, maar hij is nooit meer gevonden.' Ze wendde haar gezicht een ogenblik af van de camera. De filmploeg keek in stilte toe, totdat ze vervolgde: 'Dat was het moeilijkste van alles.

Daar stond ik dan op mijn tweeëndertigste, met twee kleine kinderen, op een begrafenis met een lege kist. Het ging verder dan mijn eigen verdriet, het leek symbolisch voor Freddies carrière: er was iets niet afgemaakt, een ruimte die niet leeg had moeten zijn. Op die dag besloot ik mijn liefdadigheidswerk te verruilen voor de politiek. En het eerste, zo ontdekte ik algauw, was niet bepaald een goede voorbereiding op het laatste.' Ze lachte bitter.

'En cut,' zei een van de mannen die naast haar stonden. Hij droeg een zonnebril en een gilet. 'Prima.'

Het gilet en Eve staken hun duimen naar elkaar op, waarna er iemand een handdoek om haar schouders legde en aandachtig haar gezicht poederde met een kwast.

Ik had Eve ongeveer een jaar daarvoor voor het laatst gezien, omdat ze niet thuis was toen ik er wel een keer was, maar ze was niets veranderd. Haar haar was nog even zwart als haar ogen, die geschilderd leken, zo scherp was het lijntje tussen de inkt van haar iris en de porseleinen zetting. De huid van haar gezicht was nog altijd stralend en bewoog zich soepel over haar symmetrische jukbeenderen, waar hij veranderd zou moeten zijn in theezakjes en rimpels. Haar schoonheid was niet iets passiefs, maar bezat een eigen kracht die anderen dwong zich voor haar de benen uit hun lijf te rennen, zich nog een keer naar haar om te draaien en almaar weer haar blik te zoeken. Ze keek in onze richting, zag ons en knipoogde.

'Hallo, lieverd. Ik ben over een halfuurtje klaar, hoor,' zei ze. 'En dit moet Sebastian zijn! Het spijt me dat jullie in zo'n chaos terechtkomen.' Sebastian werd ineens verlegen en mompelde iets, waarna een producer weer probeerde Eves aandacht te trekken. Ze glimlachte naar ons alsof ze wilde zeggen: *Ik heb het wel gehad!* en dacht toen na over de vraag of een soundbite van de prins van Wales een goed idee was of dat het juist te saai zou worden gevonden.

Een week later was de cameraploeg weg, wat mevrouw Williams zeer spijtig vond omdat ze dagelijks in de kruidentuin een sigaretje had gerookt en thee had gedronken met de productieassistenten en had geroddeld over talloze beroemdheden. Mevrouw Wynne Jones, daarentegen, had met trotse minachting gereageerd op het hele gebeuren, hoewel ze plots rondliep met een thatcheriaanse slag in haar haar en strakke lippen die waren omgebogen tot een zalmroze sikkelvorm.

Een paar beroemde vrienden van Eve waren opgetrommeld om met een tandpastaglimlach anekdotes te vertellen voor de camera – wat zij met professioneel gemak deden ('Ik weet nog wel dat ze genadeloos was bij de stoelendans.') – maar onze familie kwam nauwelijks in de documentaire voor. Alicia had erin toegestemd om in een laag uitgesneden jurk op het terras te gaan zitten en te zeggen dat Eve niet alleen een geweldige moeder was, maar ook een grote bron van inspiratie. ('Heel vermoeiend,' zei ze over deze ervaring.) In werkelijkheid had de regisseur een oogje op Alicia, en in de definitieve versie werd ze naast haar rozen getoond, als een soort etherische bloemenfee. Ze hadden haar snauw naar mevrouw Wynne Jones eruit geknipt, en ook het fragment waarin ze, houterig schrijdend, bijna over een van de stroomkabels was gestruikeld. Men had ook voorgesteld dat Theo – opgemaakt en in een outfit die was uitgezocht door een styliste – lachend met mij zou staan praten in de tuin voor een 'familiemoment'. 'Eeuwig zonde om dat gezicht niet te tonen,' had de regisseur tegengeworpen, maar Theo had het gezicht koppig afgewend en haar hoofd geschud.

Oom Alex was de enige van de familie die niet gevraagd was mee te werken aan de documentaire. Misschien omdat hij bang was dat zijn academische geloofwaardigheid een deuk op zou lopen of omdat Eve en hij nog steeds ruzie hadden over een niet nader omschreven voorval. Hij had al vijf jaar geen kerst met ons gevierd en niemand had meer iets van hem vernomen of, andersom, naar hem gevraagd. Ik zat er niet mee of hij nu wel of niet op bezoek kwam. Alex was geen makkelijke gesprekspartner en door zijn afwisselende stiltes en uitbarstingen was hij moeilijk in de omgang. Sterker nog, door hem laaiden de oude, koude spanningen van Evendon weer op en hij bewoog zich traag als een gletsjer tussen Eve en Alicia, totdat ze sputterend van ergernis hun wenkbrauwen optrokken en hun lippen stijf op elkaar persten. Zelfs Theo, patroonheilige van de hopeloze gevallen, stelde geen vragen over Alex' afwezigheid. 'Oom Alex is zo... chagrijnig,' was het enige wat ze over hem wist te zeggen.

~

Ondanks haar luchtige en tolerante houding tijdens de opnamen nam Eve de documentaire zeer serieus en ze had er dan ook op gestaan haar goedkeuring te kunnen geven aan het eindresultaat.

'Anders zou ik het nooit hebben gedaan,' zei ze tegen mij. 'God, nee, ik zou wel gek zijn om mezelf zo voor de leeuwen te gooien. Geef de regie over je leven nooit uit handen.'

'Maar waarom hebt u het dan gedaan?' vroeg ik. Het had me toch wel gekwetst dat ik er niets van af wist. Ik beschouwde mezelf altijd als een 'ingewijde' als het om Eves projecten ging.

'Deels om een ongeautoriseerde versie te voorkomen. Het is slechts een kwestie van tijd voordat die zal verschijnen. Dat hebben ze met die arme Betty Ford ook gedaan. Als ik morgen zou overlijden, zou er binnen een maand *Het geheime leven van Eve Anthony* verschijnen. En deels omdat zoiets perfecte publiciteit oplevert. Mensen schijnen tegenwoordig ook de persoonlijke kant van een bedrijf te willen zien. Niemand had ooit verwacht deel te kunnen uitmaken van het leven van Aristoteles Onassis. Mensen kochten gewoon spullen waarvan ze geloofden dat die werkten. Maar als het publiek mij thee wil zien inschenken of pijpen wil zien aanleggen, zodat ze met me kunnen meeleven, dan moet dat maar.'

'Hád u een geheim leven?' vroeg ik aan haar.

'Een geheim leven?' Eve barstte in lachen uit. 'Lieverd, daar had ik helemaal geen tijd voor!'

Zes

Een paar dagen na onze aankomst brandde de late julizon de laaghangende regenwolken open en liepen Theo, Sebastian en ik, loom van de zware, goudgele middaghitte, de heuvel af naar het strand van Llansteffan. Het patroon van bladeren onder mijn voeten veranderde nauwelijks; de windvlagen vanaf zee waren uitgeput, het water zelf lag spiegelglad in de verte.

'Als jullie het verhaal van je leven zouden moeten schrijven, hoe zou je het dan noemen?' vroeg Sebastian aan ons. Hij was al vanaf negen uur die ochtend aan de wiet. 'Ik zou het mijne *Onvoltooid verleden* noemen.'

Theo dacht een minuut of tien hardop na maar kon niet op een goede titel komen.

'Zal ik er een voor jou verzinnen?' opperde Sebastian. 'Het moet wel iets verwarrends zijn, want dat ben jij ook. Wat dacht je van *Raadsels van de Gouden Uil?*'

'Geweldig!' riep Theo. 'Nu die van Jonathan.'

'Laat maar zitten,' zei ik. 'Hij maakt er toch alleen maar een woordspeling van.'

'Het moet over architectuur gaan,' zei Theo.

'*De huizenhoge ambities van Jonathan Anthony,*' zei Sebastian. 'Met als ondertitel: *Een afgebroken leven.*'

'Verschrikkelijk.'

'Laten we een ijsje kopen,' zei Theo. 'De winkel is vlakbij.'

'Mijn idee.' Sebastian gaf me een por. 'Interessante uitzichten heb je hier.'

Ik keek niet-begrijpend op, totdat ik verderop in de straat een meisje in de ronde schaduw van een boom zag staan. Ze was niet meteen een spetter – tenger, brunette, haar gezicht iets afgewend – maar toen ik dichterbij kwam, zag ik dat ze niet zomaar een standaard mooie meid was. Het besef ging gepaard met opwinding, alsof je in een kolenmijn staat te hakken en ineens een fel licht ziet. Ik staarde naar haar, hebzuchtig als een kolonisator; haar amandelbruine huid en melancholische mond, de witte jurk die op de weelderige rondingen van haar dijen rustte. Haar haren waaiden even op in de opstekende zeewind en vielen toen als losse slingers op haar rug. Ze keek op toen we voorbijliepen – haar ogen lichtten even goudkleurig op onder haar wimpers, als de fonkeling van een opgeworpen munt – maar het was niet meer dan een routineblik die zich niet liet vangen.

'Ze zag er wel leuk uit, hè?' zei Theo toen we haar voorbij waren.

'Leuk?' was alles wat Sebastian met een ongelovige lach kon uitbrengen.

Theo ging de winkel in terwijl Sebastian en ik buiten in de zon bleven staan wachten. Ik keek weer stiekem naar het meisje, deels omdat ik wilde weten of ze er nog stond. De lege straat baadde in het zonlicht en er was verder geen mens te bekennen; geen bushalte, geen telefooncel, geen wachtende auto of wat haar ook maar aan haar omgeving kon binden. Haar schoonheid was zo onwaarschijnlijk, op het absurde af. Een gedaante voor een blauw scherm, een volmaakt en geïsoleerd beeld, tegen een achtergrond waar ze geen deel van uitmaakte. Ik keek nog een keer naar haar – ik wilde dat mijn blik voelbaar was, dat ze zich omdraaide – maar ze tuurde naar de zee en merkte me niet op.

Sebastian, die naar me had staan kijken, lachte. 'Ik ga even de winkel in voor een flesje water,' zei hij. 'Dan kan ze je aanspreken en een spannend voorstel doen. Dat soort dingen overkomt jou altijd.'

Hij ging de winkel binnen en liet mij alleen met het meisje; een moment dat zich huiverend uitrekte tot een zinderende, oneindige, veelbelovende ruimte. Ik rechtte mijn rug, haalde mijn handen uit mijn zakken en vroeg me af hoe mijn kennismakingsglimlach zou overkomen – geil waarschijnlijk of, erger nog, nerveus – toen een donkerharige jongen uit de winkel kwam en samen met het meisje wegliep. Ik keek hen fronsend na totdat Theo en Sebastian naar buiten kwamen.

'Ik ben helemaal van slag,' klaagde Sebastian. 'Theo en ik worden gehaat en dat terwijl we alleen maar om een ijsje vroegen.'

'Zo is mevrouw Edwards altijd,' zei ik.

Mevrouw Edwards, de eigenaresse van de winkel, zat meestal als een pad in de schemerige, propvolle duisternis achter de toonbank naar de vliegen op het plafond te staren zonder ook maar één keer met haar ogen te knipperen. Zelfs Welshe klanten behandelde ze kortaf, maar als ze het accent van een Engelse toerist of immigrant hoorde, deed ze haar mond helemaal niet meer open en reikte ze zwijgend haar waren aan: de zachte, wit uitgeslagen chocolade, de oude frisdranken met de vervaagde etiketten.

'Zo doen de meeste oudere dorpelingen tegen ons,' verklaarde ik. 'Maar dan wel minder opvallend.'

'Ze heeft ooit één keer tegen me geglimlacht,' vertelde Theo ons.

Theo had onze buren – gedeeltelijk en niet zonder moeite – voor zich gewonnen. Ze had een beetje Welsh opgepikt en daarmee sprak ze winkeliers, boeren en voorbijgangers aan, van wie de meesten Engels spraken. Ze kocht producten van de markt in Carmarthen en onthield van iedereen de naam. Vroeg of laat begonnen mensen haar dan toch aardig te vinden; ze vroegen naar haar, verontschuldigden zich voor haar, met de half geboeide, half verbaasde uitdrukking die Theo's fans gemeen hadden.

'Heb je nog met dat meisje gepraat?' vroeg Sebastian aan mij. Ik schudde mijn hoofd.

'Maria,' zei Theo. 'Ze heet Maria Dumas.'

'Hoe weet jij dat?' vroeg ik.

'Ik heb haar broer gesproken in de winkel. Nick. Ze zijn hier net komen wonen. Ze hebben een huis op Castle Hill. Ken je dat huis?'

'Haar broer?'

'Hmm. Ik heb gezegd dat ze deze week een keertje bij ons moeten langskomen. Ik heb tegen Nick gezegd dat hij zich geen zorgen hoeft te maken dat er nog cameramensen rondlopen.'

'O, Theo...' zei ik, maar ik was te blij om er nog iets anders aan toe te voegen dan: 'Hij zal zich wel afvragen wat je bedoelde.'

Op het strand aangekomen rende Theo meteen naar de zee om te zwemmen en al snel was ze niet meer te onderscheiden van de donkere armen en hoofden van de andere badgasten in het glinsterende water. Sebastian en ik gingen op het vlakke, roomkleurige zand onder de blauwe brandende hemel liggen en Sebastian draaide met zanderige vingers een nieuwe joint. We waren bijna ingedommeld toen Theo terug kwam rennen over het strand, zo nu en dan half struikelend over andermans handdoeken en rondslingerende emmertjes.

'Jonathan! Sebastian! Ik was bijna meegesleurd door de stroming,' zei ze amechtig, en ze liet zich op de handdoek vallen. 'Maar ik heb om hulp geroepen en ben gered.'

'Meegesleurd?' Ik kwam overeind. 'Waarom ga je dan ook zo ver in zee? Wie heeft je gered?'

'Een man die daar toevallig zwom,' zei Theo. 'Hij zag eruit als een vader, met haar op zijn buik en een kale plek.'

'Een kale plek op zijn buik?' wilde Sebastian weten.

'Nee, op zijn hoofd. Hij zei dat ik de volgende keer voorzichtiger moest zijn.' Ze glimlachte nadenkend. 'Zo'n vader zou ik wel willen hebben... streng maar aardig.'

'Hij had gelijk. Je moet niet zo ver de zee in zwemmen,' zei ik.

'Ik zwom niet. Ik liet me drijven,' verklaarde Theo. 'Ik had helemaal niet door dat ik zo ver was afgedreven.'

'Dan moet je beter opletten,' snauwde ik, en ik zag dat ze ineenkromp en nerveus met haar haren begon te spelen.

Theo's gebrek aan overlevingsvaardigheden baarde me zorgen. Ze had nooit geleerd vooruit te kijken of nee te zeggen tegen vreemden. Als ik haar op haar gedrag aansprak – een lift accepteren van mensen die ze nog maar net had ontmoet, 's nachts alleen naar huis lopen – knikte ze alleen maar glimlachend en verliet ze zwevend het huis, als een ballon die vrolijk de weidse, koude lucht in werd gezogen.

'Kijk,' zei ze nu. Ze was alweer vergeten dat ze zich zou moeten schamen. Ze wees in de richting van de heuvel. 'Dat is het huis waarover ik jullie vertelde... waar Maria en Nick wonen. Ik herinner me het huis van vroeger, want je kunt het zien liggen vanaf de rand van Evendon. Ik heb me altijd afgevraagd wie er woonden. Grappig, hè?'

'Ach ja,' zei ik. Ik tuurde naar het kleine huis boven op de heuvel, als een witte tand, een wit pepermuntje, geïsoleerd in het blauw.

Theo, Sebastian en ik bekeken de definitieve versie van de documentaire – ter goedkeuring aan Eve voorgelegd – bij een karaf wijn die eerder op de dag naar boven was gebracht. Onder het kijken moest ik Theo zo nu en dan tot stilte manen als haar aandacht weer eens alle kanten op vloog. Op het scherm werden beelden vertoond van een straat in New York en de camera zoomde in op een paar strategisch geplaatste bedelaars voordat hij omhooggleed over de gevel van een luxehotel. Een welluidende voice-over verklaarde dat Eve na haar terugtrekking uit de politiek en na haar huwelijk met filmstudiodirecteur Sam Anthony een dag had doorgebracht in een daklozencentrum in New York. Het centrum werd gerund door een liefdadigheidsinstelling waarvoor zij in de raad van bestuur zat.

De camera keerde terug naar Eve, in close-up, haar gezicht levendig van zijn eigen contrasten en strakke lijnen. Ze zei: 'Ik sliep die nacht in het Waldorf, nadat ik een hele dag gepraat had met mensen die om welke reden dan ook op straat waren gezet en niets meer bezaten. Ik ging terug naar mijn suite, met de champagneglazen en het zijden behang, en sliep die nacht slecht. Toen kwam ik op het idee dat mensen zoals ik, die zich een heerlijke nacht in een hotel kunnen veroorloven, anderen die het minder goed hebben getroffen een nacht zonder angst en kou moeten kunnen bieden.'

De voice-over kwam terug, gevolgd door beelden van Eve voor diverse luxehotels en daklozencentra, waar ze het ene lint na het andere doorknipte. 'Eve richtte in 1977 de Charis Hotels op,' verklaarde de stem. 'Van de winst van de hotels wordt een groot deel gebruikt om gaarkeukens, nabijgelegen daklozencentra of gratis gezondheidsklinieken te financieren. Het was een vernieuwend concept in een tijd dat grote bedrijven zo goed als geen aandacht hadden voor hun sociale geweten. Aanvankelijk lagen de hotels in de duurdere wijken van New York en andere steden, maar later, in de jaren tachtig, breidde Charis zich uit naar Europa, Australië en Canada, en zelfs Bombay. In een opiniepeiling onder de top van zakenmensen in 2006 werd Charis gekozen tot het meest gewaardeerde mondiale merk.'

De Eve op het scherm veranderde van een jonge vrouw die glimlachend naast Moeder Teresa stond in een oudere maar bijna identieke glimlachende vrouw voor het bloemenarrangement. 'Dat Charis zo enorm gegroeid is, is niet mijn verdienste,' zei ze. 'Charis is groot geworden dankzij het geweten van gewone mensen: toeristen, geliefden, zakenmannen én zakenvrouwen. De compassie van de ene mens voor de andere is enorm groot. Het enige wat ik heb gedaan is die compassie aanboren.'

'Hé, dat zijn wij!' riep Theo uit toen er een helikopterblik op Evendon en de omliggende heuvels op het scherm verscheen. De voice-over vervolgde: 'Toen Eve Anthony in 1979 terugkeerde naar Groot-Brittannië, nam ze de taak op zich om haar familielandgoed Evendon, met het architectonisch belangrijke gebouw dat na de dood van haar vader in verval was geraakt, te renoveren.'

Eves gezicht verscheen weer, deze keer met een ernstige uitdrukking. 'Ik ben op Evendon opgegroeid, maar nadat mijn vader daar was overleden, heeft het heel lang geduurd voordat ik in staat was terug te keren naar Wales. Later, na mijn scheiding, besloot ik dat de tijd rijp was om Evendon weer te bezoeken, ook al zou ik daar geconfronteerd worden met al mijn pijnlijke herinneringen. Maar achteraf blijkt het louterend te hebben gewerkt. Ik herinner me dat het merendeel van de meubels in zo'n slechte staat verkeerde dat ze opnieuw gestoffeerd moesten worden. In eerste instantie was ik erdoor uit mijn doen, maar uiteindelijk voelde het als een kans om opnieuw te kunnen beginnen en het huis naar mijn eigen smaak te kunnen inrichten.' Ze glimlachte engelachtig. 'Ik denk dat mijn vader het zo had gewild.

Niet lang nadat ik die klus had geklaard,' vervolgde ze, 'sprak ik een verre verwant van mij, Lavinia Thorne. Ze kon het zich niet veroorloven op haar landgoed te blijven wonen, maar omdat het niet onder de voorwaarden van de National Trust viel, moest ze het verkopen. Ik bood haar aan het te kopen en te renoveren, om er dan een Charis-hotel van te maken ter ondersteuning van een liefdadigheidsinstelling. Lavinia en ik kozen voor een instelling die haar na aan het hart lag: de plaatselijke dierenambulance. Op die manier is Charis Heritage begonnen. Ik werd overspoeld met brieven van kennissen en familieleden die vroegen of ik ook "iets wilde doen" met hun huizen, die veelal in vervallen staat verkeerden of waarvoor ze de kosten niet meer konden opbrengen. Tot dan toe had ik me voornamelijk gericht op commerciële locaties in steden, maar met Charis Heritage had ik twee oogmerken: niet alleen goede doelen steunen, maar ook ons kostbare architectonische erfgoed behouden.'

De documentaire richtte vervolgens de aandacht op de renovatie van de laatste aanwinst van Charis Heritage, een zeventiende-eeuws landhuis in Buckinghamshire. Eve was even in beeld met een veiligheidshelm op terwijl ze toezicht hield op de installatie van een nieuwe centrale verwarming. Op de achtergrond herrees een kuurhotel. Ze maakte een vriendelijk praatje met de loodgieter, die te opgewekt en te Cockney klonk om geloofwaardig te zijn.

'Wiens huis is dat?' vroeg Theo, opkijkend van haar krabbels die ze op een syllabus van mij zat te tekenen.

'Geen idee,' zei ik. Ik wist niet hoe de geherhuisveste aristocratie dacht over Charis, dat werd gerund door een van hen en dat altijd klaarstond met het chequeboek als de energierekeningen het familiekapitaal opslokten of een testament voornamelijk uit schulden bleek te bestaan. De voormalige eigenaren kwamen niet in de documentaire voor om toe te zien hoe hun sporen werden uitgewist: meubels werden naar buiten gedragen, vingerafdrukken werden overgeschilderd, hotelkamernummers werden op de slaapkamerdeuren gespijkerd.

'Eve ziet er ongelofelijk goed uit,' zei Sebastian. 'Allesbehalve een omaatje, hè?' We keken op de tv naar een grasmaaiende Eve, haar benen soepel scharend in een rode jurk. 'Mijn grootmoeder zit alleen maar voor de televisie en stuurt ingezonden brieven naar kranten. Ze loopt altijd in een vest en ziet er oud uit.'

'Ze lijkt me heel aardig,' zei Theo.

'Ach ja, je krijgt er altijd cake,' zei Sebastian. 'Maar dan Eve... denk je dat ze mij zou willen adopteren? Dan heb ik iemand om tegen op te kijken. Wie weet krijgt het leven dan toch nog zin.'

De daaropvolgende dagen dacht ik nog vaak terug aan Maria Dumas. Ik keek naar elk donkerharig meisje dat me aan haar deed denken – een bruine arm, een soepel gebaar, een welgevormde mond onder een zonnebril – maar als ik dichterbij kwam, altijd hoopvol, leken ze nooit meer dan dat kleine beetje met haar gemeen te hebben. Ik wist dat ze binnen een of twee weken zou langskomen op Evendon, maar daarna zou de uitnodiging verlopen zijn. Het idee maakte me zenuwachtig op een manier die nieuw voor me was: ik voelde een vage stress, alsof ik iets vergeten was maar niet meer wist wat.

Theo, Sebastian en ik zwierven door augustus als zwerfstenen die uiteindelijk op een stikhete zondagmiddag strandden in de tuin. Ik had, met de dode Bennetts als enige gezelschap, een paar dagen in de koele boekenduisternis van de bibliotheek doorgebracht om te werken aan een ontwerp van een gebouw voor een presentatie, dus toen ik daarmee klaar was en naar buiten ging, werd ik verrast door de overweldigende hitte van de zon en de aanblik van de tuin, die op een zwevende watervlakte leek, de groene vlakte zinderend in een waas van licht.

Eve was in Londen, mevrouw Williams zat lui in de kruidentuin rookwolken de lucht in te blazen en de meeste dienstmeisjes waren naar het strand. Alicia, die op het terras zat met een grote hoed en een ondoorzichtige zonnebril op, was verdiept in een *Vogue*.

Ik tuurde over het gazon naar de plek waar Theo en Sebastian onder een perenboom in het gras lagen te kaarten. Theo droeg een gele zomerjurk; haar armen en benen, androgyn recht en tenger – bijna als de benen van een jongen – leken geïsoleerd door het felle licht. Ik stond op het punt me bij hen te voegen, toen mevrouw Wynne Jones met haar gejaagde pas het terras op kwam. Trots als ze was en niet gehinderd door de warmte liep ze in haar zelfverkozen uniform bestaande uit een zwart vest, een zwarte panty en een wollen rok. Voor haar geen polyester jurken, waarin mevrouw Williams altijd liep te pronken, of afzakkende behabandjes onder fleurig gebloemde mouwtjes.

'Jonathan, Theo!' riep ze. 'Er is bezoek voor jullie.' En voordat ik me erop kon voorbereiden, kwamen Maria en haar broer vanuit de schaduw van het huis de tuin in lopen, hun leeuwbruine ogen knipperend tegen de zon.

'Hoera!' riep Theo. Ze holde naar hen toe om hen met een paar hartelijke kussen te begroeten. Er volgde een rondje van voorstellen en wederzijdse complimenten, maar mijn kennismaking met Maria verliep snel en onhandig.

'Ik wíst dat jullie langs zouden komen,' riep Theo uit. 'Nietwaar, Jonathan? Jonathan gelooft me nooit. Maar ik vond jullie meteen aardig, en als je mensen aardig vindt, heb je negenennegentig procent kans dat ze jou ook aardig vinden. Anders is het hartstikke oneerlijk.'

Nick wierp Theo met een hand boven zijn ogen een weifelachtige blik toe. 'We hadden al eerder willen komen, maar wisten niet precies waar Evendon was. Later bleek dat iedereen aan wie we het vroegen het wist.'

'O ja?' zei Theo verheugd. 'Gek dat we dan niet vaker bezoek krijgen.'

Er viel een korte stilte.

'Waarschijnlijk omdat jullie helemaal boven op de heuvel wonen,' zei Nick diplomatiek.

'Dus jullie wonen hier nog niet zo lang?' vroeg ik aan Maria, die naast me stond. Ik had haar zo goed mogelijk proberen te bekijken zonder dat het haar opviel. De welving van haar wang, het felwit van haar blouse, dat contrasteerde met haar gebruinde huid, de symmetrie van haar welgevormde vingers. Ik bekeek haar ogen onder de volle wimpers als een victoriaanse wetenschapper die het geheim van elektriciteit probeert te doorgronden.

'We komen uit Bath,' zei ze. 'Onze moeder wilde scheiden.'

'O,' zei ik. 'Wat erg voor jullie.'

Maria keek me even aan en glimlachte toen.

'We zijn niet getraumatiseerd, hoor. Tenminste, niet ernstig.'

'Het is Maria's eigen schuld,' zei Nick met een geërgerd lachje. 'Zij heeft mijn moeder overgehaald te gaan verhuizen. Ik heb me gewoon aangepast. Ik had alleen nooit gedacht dat het zo snel zou gaan.'

Theo keek hem vol medeleven aan.

'Onze vader woont ook niet meer bij ons,' zei ze.

'Als hij op die van ons lijkt, mag je daar blij om zijn,' zei Nick.

'Waar woont jullie vader?'

'Ze zeggen dat hij dood is,' verklaarde Theo, 'omdat niemand wil dat hij terugkomt. Maar ík wil hem wel terug.'

'Oké,' zei Nick beduusd.

'Hij ís dood,' zei ik. Ik had geen idee waar ze het over had. Het enige wat ik kon doen, was haar met een veelbetekenende blik aankijken, maar die ving ze niet op.

'Laten we iets gaan drinken,' zei Sebastian snel.

Tot mijn opluchting zag ik dat Alicia met haar glas naar binnen was gegaan, omdat ze zoals gewoonlijk geen zin had om zich sociaal op te stellen. Ik had nog nooit een meisje mee naar huis genomen en de komst van Maria bracht een nieuw soort spanning met zich mee: een waar ik niet echt van genoot, met mijn starre glimlach en trommelende vingers. Maar ze ging nu – pratend en lachend – zitten, en ik deed mijn best mc te ontspannen en mee te doen.

Nick had het over een meisje dat Emily heette en dat hij in Bath had achtergelaten. 'Ze is zo mooi. Ik heb tegen haar gezegd dat als het aan mij ligt, ik zo snel mogelijk terugga, dus ze wacht op me. Ik ben van plan elk weekend naar haar toe te gaan.'

'Wil ze niet hierheen komen?' vroeg Maria.

Nick reageerde verontwaardigd. 'Ze is het beste van het beste gewend. Ik vraag haar echt niet hier te komen logeren.'

'Als Nick niet binnen dertig meter een mojito kan bestellen, heeft hij al het gevoel dat hij ergens in de rimboe zit,' zei Maria met een lach. 'Ik vind het hier wel leuk. Ik heb altijd al aan zee willen wonen. Je kunt haar meenemen naar het strand, Nick.'

'Emily heeft een hekel aan zand,' zei Nick kortaf.

'Ik had vroeger een kat die Emily heette,' zei Theo. 'Nou ja, het was niet echt mijn kat. Ik weet eigenlijk niet eens van wie hij was...'

'Dus jij zit ook op de universiteit, Maria?' kwam ik tussenbeide.

'Ik ben net klaar met mijn eerste jaar,' zei ze. 'Ik studeer psychologie in Parijs. Jij?'

'Architectuur,' zei ik. 'Zelfde jaar als jij. Sebastian en ik studeren in Cambridge. Hij studeert filosofie.'

'Lachen, joh,' zei Sebastian.

Nick, die een jaar jonger was dan Maria, ging na de vakantie niet studeren, en hij werkte ook niet. 'Ik ga wel íéts doen natuurlijk,' zei hij. 'Ik wil alleen zeker weten dat het geen tijdverspilling is.'

Na enkele kannen Pimm's stelde ik tevreden vast dat de middag naar wens verliep. Maria had Sebastian een mop verteld, ze at komkommer en appel met haar handen, en Nicks nerveuze, afkeurende blik had plaatsgemaakt voor een voorzichtige glimlach. Ik leunde achterover en schonk mezelf nog een glas in. 'Ik heb een idee,' zei Sebastian. 'Theo vertelde me net over een geheime vijver in het bos hierachter. Heel griezelig, want het schijnt daar te spoken. We zouden die vijver kunnen gaan zoeken.' 'Waarom niet?' zei Nick. 'Laten we op geestenjacht gaan.' 'Ik ga niet mee,' onderbrak Theo hem. Hij schrok van haar toon. 'Er is geen geest,' zei ik. 'Onze grootmoeder is er lang geleden bijna in verdronken,' legde ik de anderen uit. 'Maar ze leeft nog, dus ik zie niet in waarom ze daar zou rondspoken. Even los van het feit dat er geen geesten bestaan.'

'Toch voel ik me daar niet lekker,' zei Theo koppig.

Ik keek gelaten toe: de blos op Theo's wangen, haar pruillip, de verbazing van de anderen. Theo had haar kinderlijke talent om dingen te zeggen die een conversatie konden doen stokken nooit verloren en had op die manier al heel wat hoopvolle ontwikkelingen de grond in geboord, net als mijn vliegers vroeger. Zo had ze het een keer gepresteerd om tegen een meisje te zeggen dat ik ook een afspraakje met haar vriendin had. Of die keer dat ik 's avonds met een toerist thuiskwam en Theo huilend bij een dode mol aantrof: mijn (dronken) date, geschokt door haar tranen, het bloed of het onverwachte memento mori, wilde meteen terug naar haar hotel in Tenby en stond erop dat ik een taxi zou bellen.

Ik keek naar Maria, maar die haalde alleen even haar wenkbrauwen op en zei: 'Je hebt te vaak naar *Ghostbusters* gekeken, Nick. En het is ook te warm voor geesten. We kunnen er beter nog een nemen, of niet?' Ze wendde zich tot Theo en kletste met haar verder totdat het gesprek weer op gang kwam en haar glimlach langzaam terugkeerde, roomwit en zonnig.

Toen Maria en Nick laat in de namiddag vertrokken, liepen we met hen door het huis, dat er na de hitte en het gezoem in de tuin koel en stil bij lag, als een diep, schaduwrijk meer. Maria bleef staan toen ze het schilderij van Eve in de eetkamer zag. 'Dat is toch Eve Anthony?' zei ze. 'Zijn jullie familie van haar?' We keken gevieren met een zekere bijgelovigheid op naar het schilderij, alsof ze elk moment tot leven kon komen en antwoord kon geven.

'Dat is onze grootmoeder. Ze zit op het moment in Londen.'

'Wat een raar idee! Ik heb bij Moderne Geschiedenis over haar gelezen,' zei Maria. 'Ik heb me haar eigenlijk nooit als een levende persoon voorgesteld. Dus George Bennett is jullie overgrootvader?'

'Ja. Maar we hebben hem niet gekend, hoor. En Eve volgens mij ook niet zo goed. Ik weet nog dat ik een keer uit school kwam en haar een overtrektekening van een beroemd mozaïekmasker liet zien dat hij had opgegraven, en dat ze zei: "Heel mooi, lieverd, maar wat is het?"' Maria en Nick lachten.

Ik herinnerde me ook wat Eve had gezegd toen ik haar over het masker had verteld: 'Dus George Bennett staat nog steeds in de schoolboeken?' Haar glimlach leek in haar gezicht gebeiteld, alsof ze vergeten had hem weg te halen. Sindsdien was me opgevallen dat ze altijd in vage termen over haar vader sprak: hij bevond zich altijd in een ver land, diep in de jungle of tussen afbrokkelende ruïnes, of ze ving een glimp van hem op aan het einde van een ellenlange eettafel. Alsof George voor Eve een verhaal was waarover ze had horen vertellen en dat zij doorvertelde, in plaats van een persoon die ze werkelijk had gekend.

'Wat een gewichtige familiegeschiedenis,' mompelde Maria.

'Ik heb laatst op tv een aankondiging gezien van een programma dat over dat hotelbedrijf van je grootmoeder ging,' zei Nick. 'Gaan jullie het bedrijf overnemen?'

'Alsjeblieft niet.' Theo huiverde. 'Ik wil bij een apenopvang gaan werken.'

'Daar word je geen Miss World mee,' zei Sebastian. 'Waarom niet in een vrouwenopvangcentrum?'

'Apen zijn minder gecompliceerd.'

Ik zei: 'Ik wil architect worden', hoewel het idee dat ik misschien ooit voor Eve zou werken wel eens in me was opgekomen. Het zou me niets verbazen als Eve daar zelf ook over had nagedacht, afgaande op de manier waarop ze soms kon vragen waarmee ik bezig was of waarop ze met professionele blik mijn schetsen doorkeek. 'Hoeveel zou dit ontwerp moeten gaan kosten?' vroeg ze dan. 'Hoeveel verdiepingen heeft dit gebouw?' En dan knikte ze, alsof mijn antwoorden haar bevielen.

'Wat voor type gebouwen wil jij ontwerpen?' vroeg Maria.

'Hmm... belangrijke gebouwen,' zei ik. 'Iets waar ik later om zal worden herinnerd.'

'Jonathan is bloedfanatiek,' zei Sebastian met een spottende ondertoon in zijn stem, en ik zag dat Maria even zijdelings naar me keek.

Toen ze weg waren en ik buiten in de vroege avondzon nog wat namijmerde, dacht ik aan de manier waarop Maria naar me had gekeken, met de licht gekrulde mondhoeken van haar beleefde maar mysterieuze glimlach. Alsof ze iets had willen zeggen maar het toch liever voor zich had gehouden.

Zeven

Tot mijn verbazing was Eve al op de hoogte van de komst van Maria en Nick Dumas – of in elk geval van die van hun moeder – en wist ze zelfs wanneer ze waren aangekomen in Llansteffan. Niet via de dorpsroddels; Eve vergaarde geen informatie op de gebruikelijke manier. Ik had haar nooit een gesprek horen voeren dat je een 'praatje' zou kunnen noemen. In plaats daarvan sijpelden de details over de levens van anderen geruisloos tot haar door, alsof ze het al die tijd al had geweten.

'Wat erg,' zei ze 'Een triest verhaal. Dumas is de meisjesnaam van hun moeder, Nathalie. Ze was getrouwd met Sir John Bankbridge, die ik toevallig jaren geleden kende. Een zeer gerespecteerd man, maar mogelijk een moeilijke echtgenoot.' Ze ging er niet verder op in. 'Het schijnt dat ze geen geld of alimentatie van hem heeft willen aannemen. Dat moet ze natuurlijk zelf weten, maar hoe moet dat nu met de kinderen? Ze heeft ze vleugellam gemaakt. Maar goed dat hun opvoeding er bijna op zit. Ze werkt nu als corrector of iets dergelijks.'

'De familie Bankbridge?' zei Alicia, die naar gesprekken luisterde zoals iemand op de radio naar een zender zoekt en even de oren spitst bij een geluid dat de moeite waard lijkt. In haar geval was dat het woord 'Sir'. 'Waar wonen ze nu?'

'In de cottage op Castle Hill,' zei ik.

'O, in dat kleine huis,' zei ze met een zucht die uitdrukking moest geven aan de ondoorgrondelijke wreedheid van het lot of aan haar afkeuring van Nathalie Dumas en haar erbarmelijke leefomstandigheden.

Sebastian logeerde al een paar weken bij ons toen zijn moeder vanuit LA belde om te zeggen dat ze dat weekend terug zou vliegen.

'Ik moet meteen terug naar Londen,' zei hij tegen ons. 'Stel dat ze erachter komt dat ik de honden naar een dierenpension heb gebracht.'

'Je gaat toch zeker nog niet weg?' zei Theo geschrokken.

'Ik kom volgende week weer deze kant op,' zei hij. 'Voor Charlies feest, weet je nog? Wat zeg ik, óns feest. Wij hebben het immers georganiseerd. Het wordt het feest van het jaar. Iedereen gaat seks hebben. Zelfs ik. En zelfs Charlie. Arme meid trouwens die eraan moet geloven.'

Na de basisschool had ik goedgemutst afscheid genomen van Charlie Tremayne, die naar Harrow ging, om hem later weer tegen het lijf te lopen in Cambridge, waar hij onze vriendschap weer gewoon meende te kunnen oppakken. Hij was daar zelfs zo van overtuigd dat hij een vaste basisfiguur in ons groepje werd en, zich niet bewust van de verwarring die hij in mijn nieuwe, veel flitsender vriendenkring veroorzaakte, een verrassend groot deel van zijn tijd met ons doorbracht, gezien het feit dat niemand hem ooit belde. Het was niet zo dat ik Charlie mocht – zijn jeugdige bravoure had plaatsgemaakt voor een pocherig soort zelfvoldaanheid en minachting voor alles wat hij 'idioot' vond (een brede, onduidelijke categorie, uiteenlopend van cocktails drinken tot tegen de vossenjacht zijn) – maar ik vond hem niet aanstootgevend genoeg om hem buiten te sluiten. Sebastian verachtte hem.

'Misschien kunnen we Victor ook nog vragen voor het feest,' opperde ik.

Sebastian glimlachte maar begreep de grap niet. Victor was een terugkerend thema in Sebastians monologen. Hij ergerde zich dood aan het feit dat Charlie, die op geen enkele intelligente gedachte was te betrappen, op Cambridge University was toegelaten en vermoedde dat zijn plaats gekocht was en ten koste was gegaan van een slimme zwarte jongen uit Hackney. Hij had die jongen Victor gedoopt en trakteerde Charlie op ellenlange monologen over Victors leven, wiens hoop op hoger onderwijs de grond in was geboord en die daarom gedwongen was overuren te maken in de plaatselijke supermarkt terwijl hij dag in dag uit voor zijn zieke grootmoeder moest zorgen, wat hij trouw deed, enzovoort. Charlie bleef er stoïcijns onder en deed Sebastians riedels af als het abracadabra van een filosofiestudent: filosofie was voor hem op z'n gunstigst een 'idiote' studie en op z'n ergst iets wat gelijkstond aan waanzin.

'Charlie vertelde laatst trouwens een goede grap,' zei ik om Sebastian uit de tent te lokken. Ik wilde de zaak een beetje opvrolijken omdat Theo en hij die middag steeds verder wegzakten in melancholie.

'Hij jat al zijn grappen van de tv,' snauwde Sebastian allesbehalve vrolijk. 'En dan nog weet hij de plank volledig mis te slaan. Hij jat een goede grap en draait er dan een drol van.'

'Ik wil niet dat je weggaat,' zei Theo weer.

Sebastian begon te hoesten en wreef fronsend door zijn haar totdat Theo zich afwendde en hij weer met gefrustreerd verlangen naar haar kon gluren. Ik had met hem te doen, hoewel ik er ook kriegelig van werd en zelfs iets van minachting voelde omdat dit nu al maanden voortduurde. Hoe lang wilde hij zijn tijd nog verdoen?

Later die middag ging ik naar Theo's slaapkamer, waar ze op de grond in kleermakerszit een tekening zat uit te werken. Ze had talent. Ze schilderde en tekende heel losjes, niet fanatiek of vol bezieling, maar behendig en met gemak; het idee voor een schilderij kwam in haar op en stond nog diezelfde dag op het doek. Ik leunde in de deuropening en keek haar kamer rond. Theo's kamer was een afspiegeling van haar gevoelsleven: elke gedachte of impuls was traceerbaar in het rommelige interieur. Lovertjes op de Lalique-lamp, stickers op het notenhouten hemelbed, de onmiskenbare donkere wijnvlek op het oosterse tapijt. De muren waren bedekt met een warholiaanse decoupage van knipsels uit tijdschriften en eigen schilderijen, en over de gordijnrail hing een hippieachtige doek die een donkerroze licht door de kamer verspreidde.

'Wat teken je?' vroeg ik.

'Ik maak iets voor Sebastian,' verklaarde Theo. 'Als afscheidscadeautje.'

'Je mag hem echt graag, hè?' zei ik. Voor het eerst vroeg ik me af of Sebastians gevoelens voor Theo misschien toch wederzijds waren.

'Hij is mijn beste vriend,' zei Theo somber.

'O.' Ik zocht naar de juiste woorden, maar koos voor een naar mijn gevoel troostende stilte.

'Ik heb een idee. Waarom huren we niet met z'n drieën een etage?' riep Theo ineens uit. Ik schrok op uit mijn overpeinzingen. 'In Londen! Dan kan ik doordeweeks bij jullie wonen als ik college heb en kunnen Sebastian en jij tijdens de vakantie hier komen logeren. Het lijkt me veel leuker om in Londen te wonen dan hier elke zomer te moeten doorbrengen.'

'Alicia zou ons vreselijk missen,' zei ik zonder serieus op haar idee in te gaan.

'Helemaal niet,' zei Theo ernstig. 'Ze houdt niet van ons. Niet echt. En Eve ook niet.'

Ik wist niet wat ik moest zeggen. Het idee van liefde voor of van Alicia was totaal misplaatst. Van haar houden zou zoiets zijn als het koesteren van een prop kerstpapier zonder herinnering aan het cadeau dat erin heeft gezeten en zonder de vraag of je het überhaupt mooi vond. Maar Eve begreep ik, hoewel ik dat niet aan Theo kon uitleggen. Ze hield dan misschien niet van ons op de traditionele, sentimentele manier en kuste of omhelsde ons bijna nooit, maar ik wist dat haar aanwezigheid iets betrouwbaars had, iets bestendigs en begrensds, en dat was belangrijker dan liefde, met haar gebrekkige motor; de domme, onzekere opzichtigheid van de liefde.

Later die dag, toen ik van de slijterij terugreed naar huis – de flessen gemoedelijk rammelend achter in de auto – zag ik Maria lopen. Ze droeg een grote zonnebril en een soepel vallend jurkje, en had haar haren samengebonden in een staart, maar toch herkende ik haar aan de vorm en de zachte hoeken van haar ledematen. De weg, met aan weerszijden heggen, was te smal om te parkeren, dus stopte ik naast haar en wuifde om haar aandacht te vangen. Ze boog zich naar het raampje toe.

'Hé, wat grappig dat ik jou hier tegenkom!'

'Wil je een lift?' vroeg ik.

'O, dat hoeft niet hoor… Ik ben op weg naar huis, dus ik moet een andere kant op dan jij,' zei ze.

'Stap in.' Ik opende het portier aan de passagierskant en gebaarde naar de lege straat achter ons. 'Je houdt het verkeer op.'

Maria stapte in en de auto vulde zich meteen met een vage, zoete zweem van zonnelotion.

'Ik kom net van het strand,' zei ze. 'Straks zit je auto helemaal onder het zand.'

'Hij ligt toch al vol met snoeppapier en lege blikjes,' zei ik. 'Dus een beetje zand kan er nog wel bij.'

'Stiekem ben ik toch wel blij dat ik kan meerijden,' zei ze. 'Niet vanwege deze steile heuvel, hoor, want die loop ik wel vaker. Maar ik heb niks te eten bij me en stel je voor dat ik een hongerklap had gekregen. Dan had ik hier in de berm gelegen en het is maar de vraag of ik gevonden zou zijn... O! Kijk, schapen!'

Ik stopte voor een kudde schapen die traag naar de andere kant van de straat werd gedreven door een boer die afkeurend naar ons knikte, alsof wij hém ophielden in plaats van andersom. We keken toe hoe de schapen bleven toestromen, klaaglijk blatend en tegen elkaar op botsend met hun zacht verende deklaag. Maria lachte.

'Als je hier wat langer woont, vergaat het lachen je wel,' waarschuwde ik haar.

'Kan ik me iets bij voorstellen. Over wonen gesproken, heb je tips voor me waar hier iets te doen is? De leukste pubs? Restaurants?'

'Ik ga hier bijna nooit naar de pub,' zei ik. 'Dus ik denk niet dat je voor advies bij mij moet zijn.'

'Meen je dat?' zei ze toen het laatste schaap de weg overstak en ik de motor weer startte. 'Waar ga je dan met je vrienden hier naartoe?'

'Ik ken hier niemand in de buurt,' zei ik.

Ze lachte, totdat ze besefte dat ik het meende.

'Dan is het misschien maar goed dat Nick en ik hier zijn komen wonen,' zei ze.

'Ik denk 't wel.' Ik probeerde haar blik te vangen, zodat ze wist dat ik het als compliment bedoelde, maar ze tuurde naar de bocht in de weg. De zee was even weg, maar verscheen toen weer boven een muurtje.

'Grappig,' zei ze. 'Nick en jij denken hetzelfde over deze uithoek, terwijl hij hier nog maar een paar dagen is.'

'Het is niet zo dat ik het hier verschrikkelijk vind, hoor,' zei ik.

'Waarschijnlijk gaat iedereen zich vervelen op de plek waar hij is opgegroeid. Nick heeft dat gewoon sneller.'

'Vaak besef je pas wat een plek voor je betekent als je een tijdje weg bent geweest,' antwoordde Maria.

'Als je gaat studeren bijvoorbeeld?'

'Nee, dan ga je niet echt weg. Ik bedoel als volwassene,' zei ze met een glimlach.

'Ik dacht vroeger altijd dat ik volwassen zou zijn als ik niet precies wist hoeveel kleingeld ik in mijn zakken had,' zei ik. 'In plaats van altijd maar elk dubbeltje drie keer te moeten omdraaien.'

'Ik dacht altijd dat ik volwassen zou zijn als ik mijn eigen koekjes kon kopen en niet meer hoefde te wachten totdat me er een werd aangeboden. En ook als ik geen korstjes meer op mijn knieën zou hebben.'

Ik keek naar haar knieën, zacht en bruin als hazelnoten, bedekt met een fijn laagje zandsuiker. Mijn ogen gleden langs haar benen – de gerimpelde patronen in haar korte jurk, haar hand die losjes op haar dij rustte – totdat ik besefte dat ik zat te staren.

'Ik moet er hier uit,' zei ze met een geamuseerde blik.

Toen ik haar thuis afzette, spraken we af dat we in de loop van de week met z'n allen bij elkaar zouden komen ('Ik zou het leuk vinden om je zus weer te zien,' zei ze hartelijk. 'En ik Nick,' zei ik schijnheilig) en voordat ik de kans kreeg om met veel vertoon het portier voor haar te openen, stapte ze uit. Ze keek nog één keer over haar schouder, met dat dubbelzinnige lachje van haar, zwaaide en ging toen het huis binnen. Ik was zo beduusd dat ik veel te hard terugreed naar Evendon, nageroepen door een groepje overstekende tieners dat uit elkaar stoof toen ik passeerde. De wijnflessen achter in de auto rammelden onrustbarend.

Toen ik thuiskwam lag Theo op het terras te slapen in de laagstaande zon. Ze snurkte zachtjes. Sebastian zat iets verderop te lezen in een studieboek en aantekeningen te maken. 'Zo erg kan het toch niet zijn, hè?' zei ik. Ik opende een fles wijn en schonk ons beiden een glas in.

Sebastian keek me nieuwsgierig aan. 'Wat kijk jij zelfvoldaan,' zei hij. 'Wat is er tijdens mijn afwezigheid gebeurd?'

'Ik ben alleen even naar de winkel geweest,' zei ik. 'En toen kwam ik Maria tegen. Ik heb haar een lift naar huis gegeven.'

'Aha,' zei Sebastian, en hij legde zijn boek neer. 'En hoe was dat?'

'Ze lijkt me wel aardig,' zei ik. 'Over haar broer heb ik mijn twijfels. Maar zij is oké.'

Sebastian schoot in de lach. 'Maria Dumas noem jij "oké"? Als je nu net op aarde was geland en niet wist dat zij tien keer mooier is dan de meeste andere vrouwen omdat je haar nog niet met andere hebt kunnen vergelijken, dan...'

'Zou ze al een vriendje hebben?' viel ik hem in de rede. 'Ik heb namelijk geen idee.'

'Heeft ze dan nog niet laten merken dat ze met je naar bed wil? Dat zou voor het eerst zijn. Ik ben benieuwd hoe jij daarop gaat reageren.' Sebastian keek me nadenkend aan. 'Straks stort je in,' waarschuwde hij.

'Ik weet niet waarom ik het vroeg,' zei ik.

'Misschien omdat je er voor het eerst in je leven je best voor moet doen,' vervolgde Sebastian.

'Dat is niet eerlijk.'

'O nee? Oké, ik zal een paar romantische daden noemen en dan hoor ik van jou of je dat ooit hebt gedaan. Bloemen kopen voor een meisje. Of... wat dan ook voor haar kopen. Valentijnsdag vieren. Een meisje uit eten vragen. Een gedicht schrijven voor een meisje...'

'Hou op, man,' onderbrak ik hem. 'Dat doet toch niemand. Behalve jij dan.'

'Over oneerlijk gesproken. Ik schrijf gedichten en probeer me in de ander in te leven. Jij bent vergeetachtig en onverschillig, en toch kunnen de meiden geen genoeg van je krijgen.'

'Misschien moet je het anders aanpakken,' zei ik geamuseerd. 'Vrouwen zeggen wel dat ze gedichten en bloemen willen, maar dat is natuurlijk onzin. In wezen zijn ze nog grotere versierders dan wij. Als een jongen niet genoeg belangstelling toont, willen ze hem voor zich proberen te winnen. En hoe mooier het meisje is, hoe meer moeite ze zal doen, omdat ze er niet tegen kan te worden genegeerd.'

'Hoe deprimerend,' verzuchtte Sebastian.

'Niet iedereen is zo, hoor,' voegde ik eraan toe. 'Maar veel meiden wel, en dat zijn nou net degenen die op mij vallen. Ik ben niet geïnteresseerd in hen (behalve in het voor de hand liggende) en dat is prima, want zij zijn ook niet geïnteresseerd in mij. Niet echt tenminste.'

'Volgens mij is Maria anders,' zei Sebastian. 'Daar lijkt ze me niet het type voor.'

'Wie zegt dat ik alleen maar met haar naar bed wil?' zei ik trots. 'Misschien wil ik wel een relatie,' vervolgde ik, waarop Sebastian weer in de lach schoot en Theo wakker werd.

Ik wist waarom Sebastian me niet geloofde. Meisjes... ik had er heel wat gehad sinds ik op mijn vijftiende in een of ander ouderlijk bed mijn maagdelijkheid had verloren met een meisje dat ik daarna nooit meer heb gezien. Het enige wat ik me ervan herinnerde, was de kortstondige geilheid en de duisternis, haar huid die naar vanille en alcohol rook, het kant aan haar beha dat van plastic leek. Naderhand voelde ik me niet echt gelukkig, maar had ik het gevoel dat er een bepaalde spanning van me was afgegleden, alsof ik net een examen achter de rug had. Na die eerste keer was de seks veel beter geworden, maar met het naspel had ik nog steeds moeite. Van loom in bed liggen werd ik onrustig. Ik probeerde de meisjes met wie ik al eens had geslapen zo veel mogelijk te mijden; hoe beter ik iemand leerde kennen, hoe zwaarder de verwachtingen en vertrouwdheid me vielen.

Nooit eerder had ik dit verlangen gevoeld. Nooit eerder had ik het belangrijk gevonden of een meisje me wilde of niet; daar had ik ook zelden naar hoeven vragen. Ook deze hardnekkigheid van mijn herinneringen, met alle aandacht voor de kleinste details, kende ik niet. Ik herinnerde me de topografie van haar benen – een moedervlekje boven haar knie, de bruine huid die hoger op haar dijen lichter werd – wist de exacte koperkleur van haar ogen nog, de lengte van haar vingers. Maar ik wist niet hoe zij over mij dacht. Als ik iets ernstigs zei, lachte ze. Als ze glimlachte, kon haar glimlach van alles betekenen. Met die onzekerheid kon ik niet omgaan, en daarom zou ik haar vragen de avond erop naar het strand te komen. We zouden met z'n vijven gaan: ik voelde dat het verstandig was niet te hard van stapel te lopen. Ik zou het heel ouderwets aanpakken: stap voor stap, maar altijd vooruit.

Toen ik de volgende dag naar Maria's huis belde, nam Nick op, en hij reageerde zo enthousiast op mijn voorstel dat ik met een voldane glimlach ophing. Ik kon me de verveling voorstellen, de afgelegen, groene omgeving van Wales die op hen drukte en zelfs hun mobieletelefoonverkeer veranderde in een stroom ondoorgrondelijk gepiep en gekraak. In Engeland hadden ze misschien getwijfeld of ze naar het strand zouden gaan, hier hadden ze geen keuze.

Theo en Sebastian hadden in de supermarkt een afgeprijsde fles Roemeense wijn gekocht en wilden per se dat ik raadde hoeveel hij had gekost. De wijn bleek net zo waterig en zuur als hij goedkoop was, dus we dronken er om beurten met dichtgeknepen neus van terwijl we de heuvel af liepen naar het strand. De lucht had een roze kleur en de zon ging langzaam onder, als in een droom. De weg, vol bladschaduwen, straalde nog de hitte van de dag uit. In de buurt van de bomen zwermden wolken zoemende muggen om onze hoofden en moesten we met onze monden halfdicht praten, als gangsters.

'Wie komen er allemaal op Charlies feest?' vroeg ik aan Sebastian.

'Antonia zei dat ze zou komen,' zei Theo.

'Wie is Antonia?' vroeg ik. Ik probeerde me de gezichten van Theo's vrienden voor de geest te halen. Ondanks Theo's excentrieke gedrag was ze tot mijn verbazing nooit vervreemd van de harde kern van populaire meiden van haar klas. Op de basisschool werd ze door een groepje mooie meiden uitgenodigd om met de barbies te komen spelen of danspasjes te oefenen. Later op het internaat trok ze met dezelfde vriendinnen op, nu om zichzelf op te tutten en niet hun barbies, en daarna uit dansen te gaan. Theo werd door hen vertroeteld maar ook bewonderd. Ze vonden haar eigenzinnig, niet vreemd, en citeerden de bizarre dingen die ze zei. Uiteindelijk raakte ze bevriend met een groepje stijlvolle, verzorgde meiden die mijn vrienden, met wisselend succes, probeerden te versieren tijdens de vakanties.

'Mijn vriendin uit mijn eindexamenklas. Anty is echt superaardig,' zei Theo. 'Maar ze maakt al haar vriendjes gek. Niet met opzet, hoor. Eentje moest worden opgenomen, een ander moest aan de kalmeringsmiddelen, en weer een ander verhuisde naar Australië omdat hij zei dat ze zijn ziel had vermoord. Hij stond altijd buiten haar raam te schreeuwen en dan vroeg ze aan ons om tegen hem te zeggen dat hij weg moest gaan.'

'Arme Antonia,' zei Sebastian vrolijk. Hij had zich dapper door een tweede fles wijn geworsteld en liep nu zo te wankelen dat hij af en toe in de heg langs de weg viel, om vervolgens weer verdwaasd op te krabbelen en zijn weg te vervolgen, zijn schouders vol stuifmeel en dor blad.

'Laten we Nick en Maria ook uitnodigen voor het feest,' zei ik. 'Hoe meer zielen, hoe meer vreugd.'

Nick, zo bleek toen we hem zagen, was al net zo enthousiast over het feest als over het strand.

'Zolang ik maar uit dit vreselijke gat weg kan,' zei hij geïrriteerd.

We hadden een kampvuur aangelegd en de flakkerende vlammen waaiden mee met elke zeezucht. Onze zwarte schaduwen likten over het zand, als was in de wind. De roze lucht was achter de horizon gesijpeld en werd neergedrukt door een zwaar diepblauw. Het was al laat, en Maria was niet meegekomen.

'Heeft Maria het eigenlijk wel naar haar zin in Llansteffan?' vroeg ik aan Nick. Ik hoopte dat hij zou uitleggen waarom ze er niet bij was, maar hij leek zich niet af te vragen of wij het niet leuker zouden vinden als er nog iemand bij kwam, alsof hij de kers op de taart was.

'Geen idee,' zei hij. 'Ze zegt van wel, maar volgens mij doet ze alsof. Ze maakt zich zorgen om mijn moeder. Ze wil niet dat ze zich schuldig voelt dat we hiernaartoe zijn verhuisd. Maar daar heeft ze wat mij betreft zelf om gevraagd.'

'Waar is Maria eigenlijk?' vroeg Theo.

'Ik zou het niet weten,' zei Nick. 'Ik heb haar vanmiddag niet meer gezien. Ze is waarschijnlijk bij David.'

'David?' zei ik.

'Die heeft ze vanmorgen op de parkeerplaats ontmoet.'

'Op de parkeerplaats?' herhaalde ik.

'De parkeerplaats bij de supermarkt,' verduidelijkte Nick. 'Mijn moeders boodschappentas was gescheurd en toen heeft hij haar geholpen met het oprapen van de spullen. Of zoiets. Te saai voor woorden.'

Ik vond het te bespottelijk voor woorden. De supermarkt, de parkeerplaats... hoe onrechtvaardig. Maria was gestrikt in de romantische verwarring van gescheurd plastic, rollende appels en gebarsten eieren. Ik probeerde me de bedienden van de dorpswinkel voor de geest te halen, maar er kwam geen enkel tl-verlicht gezicht in me op waarin ik een vijand kon zien.

'Op welke afdeling van de supermarkt werkt hij?' vroeg ik nors.

'O, hij werkt daar niet,' zei Nick geamuseerd. 'Hij werkt op een school hier in de buurt. Iets met kinderen met leerproblemen.'

'Ahh,' riep Theo uit. 'Zo te horen een leuke jongen!'

Ik trok een gezicht, wat onopgemerkt bleef, en bedacht opnieuw hoe onrechtvaardig het was. Ik voelde me even sneu als Sebastian, met zijn angstvallig opgebouwde, crêpepapieren hoop waar hij zo nu en dan een extra glittertje op plakte. Gelukkig was ik zo verstandig geweest mijn gevoelens voor me te houden; ik kon de betovering rustig afbreken zonder dat iemand – en dan dacht ik vooral aan Maria – medelijden met me zou hebben of me zou uitlachen. Dat was tenminste iets.

Acht

Eind augustus kreeg Theo haar eindexamencijfers; geen lijst om trots op te zijn, met uitzondering van de negen voor kunstzinnige vorming. Eve hing de lijst in haar kantoortje aan de muur, naast mijn rijtje mooie diploma's. Toen Theo en ik ernaar stonden te kijken, zei ze bedachtzaam: 'Ik ben blij dat een van ons hier goed in is. In de belangrijke dingen, bedoel ik.'

'Jij had ook goede cijfers kunnen halen als je harder had gewerkt,' wees ik haar terecht. Gedurende Theo's middelbareschooltijd had Eve regelmatig met haar docenten gebeld en extra schoolgeld overgemaakt, maar er was een grens aan wat je met invloed kon bereiken in het eindexamenjaar. Ze had alle boeken voor Engelse literatuur gelezen, maar de kwaliteit van haar essays wisselde, als ze al iets inleverde, zeiden haar leraren. Haar Frans was 'rampzalig' en haar sociologiedocent had gemeend dat Theo's naam op het rooster een vergissing was omdat ze haar nog nooit in de klas had gezien. Theo zei dat ze zich niet had gerealiseerd dat ze ook sociologie had.

'Sorry, Jonathan,' zei Theo.

'Je hoeft je niet te verontschuldigen, hoor. Gelukkig ben je wel toegelaten op Fairchild.'

Eve was er niet blij mee dat Theo naar de kunstacademie ging, maar stond, in principe, achter Theo's vrijheid van keuze. Later, toen ze was bekomen van de teleurstelling, zei ze dat Theo altijd nog de reclame in kon gaan.

'Wat is de wereld toch veranderd!' merkte ze opgewekt op tijdens een etentje om de uitslag te vieren. 'Ik zou uitgelachen zijn als ik had gezegd dat ik naar de kunstacademie wilde. Trouwen, dat was het enige wat wij te horen kregen. Je werd als vrouw niet voor vol aangezien als je geen man had. Het was een studie op zich... een fase waar je doorheen moest.

Ik herinner me dat ik het aan het einde van mijn opleiding in Amerika met een vriendin over onze eindcijfers had. We hadden de hoogste cijfers voor onze essays. Ik had altijd gedacht dat er een soort kameraadschappelijke competitiestrijd tussen ons was, dus ik zei tegen haar: "We zouden allebei een prijs moeten krijgen dit jaar."

Ze keek me verbaasd aan en zei: "O, Eve, er is meer in het leven dan cijfers. Ik ga dit jaar tróúwen. Dat diploma kan me gestolen worden." Toen besefte ik pas dat er helemaal geen competitie tussen ons was. We speelden niet eens hetzelfde spel.'

Ze keek even nadenkend voor zich uit en wendde zich toen glimlachend tot Theo. 'Jij kunt met je leven doen wat je wilt.'

Theo voelde zich altijd ongemakkelijk in Eves nabijheid. Ze gedroeg zich alsof Eve een wiskundeleraar was die haar elk moment een moeilijke vraag kon gaan stellen: ze hield zich zo klein en stil mogelijk om maar geen aandacht te trekken. Nu glimlachte ze stijfjes en speelde met haar servet.

'Ik ben altijd al benieuwd geweest naar wat jullie in het leven zullen bereiken,' vervolgde Eve. 'Jullie kunnen dingen veranderen. Kies iets, verander het en daarna kan niemand meer om je heen. Simpel, nietwaar? Dat is succes, meer niet.'

'Oké,' zei Theo aarzelend. Ze pakte haar wijnglas op, maar haar dunne vingers gleden van de vochtige steel en het glas viel in een mooi boogje op de tafel kapot. Het geluid deed ons alle vier opschrikken. Eve leunde een tikje achterover in haar stoel, Theo hapte naar adem, en zelfs Alicia – die door de alcohol al iets voorover was gezakt en haar ogen op het glas in haar eigen hand gericht hield – keek verdwaasd op.

Ik wist dat het victoriaanse glas, van het fijnste kristal en met een bladgouden rand, onvervangbaar was. We staarden naar de glanzende scherven op de tafel, als een gebroken feniksei, en toen naar Eve.

'Sorry, Eve,' zei Theo.

'Geeft niet,' zei Eve luchtig. 'We hebben nu een even setje van vier.'

'Waarom hadden we er trouwens maar vijf van?' vroeg Theo. 'Glazen koop je toch in even setjes? Wat is er met het zesde gebeurd?'

Eve fronste, niet op een manier alsof ze het zich probeerde te herinneren, maar alsof de vraag haar om de een of andere reden ergerde. Ze antwoordde niet meteen, en terwijl ik naar het verstrooide licht in de glasscherven op de tafel staarde, kreeg ik een draaierig gevoel in mijn maag en voelde ik een vage angst, als een kou die langzaam komt opzetten vanuit een deur die iemand vergeten is dicht te doen. Ik begreep niet waarom de scherven me zo'n naar gevoel gaven. Toen zei Eve: 'O, ik heb er altijd maar vijf gehad. De zesde is... verloren gegaan in de tijd.'

'Wat triest,' zei Theo, aangedaan door de gedachte.

'Zeg dat wel,' zei Alicia. We keken haar alle drie aan. Niet alleen omdat haar bijdrage onverwacht was, maar ook om het sarcasme dat eruit sprak, haar stem duidelijk en helder, en op dat moment klonk ze precies als Eve.

Ik had me voorgenomen geen contact meer met Maria op te nemen. Niet zozeer omdat ik de opbloeiende parkeerplaatsromance niet wilde verstoren, maar omdat ik niet wilde dat ze aan het luchtige karakter van mijn gevoelens voor haar zou gaan twijfelen. Toen ik echter een tijdje voor enkele daarna weer afgedankte portretten van Theo had geposeerd en me begon te vervelen, besloot ik haar te bellen om te vragen of Nick en zij zin hadden om met ons te komen tennissen. Maria, haar stem ongedwongen en soepel aan de telefoon, vertelde dat Nick op bezoek was bij Emily in Bath, maar dat ze David kon meenemen zodat we met vier man zouden zijn. Ik stemde vriendelijk toe, hing op en trok een gezicht naar mezelf in de spiegel in de hal.

Maria verscheen pornografisch onschuldig in een spierwitte korte broek en een haltertopje tegen het droomachtige groene waas van het gazon. Haar donkere paardenstaart zwiepte als een zweep heen en weer over haar schouders. David, die achter haar liep, was een zongebruinde atleet met gespierde armen in een kaki short en met een houtenkralenarmbandje om zijn pols dat wees op een grote surfvaardigheid. Ik wenste dat hij terugveranderde in de oorspronkelijke David, de bleke winkelbediende in zijn terlenka pak.

Nick had ons al verteld dat David lid was van een milieugroep die campagne voerde tegen een ringweg door een oud bos waarin hij altijd hardliep en dat hij flink had gespaard voor een eigen huis aan het strand. Zijn vader werkte bij een garage en zijn oom runde een van de twee pubs in Llansteffan. De dorpelingen mochten hem en hij was met het gezin Dumas naar de markt gegaan om hun de kramen met de beste verse producten te wijzen.

David kon voorspelbaar goed overweg met een racket en Maria had een ontspannen looptrucje waarmee ze praktisch alle ballen haalde. Maar ik had de hele zomer getennist, en ook al vergat Theo soms op de bal te letten, die ze dan verbaasd kon nakijken, uiteindelijk wonnen we met twee sets tegen één.

'Goed gespeeld! Mooie laatste game,' riep David. Hij liep in lange passen naar het net en pakte mijn hand vast.

'Jonathan heeft geoefend tegen de ballenmachine,' zei Theo trots.

'Stil nou,' mompelde ik.

Al snel na de wedstrijd verontschuldigde David zich omdat hij naar een padvindersbijeenkomst moest om een paar oude dametjes naar de kerk te brengen of iets dergelijks en gingen Maria, Theo en ik in de schaduw van de perenbomen zitten, waar de zon nu als een geel, naar hooi geurend waas boven het gras hing.

'Moet je die hommel daar zien,' zei Theo. Ze wees naar een hommel die zich al klauterend en vallend door het hoge gras een weg baande door de boomgaard. 'Hoezo lui? Waarom vliegt hij niet gewoon?'

Maria boog zich over de hommel. 'Hij is te oud of moe, of hij heeft het koud. Kijk' – ze wees naar zijn vleugels – 'als ze gerafelde vleugels hebben, zijn ze oud en in dat geval gaat hij waarschijnlijk dood.'

'O!' jammerde Theo verschrikt.

'Maar de vleugels van deze hommel zijn nog goed. En het is vandaag niet koud. Hij heeft dus gewoon te hard gewerkt en zichzelf uitgeput.'

'Dat gevoel ken ik,' zei ik. 'Maar ik denk dat je het Theo zal moeten uitleggen.'

Theo, die zich niet liet afleiden, vroeg: 'Dus het komt weer goed met hem?'

'Hij heeft honing nodig,' zei Maria. 'Of suikerwater. Hebben jullie dat?'

Terwijl Theo over het gazon naar binnen holde, zei ik tegen Maria: 'Dat was slim van je. Ik dacht dat je tegen haar zou zeggen dat er geen hoop meer was voor dat beest. Zal ik hem snel verderop neergooien? Dan zeggen we gewoon dat hij weer op krachten is gekomen en weg is gevlogen.'

'Nee, er is echt niks mee aan de hand,' zei Maria. 'Wacht maar af. Theo is wel heel gevoelig voor dit soort dingen, hè?'

'Waarvoor niet?' zei ik. 'Het is bijna ondoenlijk om met haar onder één dak te wonen. Als er een akelige krantenkop op de voorpagina staat, moet ik de krant verstoppen in de vuilnisbak, want als ze wordt geconfronteerd met "Vijf doden door autobom", of wat dan ook, raakt ze overstuur.'

'Wat aardig van je dat je haar zo in bescherming neemt,' zei Maria. Ze keek me met haar hand boven haar ogen aan. Onder de schaduw die over haar ogen viel, lichtte haar mond op in de zon. Een klassieke belijning.

'Ach ja,' zei ik.

'Ik heb de honing gevonden!' Theo kwam het huis uit gerend en hield de pot boven haar hoofd als een olympische vlam. Toen ze bij ons was, plofte ze opgewonden naast ons neer en keek aandachtig naar de hommel, die nu niet meer bewoog. 'O, wat nu? Ben ik te laat?'

Maria nam de pot aan en Theo en ik keken eerbiedig toe terwijl ze met een blaadje wat honing uit de pot schepte en het de hommel voorhield. Het beestje begon te trillen, rolde zijn zuigorgaan uit en stak het in de honing.

'Hij drinkt!' zei Theo. Ze keek Maria aan met de pure, toegewijde bewondering van een madonna, gehuld in een krans van zonlicht dat door de boomtakken op hun knielende gestalten viel.

'Maria, de patroonheilige van de hommels,' zei ik luchtig, hoewel ik zelf ook ontroerd was.

Nadat de hommel een onwaarschijnlijke hoeveelheid honing had gedronken en was weggevlogen, viel Theo in slaap in het hoge gras. Haar lichte strohoed, die ze op het strand had gekocht, zakte over haar ogen. Maria nam een slokje van haar frisdrank. 'Wat een heerlijke dag,' zei ze. 'Ik ben blij dat je ons hebt uitgenodigd,' zei ze, alsof ik David ook had gevraagd om mee te komen.

'David is een leuke vent,' zei ik houterig.

'Ja, hè?' zei ze. 'Ik had het gevoel dat hij eerst wat terughoudend reageerde toen ik vroeg of hij zin had om mee te gaan. Of misschien is dat niet het goede woord. Eerder verlegen. Volgens mij denken de mensen hier dat jullie familie anders is dan zij. Ze vinden jullie volgens mij afstandelijk. Maar ik heb hem gezegd dat dat absoluut niet zo is.'

Ik glimlachte flauw en stelde me voor wat Alicia zou zeggen als ze wist dat we hadden getennist met de zoon van de plaatselijke automonteur.

'O ja,' vervolgde ze, 'voor ik het vergeet. David heeft dit weekend een voetbalwedstrijd en een van de jongens van zijn team kan niet. Hij wilde je vragen of jij zou kunnen invallen, maar hij wist niet zeker of jij dat wel ziet zitten.'

Omdat ik zo snel geen smoes kon verzinnen, zei ik: 'Natuurlijk, waarom niet.'

'Perfect. Ik zal zeggen dat hij je even moet bellen. Zeg, weet je nog dat je in de auto zei dat je hier in de buurt geen vrienden had? Nu heb je er weer een bij.'

'Denk nu niet dat ik een of andere misantroop ben,' begon ik.

'Dat denk ik absoluut niet.'

We glimlachten naar elkaar, totdat ze haar blik afwendde en even leek te aarzelen of ze weer naar me op zou kijken. Maar ze bleef naar het gras staren, terwijl Theo doorsliep. Het was windstil en de blauwe lucht die ons omsloot was bijna tastbaar. Ik wachtte af, maar toen ging ze weer rechtop zitten en was ze weer even voorkomend en gesloten als altijd, als een leeg vel papier.

'Weet je, ik prijs mezelf gelukkig,' zei ze. 'Ik had gedacht dat ik heel eenzaam en ongelukkig zou zijn omdat ik hier niemand kende. En dan ontmoet ik jullie twee, en David, en worden we allemaal vrienden...' Ze glimlachte gelukzalig. 'Het kon gewoon niet mooier.'

Ik was ervan uitgegaan dat mevrouw Williams met verlof was omdat ik haar al een week niet op Evendon had gezien en het eten veel beter smaakte dan anders. De groenten waren steviger, het vlees malser. Weg waren de keiharde, glazige aardappels, de quiches als eigele moerassen, de verlepte salades. Totdat Theo buiten adem mijn kamer binnen kwam stormen.

'O, Jonathan, ze heeft haar ontslagen!' zei ze verdrietig. 'Ze is weg.'

'Wie heeft wie ontslagen? Wie is weg?'

'Eve! En mevrouw Williams!'

'O? Nou, dat werd tijd ook. Je weet toch hoe ze kookte? Áls ze al zelf iets klaarmaakte. En ze zat doorlopend te roken en Welshe soaps te kijken.'

'We keken vaak samen,' snikte Theo. 'En ik kreeg sigaretten van haar.'

'Is dat het probleem?' zei ik. 'Ik ga wel sigaretten voor je halen als ik je daarmee kan opvrolijken.'

'Maar ze heeft het geld hard nodig! Haar kat moet geopereerd worden, en de man van haar dochter is ervandoor, en nu is haar dochter aan de drank. Ze kunnen hun huis uit worden gezet! "God helpt alleen de rijken," zei ze.' Theo zei het zo fel alsof ze mevrouw Williams zelf was. 'En wij zijn rijk, toch? Daarom moeten wij haar helpen.'

'Ik weet zeker dat mevrouw Williams nog een paar maanden wordt doorbetaald totdat ze ander werk heeft gevonden.'

'Ze zegt dat ze bij God niet weet waar ze een andere baan moet vinden,' zei Theo. Het moest verwijtend klinken, maar uit haar mond klonk het zwak. 'Ik ga bij haar langs.'

Terwijl Theo bezoekjes bracht aan mevrouw Williams, ging ik steeds vaker voetballen, tennissen en zelfs vissen. De reden daarvoor was dat David me telkens uitnodigde en ik geen nee kon zeggen. Niet dat ik hem ineens mocht, hoewel hij nog altijd de vriendelijkheid zelve was. Ik deed het omdat ik wilde weten hoe groot het probleem – en dat was David – was. Ik praatte met hem en wachtte geduldig af totdat hij het over 'wij' zou gaan hebben. Hij bekende me echter dat hij niet precies wist wat Maria voor hem voelde. Dat ze nog niet met elkaar naar bed waren geweest. Hij vroeg zich af of ze misschien twijfelde over hun relatie en had het gevoel dat ze niet het achterste van haar tong liet zien. Ik luisterde voldaan.

Ik vond het niet echt netjes van mezelf dat ik om die reden met David omging; ik voelde me er leugenachtig door, minder aardig. Naast hem zag ik altijd de schaduw van Maria; aan zijn huid kleefde nog haar aanraking. Soms had ik zelfs de neiging hem opzij te duwen, alsof zijn armen nog steeds op haar schouders rustten. Ik was er niet trots op – op de wens hem uit te wissen – maar ik kon er ook niet mee stoppen.

Ik denk dat ik uiteindelijk kreeg wat ik verdiende toen ik mijn hengel ophaalde: in plaats van een kwikzilveren vis kwam er afgedankte rommel – een rottende schoen, een blikje – boven water. We hadden over Davids vader zitten praten, kennelijk een zorgzame, vriendelijke en hardwerkende man die alles vertegenwoordigde wat een zoon van een vader kon wensen. Ik deed mijn best niet verveeld over te komen, maar hij legde mijn gezichtsuitdrukking verkeerd uit en bloosde.

'Eh... sorry. Dat was tactloos.'

'Nee, hoor, geeft niet,' zei ik. 'Ik kan anderen echt wel over hun vader horen praten zonder in huilen uit te barsten. De mijne is al heel lang dood.'

'Maar ik had eraan moeten denken... de scheiding en alles...' Het medeleven verspreidde zich over zijn hartelijke, symmetrische gezicht. 'Ik was het helemaal vergeten.'

'Geeft niet,' zei ik schouderophalend, en we visten verder. Maar ik had die blik in zijn ogen gezien, voordat hij had gebloosd van gêne, een blik die ik voor het laatst had gezien toen oom Alex in mijn jeugd bij ons op bezoek kwam: de onmiskenbare blos van medelijden. Ik voelde mijn eigen ongemak over deze ongewilde overeenkomst, de rauwe steek in mijn hart, de wederzijdse kwetsbaarheid.

Ik besefte dat David niet altijd Maria's vriendje en mijn gelegenheidsvriend was geweest. Daarvóór was hij een van de inwoners van het dorp geweest, en dat was hij nog steeds. Niet dat ik het gevoel had dat de mensen in Carmarthen of Llansteffan me haatten, maar tussen haat en genegenheid ligt een groot gebied, een grijs niemandsland van lichte afkeer. Ze lachten om me, praatten over me, kleurden mijn leven en mijn familiegeschiedenis naar believen in, of sloegen me geamuseerd maar nieuwsgierig gade als ik de heuvel af kwam lopen, alsof ik een aapje in de dierentuin was. Wat ik ook deed, ik kon het in hun ogen nooit goed doen: het was altijd een bewijs van anders zijn of, erger nog, van mijn vernederende poging om níet anders te zijn. Als ik mijn oude auto naar de garage bracht, gaf de monteur erop af ('Kun je je niet iets beters dan dit veroorloven?'), maar als ik Eves auto gebruikte, een harnas van agressief zwarte lak, kon ik de vijandigheid bijna van de straat af horen spatten. Terwijl men voor Theo een uitzondering maakte – ze kon net zo min verwaand en afstandelijk worden genoemd als een puppy – werden mij deze nare eigenschappen maar al te graag toegedicht. Ik was niets anders dan een verwend rijkeluiszoontje. Mijn gereserveerdheid was arrogantie, mijn beleefdheid was trots. Op mijn beurt weigerde ik mijn best te doen om deze vooroordelen te ontkrachten en deed ik de dorpelingen af als bekrompen schapenneukers. En zo werd de afstand tussen hen en mij steeds groter. Dus toen David, die ik voor mijn eigen gewin had gebruikt, de scheiding van mijn ouders ter sprake bracht, besefte ik dat hij aan de andere kant van het ijzeren gordijn tussen Evendon en de dorpelingen stond en dus vatbaar was voor propaganda en onjuiste informatie. En dat betekende het einde van onze gezamenlijke visuitstapjes.

De dag voor Charlies feest zaten Theo en ik aan het stuwmeertje dat grensde aan Evendon en keken naar de zwanen die roerloos langsdreven terwijl ze ons in de gaten hielden. Het was hier koeler onder het diepe groen van de bomen, die hun schaduwen, gebroken en weer in elkaar geschoven door de wind die over het water speelde, op het zilveren oppervlak van het meer wierpen. Ik haalde mijn vinger door de kringelende rook van Theo's sigaret, wat het delicate filigraan verstoorde.

'Waarom rook je eigenlijk shag?' vroeg ik aan haar. 'Je zit nog niet op de kunstacademie, hoor.'

'Ik ben bijna door mijn zakgeld heen.'

'Maar je hebt toch helemaal niets gekocht?'

'Ik heb het aan Oxfam gegeven.'

Ik fronste. Theo werd doorlopend gestrikt door jongelui in fluorescerende jacks die in het centrum van Carmarthen geld inzamelden voor goede doelen, door zwart-witspotjes op tv met gironummers, door dronkaards in portieken. Ik ging er al bij voorbaat van uit dat Theo mevrouw Williams en haar gezin zou uitnodigen om op Evendon te komen wonen als ze hun huis zouden worden uitgezet: mevrouw Williams, haar drinkende dochter en criminele zonen, plus zieke kat. De dochter zou prima gezelschap zijn voor Alicia, zolang ze haar taalgebruik zou aanpassen.

'O ja, ik wou je nog wat laten zien,' zei Theo, rommelend in haar tas. 'O jee... waar heb ik hem nu?'

Ik keek toe terwijl ze diverse voorwerpen opdiepte uit haar tas en uitstalde op het gras alsof het archeologische vondsten waren: een gestreepte handschoen, een schelp, een pakje sigaretten ('O, ik dacht dat ze op waren!'), een religieuze flyer die haar op straat moest zijn aangereikt en waarop mensen met diverse huidskleuren onder een regenboog dansten, een diamanten armband van Alicia, een mondharmonica, een eksterveer en, tot slot, een foto, die ze me geestdriftig onder mijn neus hield.

Het was een foto van een bruid en bruidegom onder een wolk van confetti, in wie ik na aandachtig turen Alicia herkende en een man die mijn vader moest zijn. De Alicia op de foto was jonger en voller en haar dikke haar golfde langs haar pruimvormige wangen naar achteren. Ze hield het boeketje in haar handen vast alsof ze er bang voor was, en zag er opgelaten uit, erbij geroepen. Niets in haar gelaatstrekken wees erop dat ze mijn moeder was. Haar wijde rok stak als een witte schuimtaart af tegen mijn vaders zwarte pak en onttrok zijn benen aan het oog, waardoor hij leek te zweven. Doordat het zonlicht ongelijk op mijn vaders gezicht viel, waren zijn ogen niet meer dan donkere vlekken en zijn blonde haar glansde. Niettemin vertoonde hij een treffende gelijkenis met Theo, hij keek zelfs op dezelfde manier in de camera: het hoofd licht gebogen, defensief, en dan die brede, hoopvolle glimlach.

'Hoe kom je hieraan?' vroeg ik, en ik liet mijn vinger over de foto glijden.

'Gevonden in een album in de bibliotheek, achter het omslag. Ik heb een hele dag albums doorgekeken, maar dit is de enige foto die ik van hem heb gevonden. Ik denk niet dat het de bedoeling was om de foto daar te bewaren.'

'Nee, waarschijnlijk niet,' zei ik. 'Alicia reageert altijd nogal vreemd als zijn naam wordt genoemd. Volgens mij is ze nooit echt over de scheiding heen gekomen.'

'Daar wilde ik het met je over hebben,' zei Theo. Ze kreeg een koortsachtige blik in haar ogen. 'Ik heb de foto aan mevrouw Williams laten zien en zij zei dat ik hem beter voor mezelf kon houden omdat onze vader hier in de omgeving niet zo geliefd was. Ik vroeg wat ze daarmee bedoelde, en toen zei ze dat Eve en hij absoluut niet met elkaar overweg konden, maar dat ze er verder niets over kon zeggen.'

'Reken maar dat ze je alle roddels had verteld als ze meer had geweten,' zei ik geamuseerd.

'Ze denkt dat ze ontslagen is omdat Eve heeft ontdekt dat ze tegen mij heeft gezegd dat Eve en onze vader niet met elkaar overweg konden. Ze denkt dat mevrouw Wynne Jones haar bij Eve heeft verklikt omdat ze haar kwijt wilde, en dat Eve haar toen heeft ontslagen.'

Mijn humeur sloeg als een blad aan de boom om en ik snauwde: 'Hoe durft ze te suggereren dat Eve haar op valse gronden heeft ontslagen. Ze is ontslagen omdat ze absoluut niet kan koken. Bovendien is het een publiek geheim dat Eve de ex-man van haar dochter niet mocht. Dat gekke ouwe wijf probeert gewoon onrust te zaaien. Je moet niet meer naar haar toe gaan.'

Theo sloeg haar ogen neer en speelde met haar sigaret.

'Het is toch niet waar, hè?' zei ik toen ze niet reageerde. 'Je gaat me toch niet vertellen dat je al die onzin gelooft?'

'Ik ben meteen op internet gaan surfen toen ik thuiskwam,' zei

Theo snel. Ze keek me niet aan, alsof ze verwachtte dat ik haar zou onderbreken. 'Ik heb al onze namen opgezocht en een huwelijksaankondiging van Alicia Anthony en Michael Caplin gevonden, plus een artikel in een tijdschrift. Maar dus helemaal niets over het autoongeluk waarbij onze vader – ónze Michael Caplin – zou zijn omgekomen. En toen moest ik denken aan wat mevrouw Williams had gezegd, dat hij niet geliefd was – ze moeten écht een hekel aan hem hebben, want er zijn geen andere foto's van hem en we mogen van Eve nooit over hem praten – en toen dacht ik: stel dat hij helemaal niet dood is, dat ze zich in Australië hebben vergist, en dat niemand dat heeft gecontroleerd omdat ze een hekel aan hem hadden en opgelucht waren dat hij was verdwenen? Stel dat ze niet wilden dat hij terugkwam?'

Ze hapte naar adem en keek me met open mond aan. Haar heldere ogen stonden ernstig.

Ik was zo verontrust dat ik alleen maar verbijsterd kon uitbrengen: 'Theo, dat is te belachelijk voor woorden', waarop haar verhitte, hoopvolle gezicht leegliep als een ballon.

'Maar er gaat wel eens iets fout bij overlijdensberichten,' zei ze met een zwak stemmetje. 'En op internet...'

'Waarom zou zijn overlijden te vinden moeten zijn op internet?' zei ik, in een poging geduldig over te komen. 'Eve is beroemd, de rest van onze familie niet. En ook al had je het wel gevonden, Michael Caplin is een veelvoorkomende naam en het is jaren geleden gebeurd. Je hebt gezocht naar een naald in een hooiberg. En nu heb je een samenzweringstheorie bedacht rondom de verdwijning van de naald.'

'Je vindt me dom,' mompelde Theo. Ze staarde naar haar sigaret, die in het gras was opgebrand tot een lange askegel.

'Nee, je wilt alleen dat onze vader niet dood is.' Ik raakte zachtjes haar arm aan. 'Maar het is niet eerlijk om Eve ervan te verdenken dat ze iemand zonder geldige reden ontslaat.' Om haar wat op te vrolijken, vervolgde ik: 'Herinner je je de doodgekookte worteltjes van mevrouw Williams nog? Dat we ze probeerden op te prikken met onze vork?'

Theo grinnikte. 'Het waren spookworteltjes.'

'En onder het eten hoorde je alleen maar het tik-tik van onze vorken die de worteltjes probeerden op te prikken.'

'Misschien moet ik maar niet meer naar mevrouw Williams toe gaan,' zei Theo even later. 'Ze is zo... negatief. En de man van haar dochter is terug. Hij vindt het maar niks dat ik bij zijn moeder over de vloer kom. "Daar hebben we madam de weldoenster weer," zegt hij altijd.'

'Ik denk dat je haar beter met rust kunt laten,' zei ik. 'Wat zei Eve laatst? "Verloren in de geschiedenis." Laat mevrouw Williams maar verloren gaan in de geschiedenis.'

Ik vertelde niets over ons gesprek aan Eve. Ik had het bijna gedaan, omdat ik dacht dat ze het wel grappig zou vinden, maar toen bedacht ik dat ik Theo in een negatief daglicht zou stellen en dat het niet eerlijk tegenover haar zou zijn als ik onnodig de aandacht op haar vreemde theorieën zou vestigen. Bovendien was haar poging om onze lang geleden verdwenen vader weer het heden en onze familie binnen te smokkelen bijna ondankbaar tegenover Eve, die een onverwachte en welkome ouder voor ons was geweest, een kant-en-klaar rolmodel dat in onze donkere, grenzeloze jeugd totaal onverwachts uit de hemel was neergedaald.

Ook kon ik moeilijk begrijpen dat Theo zo erg met de afwezigheid van onze vader in haar maag zat dat ze was gaan geloven dat hij nog in leven kon zijn. Aan de andere kant had Theo altijd belangstelling gehad voor vreemde dingen, die ze koesterde en waaraan ze zich kon vastklampen. Kennelijk had onze vader in haar verbeelding steeds grotere vormen aangenomen terwijl ik me totaal geen voorstelling van hem kon maken. M.C., de rondtrekkende kunstenaar, in rook opgegaan in Australië. Hij was voor mij geen echt mens; hij was een personage uit een Arabisch sprookje, van het hof verbannen naar de woeste, kale woestijn om aldaar zijn tragische lot tegemoet te gaan. Hoe vaker ik aan hem dacht, hoe vreemder hij me voorkwam.

Negen

De dag van Charlies feest brak aan, evenals het einde van de zomer. Over een week zou ik samen met Felix en Sebastian teruggaan naar Cambridge. Maria zou in Frankrijk zijn, Theo in Londen. Nick, die was bezweken voor de druk van zijn ouders, had zich ingeschreven voor de studie economie en was toegelaten tot St Andrews. 'Dan kan ik straks tenminste nog wat verdienen,' zei hij.

Omdat mijn auto kapot was, leende Eve ons haar auto met chauffeur om ons naar Aberthin te brengen. De Tremaynes, die een kalm leventje leidden in Aberthin House sinds een van hen in de vijftiende eeuw met Henry V naar bed was geweest, vormden een saaie familie die haar voornaamheid te danken had aan feodale verantwoordelijkheden (die nu, na zoveel jaren van sociale verandering, volledig denkbeeldig waren geworden). Ondanks hun mooie noblesse-oblige-gevoelens pakten Charlies ouders Leo en Anne Tremayne elke zomer hun spullen en lieten hun onverschillige Welshe onderdanen een maand in de steek om hun vakantie in Engeland door te brengen. Tijdens hun afwezigheid hadden we Charlie kunnen overhalen een feest te geven.

Ik voelde me een tikje schuldig toen ik al de mensen zag die op de trap van het brede, witte landhuis samendromden en in groepjes achter de ramen door de gangen liepen. Het lawaai schetterde door de invallende zomeravond en in het statige hart van het huis

144

was het feest al in volle gang: een caleidoscoop van gezichten in een kakofonie van geluid.

De hertenschedels aan de muur droegen papieren hoedjes, boven de Aubussons en de eiken lambrisering hing een rooksluier, diepe basklanken dreunden door de stenen vloer. Toen ik Charlie tegen het lijf liep, herkende ik de verbijsterde, geplaagde gezichtsuitdrukking van de gastheer die de controle over zijn feest al heeft verloren.

Als eerste vonden we Nick, in de keuken, met zijn ellebogen op het fornuis leunend, in een poging zijn sigaar aan te steken aan een elektrische kookplaat. 'Ik vond hier een doos van,' verklaarde hij, en hij bood ons beiden een sigaar aan. 'Zeg, Jonathan, ik moet met jou mee terugrijden, want Maria slaapt bij een vriendin. Het is blijkbaar uit met David. Dat hoorde ik pas op het laatste moment, dus toen heb ik in Bath de trein moeten pakken. Emily baalde stevig dat ze mij naar het station moest brengen. Ze heeft weinig rijervaring. Wat zeg ik, ze kan absoluut niet rijden. Het is een godswonder dat ze geslaagd is.' Hij gaf zijn poging op en legde de sigaar weg. 'Hebben jullie al gezien hoe druk het is? Het is bomvol boven.'

'Hoe gaat het met Maria?' vroeg ik. Hoop ontvouwde zich in mijn binnenste als een verjaardagskaart. 'Komt ze vanavond nog?'

'Wie? O ja, ze zei van wel. Ze komt met een paar vriendinnen.'

Ik bleef een tijdje bij Nick staan, op de loer, in de hoop dat Maria hem zou bellen als ze arriveerde.

Nick weidde uit over zijn ruzie met Emily: hij had zijn telefoon niet opgenomen vanwege het slechte bereik in de trein, waarop Emily voor straf niet had opgenomen toen hij terugbelde. We dronken ons bier op en begonnen aan een fles whisky die toevallig binnen handbereik stond, waarna zich een paar meiden bij ons voegden.

Gaandeweg werd de avond dromeriger en donkerder. Het licht

verdween; het ene moment hing er nog een zomerse schemering, het volgende moment drukte er een zware, stille donkerblauwe nacht tegen de ramen die koud aandeed. Het feest ging onverdroten voort, als een circustrein, muzikaal en heftig. Ik had het gevoel dat ik me zo vaak had afgevraagd waar Maria bleef dat de vraag een deel van mijn lichaam was geworden, als een pulserend hart of als zuurstofcirculatie, stil en regelmatig terugkerend. Sebastian arriveerde en voegde zich bij ons, toen arriveerde Felix, toen verdween Theo, toen zaten we met ons allen een joint te roken op een tapijt in de zitkamer. Ik zag Nick het laatste restje marihuana in een vloeitje tikken en zei: 'Die wiet is ook snel op.'

'Het is drie uur,' zei iemand. Een angstgevoel bekroop me. Drie uur. In zes uur was er iets vreemds gebeurd; toen ik even niet oplette, was de tijd ervandoor gegaan en had Maria met zich meegenomen. Ik had het eigenaardige gevoel dat ik droomde. Ik dacht dat Felix naast me zat, maar hij was vervangen door een meisje dat ik niet kende. Ik stond op, dronken maar vastbesloten om me niet in de luren te laten leggen door de tijd en al het stoelengedans. Ik moest en zou Maria vinden.

Ik liep van kamer naar kamer, kleine kamers vol rokers, bedsteden met geliefden, slaapkamers met cokesnuivers, gangen met meisjes huilend aan hun mobiele telefoon. Het leek wel een waanzinnige puzzel, die in wezen niet op te lossen was, omdat Maria er niet was. Ik ging op de trap zitten, dronken en ellendig; een onaangename kilte trok over mijn schouders en mijn gezicht. Ik zag de scherpe details van de donkere lambrisering, alsof ik die voor het eerst zag, de muziek viel uiteen in losse klanken, de geur van rook trok weg, stagneerde. Een jongen strompelde voorbij, botste eerst tegen de ene muur van de gang, toen tegen de andere. Uit de kamer tegenover me klonk gedempt gelach, alsof het geluid een grote afstand had afgelegd. Ik keek verbaasd naar de deur en liep erheen, toen hij ineens openging en Maria naar buiten kwam. Ze slaakte een gil van schrik, totdat ze me herkende.

'Jonathan! Wat grappig! Ik vroeg me net af waar je was.'

Ik keek door de deuropening en besefte mijn vergissing: het was de zitkamer. Ik dacht dat ik daar eerder die avond was geweest, maar begreep dat we in een kleinere kamer aan de voorkant van het huis hadden gezeten. Ik – en niet zij – was degene die onvindbaar was geweest. Ik had me verstopt aan de rand van het feest, waar ik eenvoudigweg over het hoofd was gezien.

'Ik probeerde net aan iemand uit te leggen wie ons had uitgenodigd,' vervolgde Maria. 'Volgens mij dacht iedereen dat we ongevraagd binnen waren komen vallen.'

Ik zag aan haar aantrekkelijke glimlach dat ze op z'n minst halfdronken was: dronken genoeg om meer kans te maken, maar niet zo dronken dat het onethisch zou zijn me aan haar op te dringen. Ik keek naar het wijnglas in haar ene hand en de fles in haar andere, het topje dat haar glanzend bruine rug half bloot liet. Haar ogen waren groter en donkerder door de make-up, haar lippen glansden als de binnenkant van een oesterschelp.

'Laten we even ergens gaan zitten,' zei ik snel. 'Kom.'

Met mijn nieuwe inzicht in de geografie van het feest loodste ik haar mee naar de salon aan de achterkant van het huis, waar we door de openslaande deuren de stilte van de buitenlucht in liepen. Over de tuin lag een licht dat er, aan het begin van de dageraad, uitzag alsof het enkele uren ouder was dan de duisternis in het huis. Op het verlaten terras stond een stenen bank, waarachter de heuvels in de verte uitliepen in de donkere schaduw van de bossen. De houtskoolstrepen in de lucht trokken op van de oostelijke horizon, als rook, en maakten plaats voor een helder blauwpaars. Het licht schilderde Maria's lichaam in sobere contrasten: haar hindehals, het donkere spleetje tussen haar borsten.

'Ik was ook op zoek naar jou,' zei ik, en ik ging op de bank zitten. Ze kwam naast me zitten, maar net niet dicht genoeg om haar per ongeluk te kunnen aanraken.

'Dan heb je niet erg hard gezocht. Ik ben al uren hier. Over zoeken gesproken, ik zie je bijna nooit meer. Vond je het alleen gezellig omdat ik nieuw was? Of wilde je via mij met David in contact komen?' Ze zei het op een luchtige toon, maar haar glimlach was een gekunstelde versie van de echte.

'Waarom is het uit?' vroeg ik.

'Ik ga terug naar Frankrijk… we zijn bang dat het niet zal werken.'

'Dat zou inderdaad nogal lastig zijn,' zei ik wijs. 'Misschien té lastig.'

'Je klinkt alsof je er ervaring mee hebt,' zei Maria.

'Min of meer,' zei ik. 'Ik heb hetzelfde meegemaakt aan het einde van mijn eindexamenjaar. Het was maar een paar maanden, hoor, geen liefde of zo. Het eindigde toen we naar de universiteit gingen.'

'Hoe voelde je je?'

'Ging wel. Ik weet eigenlijk niet eens meer waarom het zo lang duurde. Ik was nog nooit zo lang met iemand samen geweest. Het was een los-vastrelatie.' Ik begon me ongemakkelijk te voelen; door het een relatie te noemen maakte ik er meer van dan het was geweest. Het was een scharrel. Ik scharrelde met haar en daar was een einde aan gekomen omdat zij meer wilde zijn dan een scharrel.

'Waarom denk je dat ze op je viel?' vroeg Maria.

'Geen idee.' Ik keek haar aan. Ik had het gevoel dat het zwaartepunt van het gesprek buiten mijn bereik zwaaide, maar ze glimlachte en keek me ondoorgrondelijk aan. 'Dat gebeurt gewoon als je tiener bent. Je wilt een stelletje zijn.' Terwijl ik het zei, herinnerde ik me mijn laatste vriendinnetje, dat in de gang van school had staan huilen; de boze, loyale blik van haar vriendin. Ik had tegen haar gezegd dat brieven en weekendbezoekjes niks voor mij waren.

'Misschien deed ze het voor de seks,' zei Maria. Ik schrok ervan haar dat te horen zeggen, achteloos en zonder nadruk. Haar mond bewoog nauwelijks. 'Je ziet er goed uit. Dat is gevaarlijk.'

'Je zit me voor de gek te houden,' zei ik, opgelucht te kunnen overstappen op een vertrouwd onderwerp. 'Jij bent hier degene die mooi is.'

'Dank je.' Ze wendde haar gezicht af, maar zelfs gebogen was het dicht bij het mijne; haar ogen waren donker, maar ik zag de ronding van haar wang en de schaduwen van haar dikke wimpers, haar mondhoek. Ik was naar haar toe geschoven en voelde haar blote arm door de mouw van mijn overhemd.

'Maria,' waagde ik het erop. 'Je weet dat ik je erg leuk vind.'

Ze fronste en zei toen: 'Hoe kun je dat nou weten?'

'Wat?'

'Ben ik opgewekt van karakter?' vroeg ze.

Ik begon me onzeker te voelen en ging meer rechtop zitten.

'Hoe bedoel je?' zei ik. 'Ben je dat dan niet?'

'Wat voor karakter heb ik?'

'Maria…'

'Ben ik gelovig? Ben ik liberaal of conservatief? Ben ik voor of tegen drugs? Kernenergie? Hoe denk ik over kunst, muziek, of over sport?'

'Geen idee,' zei ik.

'Natuurlijk heb je daar geen idee van,' zei Maria. Toen lachte ze en stond op. 'En je vindt me niet echt leuk. Je hebt… een positieve indruk van me.'

'Is dat dan niet genoeg?' vroeg ik. Ik begreep niet waar ze heen wilde.

'Dat is genoeg voor vriendschap,' zei ze. 'En ik wil dat we vrienden zijn. Niet om maar wat te zeggen, dat wil ik écht. Maar nu moet ik weg. Het spijt me. Onze taxi kan elk moment hier zijn.'

Ik keek haar aan met een gezicht waarop gekwetstheid of verbazing te lezen moest zijn, en opnieuw zei ze: 'Het spijt me.' Ze streek even met haar hand over mijn arm. 'Tot gauw, oké?'

～

Toen Maria weg was, ben ik waarschijnlijk als een blok in slaap gevallen; toen ik wakker werd, was het al bijna licht en was mijn lichaam gevoelloos van de kou die was opgetrokken uit de stenen bank. Ik stond op en zag een groepje mensen op het gazon liggen in de vroege ochtendzon. Ze zongen *Wonderwall*. Theo, met een hoge hoed op, was een van hen. Toen ze me zag, zwaaide ze.

In mezelf gekeerd en ziek van teleurstelling draaide ik me om en ging weer naar binnen, waar het feest nog altijd in volle gang was alsof de tijd, die eerder die avond zo snel was gegaan, had stilgestaan. Binnen leek er bijna niets te zijn veranderd sinds ik naar buiten was gegaan: het meisje zat nog altijd op de trap te huilen, hetzelfde stelletje stond nog te zoenen bij het raam. In de hal zag ik Felix op een radiator zitten, toegeeflijk glimlachend terwijl twee meisjes van rond de vijftien zijn overhemd probeerden los te knopen.

'Ik moet met Felix praten,' zei ik tegen hen. Hun gezichten betrokken en ze liepen mokkend weg.

'Dat was niet nodig,' zei Felix.

'O nee? Je was de gevangenis in gegaan. Kom, dan zoeken we een paar andere meiden. Van onze eigen leeftijd.'

Felix leunde half op me terwijl we wegliepen en zei: 'Ik hoorde van Seb dat je verliefd bent. Hij heeft me die Maria aangewezen. O! Maria. Wat een lekkere meid is dat, hè? En nu ben je chagrijnig omdat ze weg is. Opgelost in de nacht. Wat zei ik? Tieten eerst, dan de rest. Maar jij kunt niet wachten, hè, Jonathan?'

'Hou op, ik krijg koppijn van je,' zei ik, en ik trok mezelf terug op een bankje in de donkerste en lawaaierigste kamer, waar de meisjes dansten als Balinese tempeldanseressen op een afgezaagd hiphopnummer; hun haren en golvende armen glansden in de broeierige schemering achter de dichte gordijnen, wat iets onwezenlijks had. De lucht was zwanger van de zoete geur van hairspray en parfum, die circuleerde in de botanische rookwolken van tabak en marihuana.

'Hoe dan ook,' zei Felix. Hij reikte me een flesje bier aan en maakte er vervolgens een open voor zichzelf. 'Maria komt nogal... hoe zal ik het zeggen? Ze komt nogal zelfverzekerd over. Dat moet je niet willen. Jij hebt iemand nodig die een tikkie gek en onzeker is. Dat zijn makkelijker prooien. Of iemand die wat meer... aandacht nodig heeft.' Hij zweeg nadenkend en keek langs me heen naar Theo, die met een ander meisje de kamer binnen kwam.

'Jonathan! Felix!' riep Theo naar ons. 'Dit is Antonia.'

Antonia, de sirene uit Theo's eindexamenklasmythologie, stond in een stralenkrans van feestgangersblikken voor ons in een kort, karmozijnrood jurkje dat tot ver boven haar dijen reikte, een fles wodka zwaaiend in haar hand, gezicht en schouders bleek in het gedempte licht. Ze had bijna zwart, achterovergestreken haar en zwoele, amandelvormige ogen, die ze opsloeg met de zwier van een revuedanseres, alsof ze zich bewust was van het effect.

'Hallo, Jonathan, hallo, Felix,' zei ze gemaakt beleefd. 'Amuseren jullie je een beetje?'

'Jezus christus,' zei Felix in mijn oor.

'Doe je best,' zei ik, en ik wendde me af, hoewel iets aan haar me een ongemakkelijk gevoel gaf en kippenvel bezorgde. Van mijn stuk gebracht ging ik op zoek naar een nieuw biertje, maar ik keerde niet bij hen terug. Mijn hoofd zat nog vol van Maria, haar bruine rug en haar vriendelijke glimlach, de frisse lucht in de tuin. Ik was niet klaar voor Antonia; ik kon mezelf niet genoeg oppeppen om een meisje met zo'n sterke seksuele aantrekkingskracht te versieren. Wat had ze ook alweer gedaan? Iemand gek gemaakt? Dat leek me heel goed mogelijk, en reden te meer om bij haar uit de buurt te blijven. Daarom ging ik niet terug en maakte ik nieuwe vrienden in de zitkamer, waar ik op het einde zonder veel overtuiging zoende met een meisje in een nepbontjas. Ik vroeg me af op welk moment de avond ontspoord was, waarom ik me zo moe en ellendig voelde, besluiteloos als een opengewaaid hek in de wind, en waarom ik niets aan het feest vond.

Later in de ochtend arriveerde de auto met chauffeur om ons op te halen. In het huis nam de drukte af; de muziek dreunde nog door, maar de gasten waren een voor een gesneuveld, als soldaten in een epische oorlogsfilm. Overal lagen lichamen, roerloos in het prille licht: op sofa's, onder tafels, op de grond. Zo'n vijftien gasten vormden een strakke kluwen van overlevenden in de zitkamer, met de charmante Antonia aan het hoofd, haar jurk omhooggekropen over de lichte glans van haar dijen, en Felix aan haar zij, als de koning en koningin van het bal. Toen ik langs hen liep en 'Tot ziens!' riep, keek ze op en glimlachte naar me. Tussen het rood van haar lippen en wangen schitterden haar ogen, haar tanden. Toen draaide ze zich weer om naar de groep. Samen met Nick, die doodmoe was van de urenlange ruzie met Emily over de telefoon – een conflict dat telkens doofde en weer oplaaide – en nu koppig zweeg, baande ik me een weg door de verspreid liggende flessen op de trap van het huis. In de auto viel hij meteen in slaap bij het gebrom van de motor en hij zakte onderuit als een oude man. Theo, nog altijd met hoge hoed en een monocle die iemand met pen op haar gezicht had getekend, sprong als de Maartse Haas in de auto en riep tegen niemand in het bijzonder: 'Wat grappig!', legde haar hoofd op mijn schouder en viel in slaap.

Ik kon niet slapen. Ik zat nog steeds naast Maria, in haar veelbelovende nabijheid, en vroeg me af wat er was gebeurd. Ik bleef voor me uit staren totdat de chauffeur langs de bossen de heuvel naar Evendon op reed, de vertrouwde bochten in de oprit nam, de hoek omsloeg en de eerste gouden stralen van de zon tegemoet reed. Het licht omkranste het huis, rees omhoog langs de gevel, doordrenkte het gazon en veranderde de ramen in fonkelende, blauwe juwelen. Eenmaal binnen ging ik meteen naar bed, trok het dekbed over mijn hoofd tegen het zonlicht en viel eindelijk in slaap.

Toen ik wakker werd, besefte ik dat ik ergens van was geschrokken en dat het een verkeerd tijdstip was. De lege nacht staarde naar het raam, een loodzware vermoeidheid drukte op mijn ogen, mijn hersens waren van natte klei. Ik kreunde en zwaaide mijn benen over de rand van het bed. Toen hoorde ik Theo schreeuwen. Ik besefte dat ze me al eerder had geroepen, maar dat ik dacht dat ik droomde.

'Jonathan!' riep ze weer.

Ik strompelde door mijn donkere kamer, kleedde me aan en liep naar het raam. Ik had geen idee hoe laat het was, en door het vreemde gebrek aan tijdsbesef kreeg ik het gevoel dat ik weer een kind was. Ik werd herinnerd aan iets wat net buiten het bereik van mijn geheugen lag en waarvan ik slechts stukjes te pakken kreeg waar ik niet precies de vinger op kon leggen. De nacht dat er een inbreker was geweest, dat was het, een inbreker die actief was in de buurt. Een beveiligingsman in de kamer. Maar dat kon op een of andere manier niet kloppen, omdat ik me ook Alicia herinnerde, met haar uitgelopen make-up, en de duidelijke tekening van de flagstones in het lamplicht. Het beeld gaf me een naar gevoel en ik moest mezelf dwingen het raam te openen en mijn hoofd naar buiten te steken.

Buiten was het gazon één grote, zwarte vlakte waarboven Theo leek te zweven, bleek als een mot in haar lichte pyjama. Ze stond roerloos met de rug naar me toe. Ik hoorde haar met iemand praten. Totdat ik me herinnerde dat we alleen thuis waren: Eve was in Londen, om nog meer geld te verdienen, en Alicia zat in een kuuroord. Ik kreeg een knoop in mijn maag en huiverde.

'Theo,' riep ik. Ze keek niet op. Ik rende mijn kamer uit, inderhaast mijn teen stotend tegen de deur, en haastte me door de zacht bewegende terrasdeuren de tuin in, waar het al kil begon op te trekken. Voorbij het onbeweeglijke licht van het huis was de tuin vormloos – amorf – alsof hij was weggezonken in een donkere zee. Wat ik achter Theo nog kon zien loste op in de inktzwarte gaten in de struiken en de vage rand van het bos.

Theo draaide zich om en keek me een ogenblik aan alsof ze niet wist wie ik was. 'Zag je dat?' zei ze, en ze staarde over mijn schouder. 'Daar heb je hem weer,' fluisterde ze indringend.

Ik draaide me nerveus om, maar het enige wat ik zag, was de donkere tuin.

'Wie?'

Ik vroeg me af of ze misschien aan het slaapwandelen was, maar ze keek me onderzoekend aan, alsof het haar verbaasde dat ik haar niet begreep. Haar ogen stonden wazig, de oogleden waren zwaar, de irissen doorschijnend. Haar mond, die slap hing, trilde; ze zag eruit alsof ze in elkaar kon zakken en soepel in elkaar kon vouwen, als een losgelaten zakdoek.

'Theo, er is niemand.'

'Hij verstopt zich,' zei Theo. 'De geest wil ons zien, maar dat lukt niet. Hij is verdwaald.'

'De geest?' zei ik ongelovig, maar ze bleef me aanstaren.

'Oké... ontspan je,' zei ik. 'Je hebt duidelijk te veel wiet gehad. Geesten bestaan niet. Je hebt vast een vos gezien, of een schaduw.'

'Waarom zie jij hem niet?' Ze deed een stap naar voren en klampte zich aan me vast. 'Niet weggaan, Jonathan.'

'Ik ga niet weg... wees maar niet bang.'

'Je gaat terug naar de universiteit.'

'Jij gaat binnenkort naar Londen. Je kunt altijd bij me langskomen als je wilt.' Er viel een stilte. 'Je hoeft niet bang te zijn,' zei ik nogmaals.

Die nacht zat ik aan Theo's bed en wachtte – net als toen we nog kinderen waren en zij last had van nachtmerries – totdat haar gezicht ontspande en ze zacht mompelend in slaap viel. Daarna ging ik terug naar mijn kamer, waar ik tot de ochtend lag te piekeren; ik dacht aan Theo's gezicht, aan de geesten, aan het meisje dat op het nippertje niet was verdronken, aan de manier waarop Maria me had aangekeken toen ze vertrok – half vriendelijk, half iets anders – en ten slotte, zonder dat ik het wilde, aan de roomkleurige huid van Antonia, de zachte welving van haar schouders, haar naakte glimlach.

Terwijl de zomerdagen koeler en korter werden en ik me voorbereidde op mijn terugkeer naar Cambridge, bleef ik Theo goed in de gaten houden, maar ze was vrolijk en keek ernaar uit om naar Londen te gaan. Ze leek de marihuanadroom te zijn vergeten. Ik waarschuwde haar niet meer zo veel te roken en liet het daarbij.

Maria kwam een paar dagen na het feest langs op Evendon, maar ik zat op dat moment in Bristol. Om preciezer te zijn, ik was bij de platinablonde barvrouw van de club waar we die nacht waren geweest en probeerde een smoes te bedenken hoe ik mezelf kon bevrijden uit haar appartement, kon bevrijden van de lila lakens, de geur van sigarettenrook in haar onnatuurlijke haar. Ik baalde toen ik thuiskwam en hoorde dat ik Maria was misgelopen, des te meer toen ik naar hun huis op Castle Hill reed en zag dat haar auto er niet stond.

Ik besloot toch aan te bellen en er werd opengedaan door haar moeder, Nathalie Dumas. Ik nam haar nieuwsgierig op: een kleine vrouw met een oude, zongebruinde huid en een verfspetter op haar neus.

'Jij moet Jonathan Anthony zijn,' zei ze. 'Wat leuk! Kom binnen, je lust vast een kop koffie. O nee... je zult wel liever thee drinken. De thee is helaas op. Ik heb ook vruchtensap. Of liever wijn?'

'Koffie is prima.'

Ik liep achter haar aan naar binnen en keek om me heen om te zien of ik spullen van Maria zag waaruit ik zou kunnen afleiden dat ze thuis was. Alicia had gelijk, het was een klein huis. De hal was rommelig, en de keuken nog rommeliger. Op de keukentafel stond een taartvorm bekleed met deeg, terwijl in een hoek een half beschilderde stoel op z'n kop op een laag kranten stond. Nathalie begon energiek maar allesbehalve efficiënt koffie te zetten.

'Mijn beide kinderen zijn vandaag niet thuis,' zei ze. 'Nick is in Bristol... met jou, dacht ik.' (Ik wist waar Nick was: bij de vriendin van de barvrouw.) Ze ging op zoek naar melk, kon die niet vinden, vergat vervolgens iets in te schenken en ging aan de tafel zitten om een paar eieren in een schaal te klutsen. 'Ik wil niet dat de vulling mislukt,' verklaarde ze. 'Dus jij bent Eve Anthony's kleinzoon? Je lijkt op haar. Allebei even knap. Ze is zeker blij dat je zo sterk op haar lijkt, hè?'

Ik lachte ongemakkelijk en zei dat ze dat misschien wel was.

'Maria is vanmorgen naar Frankrijk vertrokken,' vervolgde Nathalie. 'Ach, wat vervelend nou... kom je helemaal hiernaartoe, is ze net weg.'

'Ik vermoedde al dat ik te laat zou zijn, maar heb het er toch maar op gewaagd. Ik ging er eerlijk gezegd ook niet van uit...'

'Maria was altijd al moeilijk te pakken te krijgen,' zei Nathalie. Ik knikte en tekende met een lepel cirkels in de gemorste suiker totdat ik besefte wat ik deed en de lepel weer neerlegde. Ik voelde weer die teleurstelling, wat een vertrouwd gevoel begon te worden, onverwacht en hinderlijk, als zand tussen je tanden.

Met Maria had ik me op onbekend terrein gewaagd: ik had haar uitgenodigd op Evendon, probeerde de dingen die ze zei te interpreteren, iets wat ik nooit eerder had gedaan. En zoals elke bestuurder die niet bekend is met de regels van een nieuw land, had ik de situatie verkeerd geschat. Al de dingen die ze had gezegd over dat ik haar niet goed genoeg kende: het was geen voorwaarde maar een afwijzing. Ze had me duidelijk willen maken dat ze niet in me geïnteresseerd was, dat begreep ik nu. Nou, dat was dan maar zo. Nu ik hier aan tafel zat, en de echte Maria in Frankrijk was, kon ik haar beter van me afzetten. In gedachten was ik al bezig de zomer om te vormen tot een verhaal voor Felix: verveelde Jonathan, gevangen in Wales, probeert het enige aantrekkelijke meisje in het dorp te versieren, maar ze wijst hem af, haha, op naar de volgende. Het is graag of niet.

De dagen voordat Theo naar Londen vertrok, leken eerst te versnellen en toen in te dikken, totdat ze eindelijk in de auto werd weggereden, enthousiast zwaaiend, haar kleine gezicht in het raampje als een uitdovende vlam, haar glimlach als die van een kind dat voor het eerst naar de kleuterschool gaat.

Daarna was ik alleen in het grote huis. Eve zou pas over een paar dagen terugkomen en Alicia was nog steeds in het kuuroord. Bijna jaarlijks ging ze een paar weken 'kuren', een vakantie die gewoonlijk kon worden voorspeld aan de hand van de hoeveelheid drank in de karaffen. Na die weken keerde ze dan frisser en bleker dan daarvoor terug, als een martelares in glas-in-lood. Maar die hernieuwde energie sijpelde snel weg en duurde vaak niet langer dan de tijd dat haar koffers in de hal stonden alvorens te worden weggedragen. De aanblik van die koffers gaf me altijd een ongemakkelijk gevoel, haalde oude, overbodige angsten uit een andere tijd boven.

Niet dat ik me eenzaam voelde, maar Evendon kon iets verontrustends hebben als alle kamers leeg waren; als de sproei-installatie was afgesloten en het doodstil was in de glanzende keuken terwijl de tuinmannen en dienstmeisjes aan het einde van een lange dag vertrokken, hun hoge, blije stemmen wegstervend op de oprit. Dan dreef de stilte in huis me naar buiten, de fluweelzachte tuin in, totdat de schemering inviel en ik gestoken werd door de muggen. Meestal ging ik in de gouden salon zitten lezen bij het geluid van de televisie; op een van die avonden legde ik mijn Renzo Piano-biografie opzij voor een Franse film over een mysterieuze jonge vrouw, waar ik snel en onbevredigend bij masturbeerde voordat ik naar bed ging. Toch droomde ik over Maria; ze lag slechts gekleed in een tennisrokje op een laken van gras en zei: 'Je vindt me niet echt leuk.'

Ik bracht een dag door met wandelen, zwervend rondom Llansteffan, keek zittend vanaf de boulevardmuur over het lege strand, dat nevelig was van de regen en het stuifwater van het getij. Ik had het gevoel dat ik er nog rondspookte terwijl ik eigenlijk al weg was. Niet ver van mij vandaan stak een groepje jongens de weg over, doelloos zwalkend, als boten in de wind, demonstratief rokend. Toen ze me voorbijliepen, vielen ze stil, totdat een van hen zacht 'Twll din' zei en de anderen begonnen te lachen. Ik probeerde niet te glimlachen. Ik voelde me vreemd genoeg ontroerd dat ze ervoor kozen me in het Welsh te beledigen, omdat ik het dan niet zou begrijpen.

Tegen het einde van die dag in mijn eentje merkte ik dat ik niet alleen wilde dat Theo en Eve terugkwamen, maar dat ik zelfs uitkeek naar het gezelschap van Alicia, en desnoods van mevrouw Williams. Ik overwoog om naar Carmarthen te gaan, waar mevrouw Williams vaak de kleine pub bezocht om daar met de haar gebruikelijke felheid af te geven op het rechtssysteem, de gezondheidszorg, de echtgenoot van haar dochter, moslims en talloze andere onverlaten die toevallig of doelbewust haar pad kruisten. Toen ik mijn schoenen weer aantrok, realiseerde ik me hoezeer ik veranderd was, waarna ik de rest van de dag doorbracht met mijn boek over Piano, dat ik uitlas.

Ten slotte keerde Eve terug van haar bezigheden in Londen, wat ze daar ook gedaan mocht hebben. Ze arriveerde 's avonds in een zwart pak en in een geur van geld, en glom van alle geheimzinnige overwinningen. Mijn opluchting was zo groot dat ik al in de gang stond om haar te begroeten nog voordat ze haar jas had kunnen uittrekken.

'Je mag me feliciteren, Jonathan,' zei ze. Ze kuste me op mijn wang. 'Ik heb iets geweldigs voor elkaar gekregen. Die kazerne die ik zo graag wilde kopen? Het is me gelukt. We zouden eens samen naar de tekeningen moeten kijken. Wat denk je?'

'Graag,' zei ik. 'Ik heb je gemist.'

Ze keek even verbaasd en glimlachte toen. 'Ik heb jou ook gemist, hoor. Is hier nog iets gebeurd? Ach, natuurlijk. Theo begint aan haar eerste jaar. Ik had bijna iemand aangesproken die ik daar ken' – waarmee ze iemand in de raad van bestuur bedoelde – 'maar dat heb ik toch maar niet gedaan. Ik weet dat je zus nogal... dromerig kan zijn, maar ik denk dat ze zich voor deze studie wel zal inzetten. Ik zie mezelf al bijna in een galerie veinzen dat ik begrijp wat ze met haar schilderijen wil zeggen.' Ze glimlachte. 'Theo zou een mooie kunstenares zijn. Veel beter verkoopbaar dan die Tracey Emin.'

'Hier is niets gebeurd,' zei ik. 'Ik verveelde me.'

'Laten we een glaasje champagne nemen,' zei Eve. 'Waar is Alicia? Nog steeds aan het geheelonthouden? Misschien maar beter ook.'

Toen de glazen gebracht waren, hief ze het hare. 'Niet op de kazerne, lieverd, maar op jou.'

'Op iets in het bijzonder?'

'Nee, gewoon op jou. Ik heb iedereen over jou verteld, en hoe trots ik op je ben.'

Ze glimlachte en haar ogen straalden hoopvol. Ik hief mijn glas en toostte met haar.

Eve had eens gezegd dat echt succesvolle mensen hun werk meestal als het belangrijkste in hun leven zagen, wat problemen gaf met de mensen die van hen hielden. Ik vroeg haar wat voor haar het belangrijkste was: liefde of werk. Eve zei dat ze veel grote liefdes had gehad en dat aan al die liefdes een einde was gekomen. Liefde is veranderlijk, maar ook zelfzuchtig, zei ze, het verteert je. Het Grote Gelijk hebben, noemde ze het. Ze wilde iets duurzamers. Toen lachte ze en zei: 'Ik hou je maar een beetje voor de gek, hoor.' Maar ik zag aan haar dat ze het meende.

Later die avond, ver na middernacht en na enkele glazen champagne, dacht ik terug aan ons gesprek. Ik stond een behoorlijk eindje van het huis vandaan, op een plek waar het golvende gazon overging in een plateau dat afliep naar het meer. Onder aan de beboste helling kon ik heel Llansteffan zien liggen, in een zee van vonken, de lichte schaduw van het strand, de zwarte heuvels, en een klein, wit huis met verlichte ramen aan de rand van de zee, onzichtbaar in de duisternis, die nog donkerder werd aan de horizon, een streep van afwezigheid.

2008

Op de eerste dag van juni is het van de ene op de andere dag zomer in Southampton. Het felle licht van de oogverblindende hemel valt hard de kamer binnen. De lucht is fris als ik het raam open; het zal lang duren voordat de hitte het asfalt van de wegen in het centrum is binnengedrongen, en de koude, staalkleurige zee, strak als beton. Maar de vogels zingen dat het een aard heeft. Ze weten dat de mensen komen: de jachteigenaren, de zeilers, de rusteloze dorpsbewoners.

Als mijn nieuwe telefoon voor het eerst overgaat, schrik ik van het onbekende geluid – een scherp gerinkel in de hoek – totdat ik besef dat het meneer Crace is. Meneer Crace, een kleine, sobere man, heeft tijdens onze eerste afspraak slechts een halfuur met me gesproken, en ook nu rondt hij ons contact op dezelfde beknopte wijze af. Hij toont meer belangstelling voor de administratieve dan voor de persoonlijke kant van de zaak. Zodra hij me een adres heeft doorgegeven en heeft verteld dat hij kopieën van de relevante documentatie naar me zal doorsturen, stelt hij de gewenste wijze van betaling vast en wenst hij me het beste, met de neutrale intonatie van een computerstem. 'Het spijt me,' voegt hij eraan toe, zonder een spoor van medeleven. 'Dag, meneer Anthony.'

Ik leg de telefoon neer, ga op het bed zitten en staar uit over de zee. De horizon is wazig. Ik heb de rand van het land bereikt, ben almaar verder gedreven, en sta aan de rand van het water, als een man die van de plank moet lopen. Ik heb dat 'plank lopen' altijd een vreemde straf gevonden. Waarom zou je een veroordeelde de illusie geven dat hij iets te kiezen heeft: het water in stappen en verdrinken of toch vermoord worden door de piraten? Ik begrijp niet waarom de piraten hem niet simpelweg overboord gooiden. Misschien heeft het te maken met schuld. De man op de plank is één stap verwijderd van de moordenaar, die hem de schijn van een vrije wil geeft, wat de keuze eenvoudiger te verdragen maakt... voor de piraten. Het is óf dat, óf gewoon wreedheid: het uitstellen van het moment, als grap.

Ik heb veel gelezen over verdrinken. Om een *shallow water blackout* te voorkomen, wordt duikers aangeraden niet te diep in te ademen voordat ze het water in gaan, omdat diep inademen het interne mechanisme dat het lichaam aanzet tot ademen kan uitschakelen, waardoor de duiker te lang zijn adem inhoudt en onder water het bewustzijn verliest. Iemand die onder het verdrinken zijn mond opent en stikt door het water in zijn longen, blijft minuten langer in leven dan eerdergenoemde duiker. Een waarschuwing dus voor mensen die niet willen verdrinken, een tip voor mensen die dat wel willen. De man die van de plank loopt doet er goed aan niet al te diep in te ademen en zijn lichaam te misleiden, in de hoop dat hij, beroofd van zuurstof, wegglijdt in een nieuwe staat, een gelukzalig niets, uitgestrekt als een lucht zonder wolken, stil als een sneeuwlandschap in de ochtend; een plek die, in al zijn luchtloze luister, veel weg moet hebben van de hemel.

Ik kijk weer naar de zee en probeer me te herinneren hoe ik op deze gedachte ben gekomen. Het telefoongesprek. Meneer Craces gortdroge stem. Het adres, dat ik op een papiertje had gekrabbeld, ligt op mijn schoot.

De inrichting van het reisbureau in het centrum is uitgevoerd in geel en grijs, het saaie palet van de luchthaven. Eén wand is bedekt met brochures met staalblauwe luchten, palmbomen, witte boten en bergen. Voor een andere wand staat een rij werknemers in rood-polyester kleding met witte gezichten achter een golvende toon-bank. De kloof tussen droom en realiteit was nog nooit zo diep.

'Hallo!' zegt het dichtstbijzijnde meisje opgewekt. Ik ga tegen-over haar zitten en besef dat ze veel ouder is dan ik in eerste in-stantie dacht; een vrouw met veel make-up, nephaar en nepnagels. Ze glimlacht. 'Kan ik u helpen?'

'Graag,' zeg ik. 'Ik wil graag een enkel ticket naar New York. Ik vertrek liefst zo snel mogelijk.'

Het kost me een halfuur om de vrouw duidelijk te maken dat ik geen hotel wil, geen huurauto en ook geen reisverzekering. Uitein-delijk staart ze me onzeker maar afkeurend van onder haar samen-geklonterde wimpers aan en zegt dat de eerstvolgende beschikbare vlucht de volgende ochtend vertrekt.

'Wilt u besparen op de wachttijd in de rij?'

'Nee, dank u.'

'Extra beenruimte? Voor maar tien pond extra per vlucht kunt u een plek krijgen zonder stoelen voor u.'

'Nee, dank u. Gewoon de eenvoudigste enkele reis.'

'U wilt geen retour?' zegt ze weer, maar haar vechtlust is ver-dwenen en ze haalt haar schouders op en boekt een vlucht naar het John F. Kennedy-vliegveld voor me.

Als ik thuiskom, zeg ik tegen meneer Ramsey dat ik de dag erop wil vertrekken. Ik geef hem een cheque voor twee weken pension. Ik zie hem nadenken. Het is een genereus aanbod, maar hij kijkt alsof hij wil proberen er meer uit te halen. Per slot van rekening weet hij dat ik in goeden doen ben en kan ik me voorstellen dat hij denkt dat ik niet helemaal spoor. Uiteindelijk kiest hij voor een verwijtend 'Het was me een genoegen u hier te hebben, meneer' (het 'meneer' is een recente toevoeging) en hij loopt terug naar zijn kamer. Hij gaat zoals altijd op in de omgeving: strogele broek, een nieuwe trui in zandkleur. Alleen de bovenkant van zijn hoofd steekt af en zweeft door de donkerbruine gang als een bleke vliegende schotel.

Ik stop mijn onverzekerde bezittingen in een koffer. Broeken, overhemden, sokken. Blauw, grijs, bruin. Tandenborstel, scheermes, zeep. Spullen die van iedereen zouden kunnen zijn. Het zou heel toepasselijk zijn als de koffer met inhoud onderweg zoek zou raken; ik stel me een vliegramp voor en zie mijn koffer in zee drijven, klaar om de politie te verbazen met zijn zorgeloze anonimiteit.

Als ik later die avond in bed lig, hoop ik dat ik niet zal dromen. Ik weet nooit of ik zal dromen van iets wat ik mis – met aan het einde de pijn als ik wakker word – of dat het een gewone nachtmerrie zal worden. Vannacht is het dat laatste. De droom volgt het vaste stramien: ik loop door vreemde kamers op zoek naar mijn eigen kamer. Ik hoor stemmen, maar kan ze niet thuisbrengen. Ik droom van Eve en kijk neer op haar glanzend zwarte, ondoordringbare kruin. Aan het einde van mijn droom ben ik in mijn slaapkamer op Evendon en hoor ik een vrouw huilen.

Theo kreeg eens een punt aftrek voor een opstel omdat ze een regel uit Macbeth – 'The night is long that never finds the day' – verkeerd had geciteerd. In plaats daarvan had ze geschreven: 'The night is young'. Haar argument was dat er dan wel geen 'young' stond, maar dat het er wel had moeten staan. Ik begreep nu wat ze bedoelde. Het is de dag die de nacht zijn leeftijd geeft; zonder de dagen kan de nacht geen verleden hebben, geen geheugen, en verliezen ze hun dreiging. Een jonge nacht zonder schuldgevoel. Ik begrijp de aantrekkingskracht ervan.

Wanneer ik wakker word is het vijf uur. Het ochtendlicht is schril en koud en verdrijft de laatste slaapsporen uit mijn lichaam, en dus doe ik iets wat ik al die tijd heb uitgesteld: ik schrijf Alicia een brief om haar op de hoogte te stellen van mijn 'reis'. *Beste Alicia, ik denk dat het goed voor me is om een korte vakantie in het buitenland door te brengen. Ik weet nog niet precies waar ik naartoe ga en hoe lang ik weg zal blijven...* Tegen de tijd dat ze de brief ontvangt ben ik het land uit. Laf van me, maar tegelijk zo onschuldig dat ik me er niet echt druk over kan maken. Vergeleken bij de grote, duistere lafheden uit het verleden is dit slechts een vertederend kleine lafheid.

In de overvolle trein naar het vliegveld probeer ik mijn plaats te bereiken zonder te struikelen of bij andere reizigers op schoot te belanden. De ramen van de trein zijn niet afgeschermd tegen de zon en passagiers wuiven zichzelf koelte toe, almaar herhalend: 'O, wat is het warm', zoals Engelsen altijd doen.

Ik kijk naar de mensen om me heen; sommige dingen vallen me op. Een blauw oog van een tienermeisje, een oude man met maar één arm, een vrouw die iets leest en telkens heel zacht haar neus snuit, in een poging haar tranen te bedwingen. Een jongeman in een pak, dat hem veel te ruim zit in de schouders. Hij kijkt schichtig om zich heen, en als onze ogen elkaar kruisen, wendt hij snel zijn blik af. Hij heeft iets van een kind, spichtig en onzeker.

Op een andere stoel zit een verpleegster met een kleine vrouw die van tijd tot tijd een hoog, zacht gejammer laat horen. Ze heeft een vogelgezicht, haar neus wijst naar de grond, haar ogen staan scheef. Maar dan richt ze haar blik ineens op mij en zegt: 'N-guh', en wijst langs me heen, naar niets in het bijzonder. 'N-gúh.' Het is een vraag – dat weet ik – maar ik weet niet wat ik moet zeggen. Ik kan haar alleen maar blijven aankijken. De vrouw naast haar kijkt op uit haar boek. 'Nu stil zijn,' zegt ze.

Deel drie

2005

Nu ik erover nadenk, was ze het grootste deel van de tijd buiten mijn gezichtsveld...

Ford Madox Ford, *De goede soldaat*

Tien

De daaropvolgende vijf jaar aan de universiteit vlogen om; niet zozeer door een versnelling van de tijd als wel door het ontbreken van de normale leefregels. Overdag volgde ik college en zat ik in de bibliotheek, in de namiddag ging ik vanuit de universiteit naar cafés en feestjes. Studeren en drinken waren de twee disciplines waartussen elke druppel tijd werd uitgewrongen. Tijdens mijn twee stagejaren bij de bureaus van Maher en Wade, woonde ik bij Felix in Kensington, waar ik dezelfde routine volgde: werken, laat naar bed, vroeg op. ('Dat is pas leven,' zei ik tegen Eve.)

Maar na verloop van tijd merkte ik dat ik 's nachts naar mijn vrienden keek terwijl ze lachten, wankelden en in dronken toestand avances maakten – de dingen die ik zelf ook deed – en vroeg ik me af of ik iets had gemist. Ik had het gevoel dat ik het met minder enthousiasme deed dan zij. Opdoffen, drinken, meiden versieren, het bed induiken, mijn ogen openen in het schrille ochtendlicht. Herhaling. Ik deed het niet met overtuiging.

Waar ik wel warm voor liep was mijn werk – hoewel warm voor lopen de lading niet dekte. Het was meer dan dat; het absorbeerde me, het was een andere dimensie waarbuiten alles minder gekleurd, minder noodzakelijk en minder vanzelfsprekend was. Toen ik in 2005 terugkeerde naar Cambridge voor mijn laatste jaar, wilde ik dan ook zo snel mogelijk afstuderen. Ik wilde mijn studietijd van me afschudden als een schooltenue: de gladde Maher, de luie Wade, mijn vermoeide docenten. Ik wilde iets dóén. Ik begreep dat die drang in mijzelf een cumulatief gebeuren was; het verwerven en uitharden van mijn ideeën en ambities, zodat ze uiteindelijk staal, beton en glas konden worden.

Toen ik voor de kerstvakantie naar Evendon zou gaan, verzamelde ik mijn boeken en laptop in draagtassen terwijl ik werd gadegeslagen door Theo, die gewikkeld in een deken op mijn driepotige sofa lag. Ik deelde met Felix en Sebastian een groot, oud appartementsgebouw in het centrum, met witte muren, hoge erkerramen en zulke hoge plafonds dat onze voetstappen op de versleten houten vloeren klonken als het kloppen van een geest tijdens een seance. De grote boiler, die al tijden dreigend bromde en rammelde in zijn eigen kamer, had het enkele dagen daarvoor begeven, waardoor er in het appartement een ongewone kilte hing die als een witte mist de binnenkant van de ramen besuikerde met rijp.

'Heb je geen koffer?' vroeg Theo toen een van mijn tassen openscheurde en mijn aantekeningen op de grond vielen.

'Die heb jij een keer van mij geleend,' zei ik kortaf. 'Maar je bent 'm kwijtgeraakt.'

'O. Sorry.' Ze trok de deken op tot aan haar kin en keek nadenkend over de rand. 'Ik vond jou al het type voor een eigen koffer.'

Theo was in het laatste jaar van de kunstacademie met haar studie gestopt. De studie en zij konden niet zo goed 'met elkaar overweg', zoals ze het verwoordde, waaruit wij afleidden dat Theo er niet meer heen ging. Eve had haar overgehaald voor een paar extra vakken eindexamen te doen, zodat ze later toch nog naar de universiteit zou kunnen ('Misschien weet ze dan eindelijk wat ze wil'), en Theo had daar de laatste jaren met tussenpozen aan gewerkt. Ze woonde nog steeds met haar Fairchild-vrienden in Shoreditch, een groep die altijd groter leek dan hij was omdat de leden voortdurend van uiterlijk veranderden. Ze maakten alles op maat, verknipten hun vintagekleren, tatoeëerden hun nek en enkels, verfden hun haar platinablond of zwart. Theo verfde haar haren niet, maar kreeg toch complimentjes van haar vrienden omdat ze vonden dat het er wel nep uitzag; ze waren dol op de manier waarop ze zich kleedde omdat ze dachten dat het ironisch bedoeld was.

'Dag mensen!' riep Felix uit. Hij kwam arm in arm met Sebastian binnen, beiden dronken en getooid met een plastic gewei. 'Kom op, Jonathan, het is kerst! Er moet gezongen worden.' Ze zetten luidruchtig een kerstlied in en dansten door de kamer. Theo wurmde zich enthousiast uit haar deken en werd door Felix opgetild en rondgezwaaid. (Ik was ooit bang dat Felix – geremd door vriendschap maar voortgedreven door jachtinstinct – zou proberen Theo te versieren, maar dat was nooit gebeurd. 'Ze ziet er goed uit,' zei hij een keer, 'maar ze is niet van je dattum, hè?')

'*Star of wonder, star of night,*' zongen ze. '*Star with royal beauty bright,*' waarna het lied overging in wanklanken en geruzie over de tekst van de volgende zin.

'Dat zoeken we op,' zei Sebastian, en hij pakte zijn mobiele telefoon. Sebastian had na zijn bachelor filosofie een master gedaan in antropologie. Op dit moment was hij bezig met zijn doctoraal Zuidoost-Azië-studies, in een poging zijn onvermijdelijke entree op de arbeidsmarkt nog langer uit te kunnen stellen, die hij zich voorstelde als het zwembad uit zijn jeugd, een koude, naar chloor stinkende turkooizen vlakte, waar hij bevend van angst vanaf het startblok in moest springen.

'Jezus,' zei hij nu. 'Moet je dit horen: "*Myrrh is mine, its bitter perfume, Breathes of life of gathering gloom, Sorrowing, sighing, bleeding, dying. Sealed in the stone-cold tomb.*"'

'Geen vrolijk kerstcadeau,' zei Felix.

'Wat is "myrrh"?' vroeg Theo zich af.

'Het hoofdingrediënt in Jonathans aftershave,' zei Sebastian. 'Schijnt toch dat effect op vrouwen te hebben.' Ik negeerde hem en las een briefje dat uit mijn boek over Pugin was gevallen. Het was een oud liefdesbriefje dat ik nu pas vond (*soms heb ik even het gevoel dat ik een diepe band met jou zou kunnen krijgen...*). Ik herinnerde me vaag de afzender: een psychologiestudente met verwarrende, whiskykleurige ogen die het had opgegeven onze band te verstevigen. Destijds ging ik door een fase van een voorkeur voor psychologiestudenten, maar die bleken net zo te zijn als alle andere meiden: gejaagd, zorgelijk, nerveus hun best doend. Ik kwam niemand zoals Maria tegen.

In de jaren daarvoor had ik haar een paar keer ontmoet tijdens de weinige keren dat ze in Groot-Brittannië was. De laatste keer was grofweg een halfjaar geleden. We gingen ergens in Londen een kop koffie drinken, waar we op harde stoelen zaten met een cirkel van marmer tussen ons in. Haar ogen weerspiegelden de kleuren in het café, likeurkleur, late-zonkleur. Ik wist van Nick dat ze iemand had, een collega genaamd Olivier, maar ik wilde niet over hem praten. In plaats daarvan hoorde ik dat ze een appartement in een gewilde wijk in Parijs had gevonden, dat ze samenwerkte met een beroemde autismedeskundige, dat haar moeder weer aan het daten was. Toen ik vertrok kende ik alle feitelijkheden van haar leven maar wist ik niets over de inhoud, hoewel ik niet kon zeggen wat er ontbrak aan wat ze me had verteld. Ze was zoals altijd grappig en boeiend, maar haar conversatie was als een glazen wand die zich in de loop van het gesprek tussen ons optrok.

Ik dacht aan Maria, studerend voor haar doctoraal in Parijs. In mijn gedachten was ze zwart-wit en vaag, en zat ze in een café, de smaak van koffie en sigaretten in haar mond. Ze lachte; jazzmuziek op de achtergrond. Een onwelkome gestalte verscheen naast haar, achteloos, jagend, een man – Olivier – die zijn arm om haar schouder legde. Ik schudde het beeld van me af en kantelde mijn hoofd, alsof ik, na al die jaren, in staat was haar eruit te schudden.

≈

Theo en ik keerden terug naar Wales, waar de winter strenger leek dan ooit. Ik herkende het humeurige geduw en getrek van de wind, die het ene moment ging liggen om het volgende moment te komen opzetten om je een goed-getimede regenvlaag in het gezicht te geven, je paraplu tegen je voorhoofd te slaan of je hoed van je hoofd te rukken. Evendons oprit werd omarmd door de grijze takken van de bomen onder een harde, kleurloze hemel, maar de ramen van het landhuis waren helder en de kamers straalden als het hart van een vuur; de kerstboom in de hal, de kroonluchters, het glanzende hout, het dieprood van de gordijnen, verlicht door groepjes kandelaars.

'Herinner je je kerst nog toen we klein waren?' zei Theo. 'Echt klein, voordat Eve terugkwam?'

Ik dacht aan de middagen waarop mevrouw Williams en mevrouw Wynne Jones naar huis waren gegaan en Alicia zich met hoofdpijn had teruggetrokken op haar slaapkamer. Theo en ik gingen dan op de bank zitten met al het pakpapier om ons heen, glinsterend als diamanten, en keken al snoepend van onze chocolade naar *The Snowman* en de toespraak van de koningin. Theo was het gelukkigst met Kerstmis. Dan leken haar haren lichter, haar ogen blauwer; de kleuren, de snuisterijen en de lichtjes maakten haar vrolijk en deden onzichtbaar hun magie.

'Natuurlijk herinner ik me dat nog,' zei ik, en ze glimlachte naar me.

Eenmaal binnen liep ik meteen door naar Eves kamer. Mijn tassen zou ik later wel uitpakken. Toen ik de deur voorzichtig half openduwde, zag ik dat ze aan het telefoneren was. Ze keek op en knipoogde, dus liep ik haar kamer in en ging languit op de sofa liggen. Ik deed alsof ik de ingelijste foto's aan de muur achter me bekeek terwijl ik naar het gesprek luisterde. Dat deed ik al toen ik een kleine jongen was; naar haar kijken als ze roerloos zat te praten en slechts nu en dan een aantekening maakte.

'Ik vind dat je wat innovatiever moet worden als het om het herkennen van kansen gaat,' zei ze. 'Denk maar aan wat we in Dublin hebben bereikt. Ik zal wel eens met de projectontwikkelaar gaan praten en dan doen we een bod... Nee, die kant van de zaak handel ík af. Ik zie niet in waarom dat een probleem zou zijn als we het netjes afhandelen.'

Hoe langer ik uit huis was, hoe vreemder het werd om terug te keren en Eve in levenden lijve te zien. Als ik in Londen was, kreeg ze iets onwerkelijks; daar was ze publiek bezit, een foto in een tijdschrift, het onderwerp van een politiek essay. Ik had zelfs een keer bij een vriend een poster in zijn kamer zien hangen met inspirerende uitspraken, waaronder haar 'bloed van de mensheid'-toespraak, die ze had gehouden toen Nixon haar ervan beschuldigde dat ze niet Amerikaans genoeg was. ('Ik heb het bloed van de mensheid door mijn aderen stromen. Dat maakt mij niet Engels of Amerikaans, man of vrouw, blank of zwart. Het maakt mij tot mens, een mens die vastbesloten is om op te komen voor álle mensen, voor het slechten van muren en beëindigen van oorlogen, voor hoop en saamhorigheid, voor onze kinderen en onze toekomst.')

Aan de andere kant was er nooit een simpele scheiding geweest tussen de Eve die bij mij in de kamer zat en de Eve van de wereld. Ik herinnerde me dat ik een keer bij een toespraak van haar voor de Verenigde Naties was, hoe ze naar het spreekgestoelte liep, daar even om zich heen keek om het bijzondere licht in zich op te nemen, als de eerste mens op de maan. Ze was zo wit en af, en met haar glanzende haar leek ze meer op een kleine Kokeshi-pop dan op een mens. Toen glimlachte ze en nam ze het woord, even intiem en ontspannen als bij ons op Evendon, waarna ze zich vooroverboog om een grap te vertellen.

'Jonathan!' zei ze toen ze had opgehangen. 'Wat denk je van de VAE? Charis Dubai... Charis Abu Dhabi.'

'Meen je dat? Wat geweldig! Wanneer?'

'Volgend jaar zomer. We hebben de grond al. Dat werd tijd ook,' zei ze. 'We hebben het er nog wel over. Waar is Theo? Haar koffers aan het uitpakken?'

'Ik denk dat ze naar de zwanen is gaan kijken,' zei ik.

'De zwanen,' herhaalde ze, alsof ze niet precies wist wat zwanen waren. 'En hoe gaat het met haar extra vakken? Ik had gedacht dat ze daar wel doorheen zou vliegen. Per slot van rekening heeft ze al een oefenronde gehad.'

'Ik heb haar er nog niet naar gevraagd.'

'Weet je,' zei Eve, en ze tikte tegen de pen die ze tegen de rand van het bureau hield alsof het een rusteloos ding in haar vingers was dat ze moest temmen, 'toen ik in de politiek zat, ben ik vaak opgekomen voor de rechten van vrouwen. Voor hun vrijheid. Mijn generatie heeft voor die abstracte beginselen gevochten, maar nu de strijd achter de rug is en het stof is neergedaald, probeer ik de vrouwen van de latere generaties te leren kennen (mijn eigen nakomelingen) en ik merk dat we weinig gemeenschappelijk hebben. In de praktijk begrijp ik vrouwen vaak niet.' Ik wist niet goed wat ik daarop moest zeggen, maar dat leek ze ook niet te verwachten, want ze vervolgde iets opgewekter: 'Oké. We eten over een uurtje of zo, dus als je haar voor die tijd wilt opsporen? Dank je, Jonathan.'

Verrassend genoeg was oom Alex aanwezig bij het kerstdiner. Het was lang geleden dat we hem voor het laatst hadden gezien, maar daar werd met geen woord over gerept. Mijn laatste contact met hem – als je het zo kon noemen – had een paar maanden daarvoor plaatsgevonden; ik was opgeschrokken van zijn stem op de radio waarmee hij afwisselend zacht en hard sprak over de vrije wil in de maatschappij, totdat ik ontdaan de radio uit had gezet.

Nu zat hij naast Alicia en tegenover Theo en keek zwijgzaam over de feesttafel met een blik alsof hij een inwoner van een arm land was die voor het eerst werd geconfronteerd met de westerse overvloed, en in een flits zag ik wat hij zag: het ietwat obsceen glanzende vlees, de hongerige vlammen van de kaarsen in hun kronkelige kroonkandelaars, het koele kristal van de wijnglazen, de dampende schalen, de gouden glans die overal overheen lag, over het beschilderde porselein, de snuisterijen, de kroonluchter, de kransen, en over Eve zelf, die geschubd was met glittertjes, een majesteit waardig.

Het enige wat Eve over het gat in Alex' bezoeken zei was: 'Schat, dat is lang geleden!' Speels, retorisch. Alex zelf keek verbaasd en vroeg of het de laatste tijd nog veel had geregend.

'Het regent al drie weken aan één stuk door,' verzuchtte Alicia, niet naar waarheid.

'O,' zei Alex slechts.

Als ik naar Alex keek, zou ik bijna geloven dat stress en werk hun eigen fysieke krachten hebben, als een getij dat tegen het kwetsbare vlees van zijn gezicht had gebeukt totdat alleen nog de kale structuur was overgebleven. (Alicia's huid, daarentegen, had een bijzonder soepele, stevige kwaliteit, als boter.) De academische wereld deed hem kennelijk geen goed; behalve dat zijn uiterlijk eronder leed, gaf het hem iets onbeholpens: onverhoedse, haperende gebaren, een gewoonte om oogcontact te ontwijken. Eve, die zoals altijd volmaakt stilzat, keek hem nu belangstellend en lichtelijk bezorgd aan.

'Zo, en waar schrijf jij op het moment over?' vroeg ze aan hem. 'Is er niet onlangs een boek van je verschenen?'

'Dat sluit niet uit dat ik aan een nieuw boek werk,' zei Alex.

Eve hief haar hand op om dit toe te geven. 'Het verbaast me altijd zo lang als jij kunt zitten schrijven,' zei ze opgewekt. 'Waar gaat het nieuwe boek over?'

'Het is een studie naar de vraag hoe de structuren van religie en sociale moraliteit van invloed zijn geweest op de manier waarop wij bestuurd worden en de manier waarop wij leven. Ik leg verbanden met de verzorgingsstaat, het rechtssysteem, drugsgebruik en het daklozenprobleem. Zaken die veranderd kunnen worden als we ons publieke bewustzijn laten sturen door persoonlijke verantwoordelijkheid. Dat je mensen vrij laat in de manier waarop ze willen leven, zal ik maar zeggen.' Alex zweeg, alsof hij de volumineuze eenzaamheid van zijn stem ineens over de tafel hoorde bulderen, en flikkerde uit als een lichtpeertje, mompelend: 'Het heeft diverse aspecten.'

'Klinkt interessant,' zei Eve. 'Zijn het populaire boeken?'

'Nee.'

'O. Maar het zal toch wel impact hebben op... de maatschappij?' Ze sprak de woorden zorgvuldig uit, alsof het een vreemde taal betrof.

'Natuurlijk niet.'

'O. Oké.' Eve nam een slok van haar wijn en keek hem met een verbaasd lachje aan. Alex fronste en richtte zijn aandacht op het papieren hoedje naast zijn bord. Alleen Theo, die erop had gestaan dat we Christmas Crackers in de boom hingen, droeg haar hoedje. Ze had ook alle grapjes van de kokertjes verzameld.

'Waarom werd de man van de sinaasappelsapfabriek ontslagen?'

'Ik zou het niet weten,' zei ik.

'Omdat hij moeite had met concentreren.' Ze keek op en lachte. 'Net als ik!'

⌒

Na de kerst keerden Nick en Nathalie Dumas terug van hun bezoekje aan Maria in Frankrijk, en dus reed ik daags erop over de gladde wegen naar hun huis op Castle Hill. Ik schaamde me voor mijn haast, omdat ik wist dat ik het niet deed omdat ik Nick zo graag wilde zien. Nick en ik waren nogal verschillend – soms vond ik hem zelfs behoorlijk irritant – maar het contact met Maria kleefde nog aan hem; wat ze had gezegd, wat ze de laatste tijd had gedaan. Via hem had ik haar uit de tweede hand.

Nick had zijn studie een jaar uitgesteld om eerst samen met een vriend te gaan reizen. Hij was echter al na een maand teruggekeerd omdat hij reizen 'doodsaai' vond en had zich ingeschreven voor managementwetenschappen. Hij was inmiddels met de studie gestopt omdat het toch niet was wat hij wilde en was aan de universiteit van Bristol aan een andere studie – bedrijfskunde – begonnen. Na een uur met hem te hebben bijgepraat, vroeg ik me af waarom ik in godsnaam de moeite had genomen om bij hem langs te gaan. Zoeken naar Maria in haar broer was als kijken naar een zonsverduistering in een emmer water.

'Ik weet eigenlijk niet wat ik in Bristol doe,' zei hij nu tegen me. 'Ik zou liever aan het werk gaan om echt geld te verdienen. Ik wil namelijk geen cent van mijn vader.'

'Echt geld?' vroeg ik.

'Veel geld, bedoel ik. Emily zal niet veel verdienen als lerares,' verklaarde Nick.

Ik had Emily een paar keer ontmoet. Ze had blonde krullen en grote, zware borsten, maar de rest van haar lichaam was heel slank, alsof ze was vormgegeven door een puberale Pygmalion. Een van die keren hadden we een kort gesprekje gevoerd over de uitslag die ze van het zonnebaden had gekregen, en een andere keer een iets langer gesprek over de chagrijnige winkelbedienden bij Harvey Nichols. Een derde gesprek had ik tot dan toe weten te vermijden.

'Zolang ze nog thuis woont, is dat geen ramp,' vervolgde Nick, 'maar ik kan haar niet op die miezerige etage van mij laten komen wonen.'

'Het zou niet moeten uitmaken hoe groot je etage is,' onderbrak Nathalie hem. Ze was bezig koffie te zetten. 'Moet je ons huis zien. En wij zijn hier toch ook gelukkig?'

'Ik vind het te klein,' zei Nick. 'Ik bedoel, goed dat je bent verhuisd, et cetera, et cetera, maar ik wil niet in een huis als dit wonen.'

'Mijn ambitieuze zoon,' zei Nathalie met een lach. Ze reikte Nick een kop koffie aan, die hij met een lichte frons van ergernis aannam.

'Kun je geen goede koffie zetten?' mopperde hij. 'Deze bocht is niet te drinken.'

'Goede koffie!' verzuchtte Nathalie, en ze verliet overdreven verontwaardigd de keuken.

'Wat heeft zij nou?' vroeg Nick retorisch.

'Je moeder is een geweldig mens,' zei ik. 'Je mag je handjes dichtknijpen met haar.'

Om eerlijk te zijn genoot ik meer van Nathalies gezelschap dan van dat van Nick; ze had iets luchtigs en monters over zich en deed duizend dingen tegelijk, alsof de energie waarmee ze de problemen in haar vorige leven had geklaard was losgekomen en overal op afstraalde. Nick had me één keer iets over zijn vader verteld. 'Het is een klootzak,' zei hij. 'Zoals hij mijn moeder behandelde, vreselijk gewoon. We konden niks goed doen.'

Na geduldig een uur te hebben gewacht, vroeg ik zo nonchalant mogelijk: 'En hoe gaat het met je zus?'

'Prima, volgens mij,' zei Nick. 'Je kent Maria.'

'Is dat zo?' mompelde ik.

Ik had haar gebeld om haar een vrolijk kerstfeest te wensen en had haar quasiluchtig gevraagd of ze Olivier nog zag. Mijn keel kneep nog dicht als ik eraan terugdacht. Ze antwoordde bevestigend. Ik voegde er snel aan toe dat ik ook iemand had. 'O, wat leuk. Dan moeten we zeker een keer met z'n vieren afspreken als ik in Engeland ben,' opperde ze met parelende stem van beleefdheid; zacht en glad, geen rafel die een mening verried.

Ik had de neiging te vragen waarom ze niet bij mij wilde zijn, wat ze zocht dat ik niet had. Maar dat kon ik niet, en dus nam ik afscheid en hing op. Dat was het laatste wat ik van haar had gehoord, op Nicks opmerking na dat het prima met haar ging, wat dat ook mocht betekenen.

Later die avond zaten Theo en ik samen op het terras in de kou terwijl ze tevergeefs haar sigaret probeerde aan te steken. De wind viel zo nu en dan stil, als een ineengedoken hond, voordat hij weer opsprong om de donkere vormen aan de hemel op te schudden en aan onze kleren te rukken, alsof er ergens papier scheurde. Ik nam een sigaret van haar aan uit het pakje dat ik zelf had betaald. Theo had nooit geld rond deze tijd van het jaar: het was het zwerversseizoen in Carmarthen en ze had haar studietoelage al in de eerste dagen van haar vakantie weggegeven. Als ik door de stad liep, leek er onder elke pinautomaat wel een ongekamde gestalte te liggen die probeerde te profiteren van de schuldgevoelens die de kerst losmaakte. De zwervers kenden Theo en riepen naar haar: 'Hallo, Theo, hoe gaat het met de studie?'

Beneden ons fonkelden een paar lichten in Llansteffan, verspreid als sterren aan een ruige hemel, een glinstering aan de rand van de fluctuerende duisternis van de zee. Buiten ons gezichtsveld brandde het enkele lichtje van Castle Hill House, knipogend naar de nacht; een signaal dat geen betekenis meer had en geen schepen meer scinde.

'Vind je het niet raar hier weer te zijn?' vroeg Theo ernstig. Haar stem kwam nauwelijks boven de wind uit.

'Natuurlijk niet. Waarom zou ik?'

'Weet ik ook niet,' zei ze, haar ogen neerslaand. 'Ik vroeg het me gewoon af.'

'Rare dingen vraag jij je af,' zei ik geamuseerd. We keken een tijdje stil voor ons uit, onze zwarte schaduwen zij aan zij op de flagstones, omringd door het warme licht dat door de ramen achter ons viel. Zodra mijn sigaret half opgebrand was, drukte ik hem uit; ik rookte slechts zo nu en dan om het effect van de nicotine te behouden, de vage, misselijkmakende roes.

Ondanks wat ik tegen Theo had gezegd, had ik zin om terug te gaan naar Cambridge. Eve was de dag ervoor naar Amerika vertrokken, en zonder haar had Evendon iets ongemakkelijks; niet echt een akelig gevoel, maar een vaag besef dat tijd en plaats zo nu en dan verschoven en het schimmige, halfduistere verleden overlapten. Dat kwam deels door Theo. Ze moedigde het verleden aan, riep het op alsof het een geest was. 'Weet je nog dat we altijd kastelen in de tuin bouwden?' vroeg ze dan. 'Weet je nog dat we een taart van mevrouw Williams hadden gepikt en dat die toen op de grond viel?' 'Herinner je je die muziekdoos van mij met *De Notenkraker,* en dat het danseresje het niet meer deed?' 'Herinner je je de boom met de initialen nog?'

Ik vond het niet prettig dat ze al die herinneringen ophaalde, hoewel ik geen idee had waarom niet. Onze kindertijd was voor mij een ver, vreemd land met felle kleuren, als een droom. Een tijd die werd gekenmerkt door onrust en hulpeloosheid. Ik wilde dat het een droom bleef. Ik was eruit ontwaakt en had opgelucht mijn ogen geopend naar het nieuwe, vertrouwde licht van de ochtend.

Elf

Toen ik terugkwam in mijn appartement in Cambridge deed de verwarming het weer. Felix was nergens te bekennen, maar op de bank lag een meisje in haar ondergoed te slapen. Toen ik haar wakker maakte, bleek het een leuke, welbespraakte meid, heel anders dan het merendeel van Felix' vrouwelijke logees, die vaak alleen op uiterlijk werden beoordeeld. We dronken samen een kop thee, waarna ze onze broodrooster repareerde zodat we konden ontbijten. Ongeveer een halfuur na haar vertrek kwam Felix thuis met een paar tassen van de slijter.

'De broodrooster werkt weer,' vertelde ik hem. 'Je vriendin heeft hem gemaakt.'

'Heeft ze haar telefoonnummer achtergelaten?' vroeg Felix. 'De waterkoker moet ook gerepareerd worden. Ik kreeg gisteren een schok. O ja, ik heb haar gezegd dat we vanavond naar een oudejaarsfeest in Londen zouden gaan. Sebastian gaat trouwens naar een ander feest, van een of andere kennis van Theo. Ik heb gezegd dat hij maar alleen moet gaan, want die vrienden van haar hebben altijd goedkope drugs en ik wil niet dat mijn telefoon gestolen wordt. Waarschijnlijk is oudejaarsavond de enige avond dat hij kans maakt je zus te versieren.'

'Hij verdoet zijn tijd,' zei ik.

'Dat heb ik hem ook gezegd. Het lijkt de zestiende eeuw wel zoals hij het aanpakt... hoofse liefde. Arme ziel. Als hij met ons zou meegaan kon hij eens flink van bil, dat zou hem goeddoen.' Felix fronste nadenkend. 'O ja, voor ik het vergeet. Het feest is bij Chessie Turner. Kunnen Chessie en jij nog door één deur?'

'Voor zover ik weet wel,' zei ik. 'Hoezo?'

'Haha, dat zeg jij altijd,' zei Felix lachend. 'Afijn, ze heeft ons allebei uitgenodigd, dus ze zal er wel overheen zijn.'

Ik probeerde me te herinneren of Chessie en ik met ruzie uit elkaar waren gegaan nadat we vorig jaar een kleine week iets met elkaar hadden gehad. Zij was ermee gestopt omdat we, zoals ze beweerde, allebei op iets anders uit waren. We hadden er beschaafd een punt achter gezet, heel beleefd en kalm. Nadien hadden we tegen elkaar geglimlacht als we elkaar tegenkwamen, en ik had gemeend dat we vrienden waren.

Voorafgaand aan het feest doken Felix en ik een kroeg in, waar we ons bij een paar meiden aansloten die Felix kende. Ze haalden ons over absint te drinken en zetten de gifgroene drankjes op een rij alsof het een scheikundeproef betrof. Na een paar glazen werd de wereld vreemd en indringend, de tijd vloog, een meisje kuste me, en ik moest me, wankel als een pasgeboren hert, aan de rand van de bar en haar arm vasthouden terwijl ik probeerde mee te zingen met een lied dat ik niet kende. 'Kom, het is al bijna twaalf uur,' zei Felix, alsof de pompoenkoets op ons stond te wachten. 'Straks zijn de leukste meiden bezet.'

'Waar is Maria?' vroeg ik terwijl we wegliepen.

'In Frankrijk, Jonathan. In Frankrijk.'

Het feest werd gehouden in een paar kamers van een rijtjeshuis in Camden, die stijf stonden van de rook en de donkere, bewegende gestalten, als in een middeleeuwse gevangeniskerker, en boven de hoofdenzee dreunde muziek. We kwamen binnen op het moment dat de klok twaalf sloeg en werden opgenomen in de drukte van elkaar gelukkig Nieuwjaar zoenende mensen. Chessie was nergens te bekennen; een ander meisje heette ons welkom en gaf ons beiden een lijntje coke. 'Gelukkig Nieuwjaar,' zei ze.

De coke ontnuchterde me. Mijn hoofd werd kristalhelder, als een glazen bol. Er kwam licht binnen, en geluid; de herrie van het feest viel uiteen in afzonderlijke geluiden, als de snaren van een harp. Eén noot herkende ik: een lage, opwindende lach. Ik draaide me om en zag Theo's vroegere vriendin Antonia met twee andere meisjes op een bank zitten. Ze keek naar me. Theo en zij waren elkaar uit het oog verloren, zoals met vrienden gebeurt als ze geen reden hebben elkaar niet te mogen maar ook niets gemeen hebben. Ze was niet veel veranderd sinds ik haar voor het laatst had gezien, die ochtend jaren geleden op Charlies feest. Ze bleef nog altijd fier overeind onder het gewicht van de starende blikken. Haar haar was langer nu en viel in een popperige krul op haar schouder. Ze droeg een corsettopje, waar de bleke bovenhelften van haar borsten boven uitstaken, zacht als mascarpone.

'Waarom kom je niet bij ons zitten?' zei ze, dus dat deed ik.

Antonia vertelde me dat ze in Amerika was geweest, waar ze bij een filmbedrijf had gewerkt, en dat ze nu bij een pr-bureau in Londen werkte, maar het kan ook andersom zijn geweest. Ik probeerde het gesprek te volgen, maar de helderheid van de cocaïne ging langzaam over in een alcoholroes en ik werd afgeleid door haar prikkelende, zoete parfum en blanke huid in de onderste helft van mijn blikveld.

'Ik moet nu weg,' zei ze uiteindelijk. 'Ik moet morgen werken.'

'O.' Ik keek haar verbluft aan.

'Maar niet getreurd,' zei ze, en ze lachte. 'Je kunt mee, als je zin hebt.'

Ik dacht aan Maria, aan mijn gevoelens voor haar, maar het verlangen en de teleurstelling lagen zo dicht bij elkaar dat ik moeilijk kon zeggen wat eerst kwam, en of ze überhaupt te onderscheiden waren. Ik wilde ervoor vluchten, wilde me in iemand anders verliezen, overdonderd worden.

'Ja, graag,' zei ik.

In de taxi naar haar appartement in Fulham losten mijn gedachten op. Antonia sprak met een zelfbeheersing die ik in mijn dronkenschap probeerde te evenaren. Eenmaal in haar kamer deed ze alle lampen aan en kwam toen naar me toe. Haar gezicht was bleek in het plotselinge licht dat de perfecte vorm van haar gezicht liet zien. Even was ze een vrouw op een reclameposter die mijn blik had gevangen. De manier waarop we zoenden was weloverwogen, gekunsteld. Haar vingers knoopten zonder aarzeling mijn overhemd los.

'Laten we niet gaan slapen vannacht,' zei ze.

De volgende ochtend liep ik in verwarring en, na de manier waarop ze me bij het afscheid had gezoend, met een enorme erectie naar het station. Ik kon me niet concentreren op de weg en moest uitkijken dat ik niet tegen de andere voetgangers op botste. Ik zag maar één ding: haar haren over de rand van het bed, de steile welving van haar witte rug, mijn hand die op haar lag. Het was een idioot heldere nacht geweest, alsof ik door een telescoop had gekeken en alles tot in de kleinste details had geregistreerd. De afstand was bijna voyeuristisch. Opwindend om zo dichtbij te zijn en tegelijk zo veraf. Malend over mijn verbazing vervolgde ik mijn weg.

Tegen de tijd dat ik terug in Cambridge was, hadden de kou en de eerste onaangename regenspetters me ontnuchterd, en voelde ik me weer een beetje de oude. De flat was leeg; Felix en Sebastian lagen waarschijnlijk nog buiten westen op vreemde banken, bedden of vloeren ergens in Londen. Ik zette de waterkoker aan, waar ik een elektrische schok van kreeg, en zette koffie. Daarna las ik de krant en liet me overspoelen door berichten over oorlog en belastingen om de geprikkelde zenuwuiteinden van de vorige nacht te verdoven, totdat ik buiten een klap hoorde. Ik opende het raam en zag Theo op straat uit een Cadillac stappen.

'O jee,' zei ze. 'Hallo, Jonathan! Gelukkig Nieuwjaar!'

Ik ging naar beneden om de schade te bekijken. Ze was achteruit tegen een verkeersbord gereden en er zat nu een deuk in de bumper.

'Hij is niet van mij,' zei ze. Ze leek magerder geworden, wat kon liggen aan het te grote mannenvest in combinatie met haar frêle gestalte en de wijde spijkerbroek.

'Shit,' zei ik. 'Ben je wel verzekerd?'

'Nee. Maar ik heb wel net mijn rijbewijs gehaald. Hiep hiep hoera voor mij!'

'Ook dan moet je verzekerd zijn. Van wie is die auto eigenlijk? Weten ze dat jij erin rijdt?'

'O, ik moet erop passen, want Louise is op vakantie. Ben je niet blij me te zien?'

'Natuurlijk wel. Kom maar gauw mee naar binnen,' zei ik. Er had zich een sensatiebelust groepje mensen om het gehavende verkeersbord verzameld. 'Dat meisje is een beroemdheid, of niet?' zei iemand. 'Ze is dat model, hoe heet ze ook alweer?'

Theo haalde twee vuilniszakken met kleren uit de auto. 'Ik kom een weekendje bij je logeren,' zei ze. 'Is Sebastian al terug? Ik wist niet meer naar welk feest ik moest en toen bleek dat we allebei ergens anders naartoe waren gegaan.'

Eenmaal binnen zette ik thee en omdat ik was vergeten dat de waterkoker kapot was, kreeg ik opnieuw een schok. 'Moet jij je niet voorbereiden op het nieuwe semester?' vroeg ik aan haar.

'O, ik studeer niet meer. Ze hebben me gevraagd te vertrekken.

Aan het einde van het eerste semester. Ze vonden dat ik niet hard genoeg werkte. Ik zit er niet mee,' zei ze. Ze speelde met haar on- aangestoken sigaret totdat hij scheurde en de tabak op de tafel viel.

'Wat ga je nu doen?'

'Gewoon, nutteloos zijn,' zei Theo somber. 'Het lijkt wel of ik niets anders kan.'

'Je zult een baan moeten zoeken,' zei ik geërgerd. Ik baalde ervan dat mijn apathische bui, waarin ik nog nagenoot van de seks met Antonia, plaatsmaakte voor bezorgdheid. Ik voelde me soms net een ouder. Telkens wanneer ik dacht dat ik niet meer op Theo hoefde te letten, deed ze onverwacht iets doms, als een kleuter die in een onbewaakt ogenblik zijn geroosterde boterham in de dvd- speler stopt.

'Ik zou samen met Sebastian naar India kunnen gaan,' zei Theo hoopvol. Sebastian vertrok in februari voor een paar maanden naar Kerala in verband met zijn studie. 'Dat lijkt me mooi. Ik zou in een olifantenopvangcentrum kunnen gaan werken. Weet je nog dat we vroeger altijd op die gouden olifanten in de zitkamer zaten?'

'Nee, dat herinner ik me niet meer.'

'O. Nou ja, je moet me helpen verzinnen wat ik tegen Eve moet zeggen,' vervolgde Theo. 'Ik denk niet dat ze hier blij mee is.'

Op dat moment kwam Sebastian thuis en hoefde ik tot mijn opluchting geen antwoord te bedenken dat Theo van streek zou maken, Eve zou ergeren, of mezelf in problemen zou brengen. Theo en hij begonnen als Hans en Grietje in hun schemerbos de in- gewikkelde paden van de vorige nacht na te lopen door opgewon- den het achtergelaten spoor van gemiste sms'jes en lege wodkafles- sen terug te volgen. Ik trok me terug om een tv-programma dat ik had opgenomen te bekijken. Het was een docudrama over het leven van Eves vader George Bennett, maar het duurde niet lang of ze kwamen bij me zitten en begonnen erdoorheen te praten.

'Moet je die snor zien,' zei Sebastian terwijl de acteur die George speelde in zijn bordeauxrode studeerkamer bedachtzaam naar een globe staarde. 'Zou het een nepsnor zijn?'

'Hmm, hij is wel erg groot,' mijmerde Theo.

'Het lijkt wel een bezem. Wat vond Eve ervan? Denk je dat ze dit heeft gezien?'

'Haar juristen waarschijnlijk wel,' zei ik.

(Eve had aan de telefoon gezegd: 'We moeten blij zijn dat George een Britse held is en het hierbij blijft.' Ze lachte en vervolgde: 'Als dit al erg lijkt, kun je je voorstellen hoe opdringerig ze zijn als ze op boeven jagen.')

Er volgde een scène waarin George in de zwart-wit betegelde hal van zijn Londense huis het ene na het andere krat opende waaruit hij, tot genoegen van een klein meisje dat geboeid op de strover-pakking neerknielde, turkooizen maskers en stèles haalde. Het licht viel op haar witte gezicht, en even zag ze eruit als een jongere versie van Eve, nieuwer en zachter, maar met dezelfde bestudeerde bewegingen, een doordachte gratie die kindacteurs en politici kennelijk met elkaar gemeen hadden.

'Stel je voor dat je zoiets als kind mag meemaken,' zei Sebastian verwonderd, zijn snedige commentaar vergetend.

'Het spijt me dat ik je uit de droom moet helpen,' onderbrak ik hem, 'maar Eve zei dat de scène met die dozen in de hal nooit kan hebben plaatsgevonden. Hij schermde zijn werk namelijk heel erg af. Niemand mocht erbij in de buurt komen.'

'Dus de televisie... liegt?' zei Sebastian met gespeelde verbijstering.

Toen het docudrama eindigde met een ontroerende scène waarin tiener Eve, ingepakt in zo veel lagen stijve zwarte stof dat ze op een treurige Spaanse pop leek, een toespraak hield op Georges begrafenis, schudde Sebastian zijn hoofd.

'Nu weet ik niet meer wat ik moet geloven,' zei hij. 'Wie weet wat er in werkelijkheid is gebeurd? Voor hetzelfde geld is hij nooit gestorven en heeft hij het geheim van het eeuwige leven van de Maya's ontdekt. Of was Eve zijn egoïstische houding tegenover zijn archeologische schatten zo beu dat ze hem van de trap heeft geduwd.'

'Zeg, je hebt het wel over mijn grootmoeder, hoor,' waarschuwde ik hem. 'Over echte mensen.'

'Op een bepaalde manier wel, Jonathan,' zei Sebastian, met zijn ernstige 'filosofengezicht' dat hij graag opzette. 'Het is natuurlijk maar hoe je het bekijkt.'

~

In februari kwam Eve in Cambridge op bezoek. 'Je ziet er goed uit,' zei ik tegen haar toen ze, zoals altijd, in een vloeiende beweging uit de auto stapte. Maar onder de witte hemel, in het meest meedogenloze licht, zag ze er beter uit dan goed, beter dan de meeste studenten om ons heen, met hun door alcohol en slaapkreukels getekende gezichten. Voor het eerst vroeg ik me, een tikje deloyaal, af of ze plastische chirurgie had ondergaan.

'Laten we ergens naartoe gaan waar jij vaak komt,' zei Eve. 'Iets informeels.' Ze keek het kleine café waar ik haar mee naartoe nam rond met het obscure plezier van een beroemdheid die zich komt vergapen aan de armoede van anderen. 'Wat een leuk tentje!' riep ze uit.

Eve wist al dat Theo van school af was: de enige reden dat de instelling Theo zo lang had getolereerd was Eves bemoeienis. Ze wist echter nog niets van Theo's plan om naar India te gaan, een land waar ze per se naartoe wilde. Sebastian had haar Hindi geleerd ('*Namaste*, Jonathan!') en ze had voor zichzelf een sari gekocht bij een liefdadigheidswinkel.

'Wat natuurlijk onzin is,' zei ik. 'Waarom zou iemand van haar verlangen dat ze een sari draagt? Ze zullen eerder denken dat ze de draak met hen steekt.'

'Theo heeft geen doorzettingsvermogen,' zei Eve beslist. Ze legde haar theelepeltje neer alsof het een voorzittershamer was. 'Ze is geen tiener meer. Als ze niet wil studeren, moet ze een andere bezigheid zoeken.'

Ze had een toon in haar stem die ik niet van haar kende en die ik niet kon thuisbrengen. Ik vermoedde dat Eve – zoals de meeste mensen – Theo sloom en lui vond. Maar daar hadden ze niet helemaal gelijk in; het was bijna alsof Theo iets miste, met haar aversie tegen het lineaire, het cumulatieve. Ze fladderde door het leven als een veertje, bleef nooit ergens lang bij stilstaan en reageerde enthousiast óf ontdaan op de wereld om haar heen. Het was onmogelijk haar te volgen.

'Hoe gaan de zaken?' vroeg ik aan Eve om van onderwerp te veranderen.

'Ik ga volgende week naar Dubai om een paar dingen nader te bekijken,' zei ze. 'Het moet allemaal perfect in orde zijn. In zo'n overspannen markt kunnen we ons geen fouten veroorloven. We moeten een goede pers zien te krijgen.' Ze was even stil toen de serveerster langs ons tafeltje liep. 'We hebben problemen met de concurrentie gehad. Er heeft een artikel over Charis in de *Emirates Times* gestaan, waarin werd beweerd dat wij op een slinkse manier kavels zouden kopen. Een journalist beschuldigde ons ervan dat wij een projectontwikkelaar hebben omgekocht om zijn contract met een ander bedrijf te verbreken.'

'Wat ga je nu doen?' vroeg ik.

'Ik regel het wel,' zei Eve, zichtbaar aangemoedigd. 'Dat soort beschuldigingen stelt niet zoveel voor. Ik ben ooit als congreslid nagetrokken vanwege vermeende belastingfraude. Ik had praktisch een team van accountants in mijn huis wonen. Natuurlijk wist ik zelf dat ze niets zouden vinden dat me in diskrediet kon brengen. Een paar weken voordat dat gebeurde, werd ik gebeld door Henry Kissinger. Hij was ondanks alles een goede vriend van mij. Een wijze, praktische man. Hij had vooral een hekel aan Nixon. Dat was zo'n vreselijke oude antisemiet. Henry waarschuwde me: "Nixon zal je te grazen nemen." "Dat gaat hem niet lukken," zei ik. En daar heb ik gelijk in gekregen.'

'Mis je het?' vroeg ik haar. 'De politiek, bedoel ik.'

'Op een bepaalde manier wel. Het ging er meedogenloos aan toe, maar het was ook een heel opwindende tijd. Uiteindelijk verliet ik de politiek niet lang nadat Nixon was afgezet. Daarna was de lol er eigenlijk wel een beetje vanaf. Ik wist dat het tijd werd om iets anders te gaan doen. Ik was daarmee bezig toen ik op het idee kwam om Charis op te richten.' Ze glimlachte, leunde voorover en liet haar stem dalen. 'Politiek is theater, het zakenleven is een goudmijn. Je kunt in de politiek goed voor de dag komen, maar in het bedrijfsleven kun je goed boeren. Sinds mijn overstap verdien ik veel meer, ben ik veel machtiger geworden en, het belangrijkste van alles, ben ik veel beter in staat mensen te helpen die het nodig hebben.'

Na dat bezoek besprak Eve met Theo over de telefoon haar voorwaarden. Ze zei dat ze Theo's reis naar India niet zou betalen. Ze bood aan de huur te betalen voor een nieuw appartement in Londen, indien Theo de woning zou delen met een dochter van een vriendin, die toevallig een huisgenoot zocht. Ze voegde eraan toe dat ze zou kijken of ze voor Theo een baan kon regelen die niet al te veeleisend was.

Toen Theo klein was, had Eve altijd met verbazing naar haar gekeken, alsof ze niet goed hoogte van haar kleindochter kon krijgen. Maar de manier waarop ze nu over haar sprak was kordaat en onverschillig, en de regelingen die ze trof hadden enkel ten doel Theo van de straat te houden zodat ze veilig alleen kon worden gelaten.

Het zat me dwars dat Eve Theo's gedrag afkeurde, maar Theo zelf merkte geen verandering bij Eve op en legde zich neer bij haar voorstel het appartement te betalen, zoals ze zich ook had neergelegd bij het idee nog een paar eindexamenvakken te halen. 'Misschien moet ik maar eens geld gaan verdienen,' zei ze, hoewel ze het erg jammer vond dat India niet doorging.

'Nu zal ik waarschijnlijk nooit in een tempel wonen,' zei ze. 'En dat wil ik zo graag. Een eenvoudig plekje voor mezelf, met een heilige koe die op me past.'

'O ja?' reageerde ik ongeduldig.

'Of iets anders heiligs. Maakt me niet uit,' zei ze. Ze keek door de grijze ramen naar buiten en vlocht haar vingers door haar haar.

De week erop was ik bij Theo op bezoek in Londen. Ik voelde me schuldig dat ik haar plannen had doorkruist, hoewel ik – als ik erover nadacht – niets verkeerds had gedaan. We spraken af bij Oxford Circus en liepen samen naar een restaurant in Soho waar we Felix zouden ontmoeten. Ik had een hekel aan dit deel van Londen: het lawaai van de mensenmassa's in de straten, de opdringerige neonreclame in de grijze motregen. Ik boog mijn hoofd om het niet te hoeven zien, alsof ik me schrap zette tegen een storm. Theo was nog sneller afgeleid dan gewoonlijk. Ze vloog als een winterkoninkje van het ene idee naar het andere en wees enthousiast op van alles en nog wat terwijl ze andere mensen voor de voeten liep.

'Wat zie je er leuk uit,' zei ik toen ik de bloemetjesjurk zag die ze droeg. Ze keek er verbaasd naar.

'O! Die heb ik uit de wasmachine geplukt omdat ik haast had. Hij zal wel van Lucy zijn. Ik hoop dat ze het niet erg vindt.'

Toen we langs een boekhandel liepen, bleef ze geschrokken staan. In de etalage, op het omslag van een boek getiteld *A Century of Style*, stond Eve. Het was een zwart-witfoto, hoewel het even duurde voor ik dat doorhad, omdat ze er in het echt bijna net zo uitzag. Alleen de donkergrijze lippen verrieden haar. Ze keek ons recht aan; geamuseerd, een tikje smalend.

'Het lijkt wel of ze ons in de gaten houdt,' zei Theo bijna fluisterend.

'Doe niet zo raar,' zei ik. Ik trok haar mee. 'Kom, anders komen we te laat op onze afspraak met Felix.'

Theo duidelijk maken dat ze moest opschieten bleek even ondoenlijk als het bij elkaar houden van een handvol mieren. We schoten zo langzaam op dat de straat wel een gangpad in een kerk leek. Eerst stopte ze om een hond te aaien die op haar afkwam, toen moest ze zo nodig geld pinnen, vervolgens bleef ze met een man staan praten die omringd door blikjes bier tegen een muur hing en aan wie Theo het geld gaf dat ze zojuist had gepind. ('Het was niet eens een zwerver,' mopperde ik.) Toen we opnieuw gingen pinnen, pakte ik het geld van haar af en stopte het in mijn eigen zak. Theo onderwierp zich eraan alsof ze een kind was.

Nadat we nog waren opgehouden door een 'grappige' klok in een etalage, een klein Japans meisje met een ballon, en een onverwachte paarse bloem die uit een scheur in een stenen muur groeide, bleef Theo plotseling als aan de grond genageld staan. Ik keek niet eens meer op om te zien waarom ze zo verschrikt over haar schouder keek, naar adem hapte en verbaasd 'Ah!' piepte. Ik liep gewoon door en mopperde: 'Verdomme, Theo, loop nou eens door.'

'Jonathan. Daar heb je hem.' Ze greep me hardhandig bij de arm en wees naar de overkant van de straat. 'Het is hem écht.'

In het verlengde van haar wijsvinger zag ik een groepje tieners, twee oudere vrouwen en iets wat de hem zou moeten zijn: een mannenrug die van ons wegliep.

'Wie?'

'Onze vader!' riep Theo uit, alsof ik dat had moeten weten.

Mijn eerste reactie was aandachtig naar de man die ze bedoelde te staren, alsof er een manier was om door strak naar de achterkant van zijn blonde hoofd en saaie grijze colbertje te kijken te ontdekken of het echt onze dode vader was. Toen draaide ik me echter geërgerd om. 'Wat bezielt je, Theo? Niet weer, hè?'

'Kom mee!' Ze trok me opgewonden mee aan mijn arm in de richting van de man. Toen ik bleef staan, liet ze mijn arm los en liep ze alleen achter hem aan. De mensen om ons heen hadden nog niet het punt bereikt dat ze bleven staan om naar ons te kijken – het lieftallige meisje en de boos kijkende jongeman, hun getouwtrek – maar de duur van hun blikken was merkbaar toegenomen. Londenaren, altijd alert op mogelijke soaps in hun omgeving, als honderden mevrouwen Williams. Ik bleef woedend staan en zag de man een straat in slaan, gevolgd door Theo. Hij liep snel en werd algauw kleiner: het zag er niet naar uit dat ze hem nog zou inhalen.

In plaats van op haar te wachten, stuurde ik haar een sms'je en liep door naar het restaurant waar we met Felix hadden afgesproken. Hij zat al een halfuur op ons te wachten en had een paar meiden van de aangrenzende tafel gevraagd bij hem te komen zitten, dus toen Theo eindelijk binnen kwam strompelen – rode wangen, hijgend, en met grote ogen van teleurstelling – zei ik er niets van omdat er anderen bij waren. Ik wachtte totdat we later die avond in de taxi zaten. 'Wat was dat nou allemaal vanmiddag?'

Ik had neutraal willen klinken, maar de woorden klonken als een stenen muur die met veel lawaai instortte. Theo schrok op. 'Je zult hem wel niet meer hebben ingehaald, of wel?' vervolgde ik iets kalmer. Ze schudde haar hoofd. 'Wat is dat toch met onze vader, Theo?'

'Ik wist zeker dat ik zijn gezicht herkende. Van de foto,' zei ze, en ze boog haar hoofd, waardoor haar haren tussen ons in vielen als een deur die werd dichtgeslagen.

Er viel een lange, zware stilte, en ik besloot mijn mond erover te houden. Ik vroeg me af of Theo's gedrag niet vrij gewoon was, psychologisch gezien: het verlate verdriet over een verlies waarover nooit is gerouwd. Of het een bekend type rouw was, dat in boeken gedocumenteerd en geclassificeerd was. Dat zou me geruststellen: te lezen dat mensen die een gestorven ouder nooit hebben gekend zich vaak verbeelden dat die ouder nog leeft. Aan de andere kant was Theo niet met andere mensen te vergelijken. Nooit geweest.

Nadat ik een week elke nacht wakker was geworden en aan Antonia moest denken, wilde ik haar weer zien. Eerst wilde ik van Felix weten of hij die nacht van Charlie Tremaynes feest met haar naar bed was geweest. 'Nee. Geen idee waarom ze niet wilde,' zei hij nadenkend. 'Ik zag er die avond superhot uit.' Dus belde ik haar om te vragen of ze zin had om ergens samen iets te gaan drinken. Ze zei: 'Waarom niet?', met een stem als smeulend vuur; zacht, geurend naar seks en verveling. We gingen een paar keer uit, bezochten cafés en restaurants, en sloegen daarna het consumeren over, zodat we rechtstreeks naar elkaars appartement konden gaan, waar we nauwelijks een woord met elkaar wisselden voordat we naar bed gingen.

Zo leerde ik haar een beetje kennen. Ik merkte dat ze zich ondanks haar grote vriendenkring vaak laatdunkend over anderen uitliet. Achteloos verzamelde ze vrienden om ze daarna weer te vergeten, ze lachte om mannen met wie ze had gebroken of die ze had afgewezen, om de rozen die ze regelmatig achter de deurknop van haar voordeur vond, de zwijgzame telefoontjes, de betraande brieven. Ze werd achtervolgd door romantiek – de dagelijkse dosis liefde – maar negeerde het allemaal.

Ik vond de achteloze manier waarop ze met me omhing juist prettig. Ze was slechts oppervlakkig betrokken bij mijn leven. Ze at niet met me, ze bracht geen tijd met mijn vrienden door, zelfs niet met Theo. De groene schittering in haar ogen had de warmte van IJslandse geisers, maar in werkelijkheid was ze koel in de omgang. De andere jongens met wie ze iets had gehad, leden eronder, maar ik begreep haar; ik was ook niet uit op liefde, ik wilde niet belast worden met de behoeften van een ander. Antonia ging altijd gewoon op bed liggen en keek me na de seks met een ietwat ongeïnteresseerde glimlach aan; en ik ging altijd terug naar huis, totdat ik weer voor de deur van haar appartement stond, in de namiddag, laat in de avond, vroeg in de ochtend, waar ik alvast mijn jas uitdeed. Meestal was ze dan al aangekleed en opgetut – in een mantelpakje of een avondjurk – voor een uitje, iets waar we nooit over spraken.

Uiteraard kwam het ook voor dat ik haar zonder make-up zag: op de zeldzame ochtenden dat ze later wakker werd dan ik en me verdwaasd aankeek, haar gezicht blanco, klaar om weer stevig te worden en vorm aan te nemen. Zonder make-up waren haar oogleden ontroerend naakt, haar mond onzeker. Eén keer zag ik haar met een gezichtsmasker; ze zag er kwetsbaar uit, als een baby-uil. Ik was geïntrigeerd door deze glimpen die ik van haar opving, maar tegelijk voelde ik me er ongemakkelijk bij. Ik kende haar beter met de gouden speld, de mascara, het zijden en kanten ondergoed, het glanzende haar.

Die zomer haalden Felix en ik een voldoende voor onze eindstage en studeerden we af. De eerste die ik belde was Eve, en daarna Theo, die opgewonden door de telefoon riep dat we dat moesten vieren in Londen.

'Waarom ook niet?' zei ik, dus Felix en ik spraken met haar af in een café in Hoxton, een bloedhete, mistige tent met felgekleurde tl-buizen, als een jarentachtigvisioen van een elektronisch dystopia. Er waren een paar beroemdheden die ik herkende, en die zelfbewust hun danskunsten vertoonden, maar voor de rest niet te onderscheiden waren van de andere net-uit-bed-types, met hun eyeliner en skinny jeans. Theo kwam vanaf de bar naar ons toe gehold, haar bleke armen en gezicht zacht glanzend in het halfduister, als Ophelia in de beek.

'Ik heb vandaag mijn salaris gekregen!' riep ze uit, en ze reikte ons elk een fles champagne aan. 'Gefeliciteerd!'

'Hoe gaat het met je werk?' vroeg ik. Theo was braaf 'creatief medewerker' geworden op de reclameafdeling van een bureau dat voor Charis werkte. Na een paar weken leek ze de Indiareis te zijn vergeten en had ze me een ansichtkaart van de Londense skyline gestuurd. (*Lieve Jonathan, heb het hier hartstikke leuk. Hoop dat je deze gebouwen mooi vindt. Ik heb een pen van ons bureau bijgesloten zodat je me kunt terugschrijven. Dan kan ik je brief lezen als ik hier niets te doen heb, en het is tegelijk ook gratis reclame. Alle liefs (dat meen ik), Theo.*)

'O, prima,' zei ze nu. 'Het kantoor heeft gras op de vloer liggen. Geen echt gras natuurlijk.'

'En hoe gaat het met je huisgenoot? Kunnen jullie goed met elkaar overweg?'

'Gaat wel... Lucy is heel ambitieus. Ze gaat nooit mee uit. Ik mag niet roken in huis en moet heel stil zijn zodat zij kan werken. Ik snapte al niet waarom ze met mij in één huis wilde wonen, maar ik heb ontdekt dat Eve haar betaalt zodat ze met mij in South

Kensington kan wonen. Eigenlijk is Lucy dus gewoon personeel, en misschien wel een betaalde spion.'

Haar stem stierf weg, alsof iemand het volume zachter zette, en ze keek langs me heen.

'Ik denk erover woonruimte in Westminster te zoeken,' gooide ik het over een andere boeg.

'Dus je komt naar Londen?' vroeg Theo. 'O! Dan kan ik beter bij jou wonen dan bij Lucy.'

'Dat is niet eerlijk tegenover Lucy,' zei ik luchtig. Ik kon mezelf wel voor mijn hoofd slaan dat ik het gesprek een nog gevaarlijker richting op had gestuurd. Maar Theo leek me gelijk te geven en beaamde dat Lucy het niet verdiende om van de ene op de andere dag uit haar huis te worden gezet. 'Misschien als ze zelf wil gaan verhuizen...' zei ze, waar ik niet op reageerde.

Tegen het einde van de avond moest ik mijn best doen om wakker te blijven. Een vriendin van Theo zat op mijn knie en praatte ernstig over de kunst van het marginale. Felix had zijn hand onschuldig op de rok van een ander meisje liggen, dat raadselachtig glimlachte en van haar drankje nipte. Theo was even weggeweest om te dansen, en toen ze terugkwam, viel me op dat ze zich vreemd gedroeg; ze praatte sneller, gebaarde schokkeriger. Ze staarde de dansvloer rond, met opengesperde ogen, de pupillen open als paraplu's.

'Het lijkt me verstandiger dat je naar huis gaat,' zei ik tegen haar.

'Maar het is pas drie uur,' zei ze. Ze keek op haar horloge en grinnikte. 'Moet je die wijzers zien. Ze trillen... Hè jakkes, het lijken wel spinnenpoten!' Ze trok een angstig gezicht en probeerde het horloge af te doen. Ik pakte haar bij haar arm.

'Kom, Theo, dan breng ik je naar huis.'

'Ik kom zo,' zei Felix toen ik tegen hem zei dat we weggingen. Hij wuifde met zijn vrije hand. Ik trok Theo, die maar naar haar

horloge bleef kijken, mee door de menigte en loodste haar de regenachtige avond in, die door de ingezakte hitte iets melancholisch
had. Ze gleed bijna uit over de vochtig glanzende trottoirtegels, en
opnieuw toen we in de taxi stapten.

'Is ze misselijk?' vroeg de chauffeur vijandig. Theo had zich in
mijn arm genesteld en leek in slaap te zijn gevallen.

'Nee hoor.'

'Ze gaat toch niet overgeven, hè?' zei hij. 'Want ik heb die rotzooi
vannacht al kunnen opruimen. Die meiden... ze drinken veel te
veel. Ze kunnen er niet tegen.'

Theo's appartement was donker toen we thuiskwamen. Lucy
bleek niet thuis. Theo keek om zich heen alsof ze niet wist waar ze
was, dus ik deed de lichten aan en sloot de openstaande ramen; de
vloer was nat van de regen.

'Ik pak even een glas water voor je,' zei ik, maar ze weigerde me
los te laten en begon te huilen. Ik keek haar ongerust aan. Theo
stond nuchter al niet stevig in haar schoenen, maar in deze broze,
labiele toestand wist ik niet wat ik met haar aan moest. Ik was zelf
een lekkende boot, draaierig van de drank, deinend op de golven
van mijn eigen misselijkheid.

'Wat heb je ingenomen?' vroeg ik haar, op de kalme, deskundige
toon van een televisiedokter.

'Ingenomen? Weggenomen!' riep ze. 'We moeten ze tegenhouden.'

'Oké, maar je gaat eerst slapen,' zei ik. Ik droeg haar half naar
haar kamer, legde haar op haar bed en trok de gordijnen dicht. Theo
keek verward om zich heen. Vervolgens maakte ik een plekje vrij
tussen de stapels mokken, boeken, tissues en make-up op het tafeltje naast haar bed en knipte het lampje aan. 'Ik haal nog even een
glas water voor je.'

'Niet weggaan!' Ze wurmde zich overeind. Haar gezicht deed me
denken aan de tijd dat we kinderen waren en ze wakker werd uit

een droom. Dan kwam ze slaapdronken en met grote ogen van angst overeind en plakte haar haar aan haar gezicht. Ze zou het meisje van toen kunnen zijn, op de make-up na, die als geschreven regels over haar wangen liep, de geur van rook nog in haar verfomfaaide kleren.

'Blijf zitten, ik ben zo terug. Ik zal tegen je blijven praten zodat je me kunt horen...' Terwijl ik naar de keuken liep, riep ik naar haar: 'Ik haal alleen even een glas water... zo, nu zet ik de kraan aan... en nu loop ik alweer terug.' Maar toen ik weer op haar kamer was, sliep ze. Ik ging in de hoek van de kamer in de leunstoel zitten met de bedoeling te blijven waken, maar dommelde bijna onmiddellijk in. Ik voelde mijn greep om de leuning verslappen, mijn ogen dichtzakken en mezelf wegzinken in de zachte oceaan.

Twaalf

Aan het begin van de herfst kwam Maria voor een paar dagen naar huis. Ze vertelde me aan de telefoon dat ze met haar vader had afgesproken in het Dorchester in Londen en dat ze later die avond naar Llansteffan zou gaan.

'Ik kan niet naar Wales komen. Ik heb een belangrijke afspraak die ik niet kan missen,' zei ik teleurgesteld.

'Dan lunch je toch met ons mee?' zei ze. 'Hij is jarig, dus hoe meer zielen hoe meer vreugd. Hoewel, echt vrolijk zal het niet worden. Maar we kunnen ook even ergens samen iets drinken voordat ik op de trein stap.'

Ik liet me deze stelletjesactiviteit niet ontnemen. 'Nee, ik kom wel naar het Dorchester,' zei ik gedecideerd.

'Wie was dat aan de telefoon?' vroeg Antonia nadat ik had opgehangen.

'Maria Dumas... een vriendin van de familie.'

'Ik meen me haar nog te herinneren van een feest,' zei Antonia. 'Een leuk meisje. Wat zeg ik, een beeldschoon meisje.'

'O ja?' zei ik nonchalant. Ik schermde mijn onbeantwoorde liefde voor Maria zo veel mogelijk af, als een leeg Fabergé-ei. Ik wilde niet dat Antonia's vijandigheid – die heel plotseling en fel kon komen opzetten – van deze liefde wist. 'Als je van het type houdt.'

Antonia keek me scherp aan. 'Doe niet zo raar,' zei ze. 'Iedereen houdt van dat type.'

Onderweg naar mijn afspraak met Maria vroeg ik me af of ik dit altijd voor haar zou doen: al mijn afspraken voor die middag afzeggen, naar huis gaan om te douchen, een das (gekregen van Antonia) omdoen waarvan ik dacht dat ze die mooi zou vinden en me naar het Dorchester spoeden. Ik kon niet anders. Ik kon niet anders dan naar haar verlangen, haar zich naar me toe zien draaien, gehuld in een duifgrijze jas, met opgestoken haar. Ze zag er nog serener uit dan anders. Ik kon niet eens omschrijven wat het aan haar was dat me het gevoel gaf dat ik haar nodig had: het feit dat ze altijd het middelpunt was, haar kalmte, het mysterieuze dat zij over zich had en ik niet. Maar ik voelde dat het waardevol was, zoals een dief in het bezit van een schilderij van een kunstenaar die hij niet kende.

'Wat kijk jij ernstig vandaag,' mompelde ze toen we op de tafel stonden te wachten.

'Ik was met mijn gedachten bij mijn werk,' zei ik. 'Sorry.'

Maria's vader, Sir John, deed niets anders dan wat zijn meest serieuze bezigheid bleek: klagen. Hij klaagde over zijn huis, over zijn aandelen, hij klaagde over de ober, tegen wie hij onbeleefd was. Hij had nog altijd een butler, waarschijnlijk met het doel ook over hem te kunnen klagen. Hij verfoeide de regering, het schaduwkabinet, het volk, de buitenlanders. Maar hij was aardig tegen Maria, hoewel het pijnlijk was om te zien hoeveel moeite hij daarvoor moest doen. Hij keek haar met zijn zware, gele ogen aan, maar kon niet voorkomen dat hij fronste toen ze zei dat ze met autistische kinderen wilde gaan werken.

'Hoe bedoel je? Als verpleegster?' zei hij.

'Nee, als psycholoog. Ik wil graag een eigen praktijk.'

'Oké,' zei hij, en hij staarde in zijn kopje. Maria, die geen uitgebreidere reactie leek te verwachten, glimlachte en veranderde van onderwerp.

Voordat we weggingen, zei hij tegen me: 'Ik herinner me ineens de bruiloft van je ouders weer. Alicia en Michael Caplin. Hij leek destijds een geschikte vent. Niemand had die vervelende toestand kunnen voorzien. Ik heb gehoord dat de voogdijregeling op een fiasco is uitgelopen… maar zover ik weet, is daar nooit iets over in de pers verschenen.' Hij dacht even na en vervolgde toen: 'Ik denk dat dat te danken was aan je grootmoeder. Wat een bijzondere vrouw.'

Naderhand gingen we naar een favoriet café van mij in Belgravia, waar we afgezonderd en met gedempte stem konden praten in een met zijde beklede nis, dicht bij elkaar aan een smalle tafel. Maria weigerde wijn en bestelde in plaats daarvan thee.

'Sorry hoor. Dat moet vreselijk saai voor jou zijn geweest,' zei ze. 'Ik weet dat het egoïstisch van me is, maar ik ben blij dat je erbij was. Het beperkt hem in de onderwerpen en geloof het of niet, hij was nu ook iets socialer dan anders.'

'Heeft Nick geen contact met hem?'

(Ik was de week ervoor in Nicks nieuwe appartement in Canary Wharf geweest, dat hij me vol trots had laten zien: 'Belachelijk hoeveel hypotheek je kunt krijgen als je een inkomensverklaring overlegt. Ik zie het als een investering. De huizenprijzen in deze buurt gaan namelijk alleen nog maar omhoog. Emily trekt binnenkort bij me in. Dan komt er eindelijk een einde aan al onze ruzies. En als ik eenmaal afgestudeerd ben, hoop ik bij een van de grote financieringsmaatschappijen aan de slag te kunnen.')

'Nee. Maar dat is wel begrijpelijk als je bedenkt hoe mijn vader zich in het verleden heeft gedragen. Ik denk ook wel dat dat de reden is… Nick praat er eigenlijk nauwelijks over.'

Ik had zo veel van Nick gehoord over de problemen bij hem thuis in het verleden dat ik het volledig kon beamen, maar ik zei: 'Neem het hem eens kwalijk. Je moet verder met je leven. Je moet je niet laten belemmeren door je opvoeding. Die moet je achter je laten.'

Ze boog haar hoofd en wreef over haar slapen, zodat ik haar gezicht niet kon zien.

'Dus je hebt een belangrijke afspraak?' zei ze toen ze opkeek.

'Felix en ik gaan een eigen bedrijf beginnen,' vertelde ik haar. 'Anthony & Crosse. Het was eigenlijk niet de bedoeling om zo snel zelfstandig te gaan werken, maar we hebben al opdrachten binnen. Ik heb morgen een afspraak met Marcus Britton over een huis dat hij wil laten bouwen. Hij is de zoon van een filmproducer die Eve heeft gekend.'

'Is dat geluk hebben,' zei Maria.

'Nou ja, geluk. De architect die hij vóór ons had, heeft zelfmoord gepleegd. Hij had snel iemand anders nodig. Maar ik vind het natuurlijk wel een eer dat hij het ons toevertrouwt. Hij wil een ontwerp dat postmodern genoeg is om het woonsupplement van de *The Times* te halen.

'Maar goed,' vervolgde ik, 'ik wist niet dat jij ook een eigen praktijk wilde. Lijkt me fantastisch.'

Ze keek me geamuseerd aan.

'Waarom?' vroeg ze.

'Het is natuurlijk nooit verkeerd om succes te hebben,' zei ik schouderophalend. In het café moest een onzichtbare grens tussen middag en avond zijn overschreden, want de lichten boven ons dimden en de nis kreeg de gloed van de binnenkant van een roos, die warme schaduwen op onze gezichten wierp. Ze leunde met haar ellebogen op de tafel en boog zich naar me toe.

'Hoe zou jij succes definiëren?' vroeg ze.

Ik dacht aan Eve, aan haar wereld boven in een toren waar slechts de wetten van winst en overname golden en waar je de trap van beroemdheid kon beklimmen, als een aardse versie van *De Christenreis naar de eeuwigheid*. Een christen die het verleden van zich afschudt en uiteindelijk een staat van collectieve zuiverheid bereikt.

'Dat je naamsbekendheid krijgt,' zei ik. 'Invloed... geld.'

'Vind je het belangrijk om invloed te hebben?'

'Nou ja, in een maatschappij zijn er natuurlijk altijd mensen die meer macht en invloed hebben dan andere,' zei ik, in een poging luchtig over te komen. 'Dus waarom zou ik dat dan niet zijn?'

Haar glimlach viel steeds lastiger te duiden. 'Je lijkt erg op Eve,' zei ze.

'Dat zeggen er wel meer.'

Ze keek even weg toen de ober naderde, en vroeg toen: 'Maar hoe is het met Theo?'

'Goed,' zei ik. Eerlijk gezegd had ik Theo sinds het voorval in de club, enkele weken geleden nu, ontlopen. Ze had diverse keren gebeld, meestal 's nachts, en vreemde berichten achtergelaten, maar ik kon haar monologen niet volgen, net zomin als ik wijs werd uit de rook en het gesis van haar scheikundige experimenten. De dag ervoor had ik afwezig opgenomen toen ze belde, maar de verbinding was zo slecht dat ik door het gekraak slechts vaag wat klanken had gehoord. Het enige wat ik had verstaan klonk als 'twee stappen vooruit, een stap achteruit'. Daarna was de verbinding weggevallen, en daarmee haar stem.

'Ik ben blij dat ze er vandaag niet bij was,' zei ik. 'God weet welke conclusies ze uit de woorden van je vader zou hebben getrokken. Wat hij over mijn ouders zei, bedoel ik.'

'Ik wist niet dat hij hen heeft gekend,' zei Maria. 'Het spijt me als hij je heeft gekwetst.'

'Nee hoor,' zei ik lachend. 'Het doet me niets. Maar Theo laat zich er altijd door meeslepen. Ze zoekt te veel achter dat soort opmerkingen.'

'Wat is er eigenlijk gebeurd? Met je ouders? Daar heb je me nooit iets over verteld,' zei Maria.

'Er valt ook niets te vertellen,' zei ik. De wending die het gesprek nam beviel me allerminst. Ik wilde het weer over ons twee hebben, niet over vaders, zussen, Antonia, Olivier of wie dan ook. 'Ze zijn gescheiden, dat is alles. En toen overleed mijn vader.'

'Je laat het gewoon achter je...' zei Maria.

Naarmate het gesprek voortkabbelde, merkte ik dat haar beleefd vriendelijke houding – zo beleefd dat het grensde aan afstandelijkheid – veranderde. Toen ik er later die avond aan terugdacht, kon ik niet achterhalen wanneer en waarom dat was gebeurd. De avond eindigde zoals onze ontmoetingen altijd eindigden: even wuiven, een ansichtkaartglimlach, al ver weg.

Die nacht sliep ik slecht. Ik stond op en ging achter de computer zitten om een beetje te werken en wat doelloos te surfen, totdat ik uiteindelijk Eves naam intikte in de zoekbalk en op een krantenartikel stuitte waaruit bleek dat ze in de top tien van vrouwelijke politici stond.

Eve Anthony, geboren in 1937, is de dochter van een andere twintigste-eeuwse icoon, de archeoloog George Bennett, en de Amerikaanse erfgename Louisa Cleveland. Ze studeerde economie aan Wellesley College en trouwde na haar afstuderen met de Democratische politicus Freddic Nicholson, die kort daarvoor was gekozen in het Huis van Afgevaardigden. Na Freddies dood tijdens een bootongeluk werd Eve Nicholson in de jaren zeventig een van de voorvechters van zelfontplooiing en politieke mondigheid voor een groeiende groep vrouwen. Ze hield een toespraak waarin ze vrouwen aanmoedigde hun eigen stem te vinden en 'meer betrokken te raken bij de toe-

komst van hun land'. Ze zei: 'Voor het stemrecht van vrouwen is een zware strijd geleverd, en nog altijd moeten vrouwen in de politiek een zware strijd leveren. De volgende zware strijd die geleverd zal moeten worden is de strijd voor een vrouwelijke president, en als het eenmaal zover is, zal men terug-kijken en zich afvragen waarom het een strijd heeft moeten zijn.'

Eve Nicholsons populariteit en de langdurige vriendschap van haar fa-milie met de Kennedy's maakte dat ze terechtkwam op Nixons zwarte lijst van vijanden. Ze gooide olie op het vuur door kritiek te leveren op Nixons acties in Vietnam in 1972. Hij had eerder eens gezegd dat er geen mooiere titel bestond dan die van vredebewaarder. Nicholsons reactie luidde: 'Hij is een "vredebewaarder" die Laos bombardeerde en troepen stuurde naar Cambodja. En nu bombardeert hij Hanoi. Het is gevaarlijk een president te hebben die zaken als oorlog en vrede door elkaar haalt.' Achter Eve Nicholsons naam op de lijst – ondertitel: uitschakelen van onze poli-tieke tegenstanders – stond: Hoge prioriteit. Pak haar op banden met Sam Anthony of JFK. De media stortten zich op de grote verschillen in uiterlijk tussen de beeldschone Congresvrouw en de norse president, en noemden het paar 'Belle en het Beest'.

Nixons vertrouwelingen binnen de regering beschuldigden Nicholson van belastingfraude, in een poging haar af te zetten, een beschuldiging die ze met succes wist te weerleggen. Een latere inbraak in haar woning in Manhattan, waarbij diverse documenten en brieven werden ontvreemd, bleek te zijn uitgevoerd door ene Johnny Wymans, die was betaald door een hulpje van Nixon, genaamd Edward Delores. Nixon ontkende ook maar iets van de zaak af te weten en Delores werd ontslagen. Na dit incident zag Nixon zich gedwongen Nicholson met rust te laten, die uit de strijd te-voorschijn kwam met de publieke opinie op haar hand. 'De waarheid ze-geviert altijd,' zei ze. 'Daar geloof ik heilig in.'

Ik sloot de computer af en ging naar bed. Om de een of andere reden had het artikel mijn ongemakkelijke gevoel versterkt. Ik wist niet precies waarom ik op haar naam had gegoogeld, het gebeurde bijna automatisch, alsof ik iets bevestigd wilde krijgen, alsof ik voet aan wal wilde krijgen na een enerverende reis over woelige zee. Maar het had een averechts effect. Starend naar het gestreepte licht dat door de luxaflex viel, luisterde ik naar de geluiden van het verkeer, en het duurde een eeuwigheid voor ik in slaap viel.

Na Theo's vreemde weken, zoals ik ze voor mezelf was gaan noemen, leek ze weer terug te keren tot het normale leven, althans een voor Theo normaal leven. We gingen een paar keer samen lunchen en ze maakte een gelukkige indruk. Formeel woonde ze nog altijd samen met Lucy, maar ze bracht het grootste deel van haar tijd door op de grond of de bank bij haar voortdurend van samenstelling veranderende vriendenclubje, waarvan ze verwachtte dat ik me iedereen herinnerde. ('Floss, ik heb je toch over haar verteld... Ze had altijd rood haar, maar nu is ze weer zwart. Ze is dj en wil een cd maken met jazz en hiphop, ze is echt heel aardig.')

Ik vroeg niet naar de vreemde weken, en ze begon er zelf ook niet meer over. Ik weet het aan de invloed van vrienden die weer uit beeld waren verdwenen. Anoushka misschien, die nu in Thailand zat, dikke Michael, de van top tot teen getatoeëerde Carrie. Misschien had Floss dan toch een goede invloed op haar, concludeerde ik opgelucht, en ik voelde een golf van sympathie voor haar.

Theo was haar baantje bij het reclamebureau kwijtgeraakt nadat ze een week lang niet op haar werk was verschenen ('Ik dacht echt dat ik gevraagd had of ik vakantie kon opnemen,' zei ze met een frons) en werkte nu bij een Londense galerie, hoewel ze daar ook niet vaak leek te komen opdagen. Ze bracht een groot deel van haar tijd door in mijn appartement in Westminster.

'Hoef je vandaag niet te werken?' vroeg ik op een middag, in een poging niet veroordelend te klinken.

'Ik heb een hekel aan de metro. Je zit de halve dag ondergronds. Ik voel me net een mier. En er is eigenlijk ook veel te weinig te doen voor mij in de galerie. Ze doen alsof ze werk voor me hebben, maar in feite doe ik alleen kleine klusjes, zoals sandwiches halen.'

'Daar krijg je toch niet voor betaald?'

'Ik zou het niet weten... maar dat is altijd zo met die baantjes van Eve. Ik heb van tevoren geen sollicitatiegesprek gehad. Ik weet niet eens wat mijn functie is. Nou ja,' zei ze, 'zo erg is het ook niet om telkens alles te moeten afstoffen.'

Na verloop van tijd vroeg ik er niet meer naar en bleef ik gewoon aan mijn bureau doorwerken terwijl zij kussens op de grond gooide en voor de televisie ging liggen om naar kook- en tuinprogramma's te kijken.

'Waarom kijk je naar die rotzooi?' zei ik terwijl ik de tv zachter zette.

Maar ik begreep wel waarom ze zo graag naar dat soort programma's keek. Het herinnerde me aan de tijd dat ik als kleine jongen graag naar tv-reclame keek in plaats van naar televisieshows. Het ging mij om die vrolijke, frisse wereld, om de eenvoud. Een wereld waarin een soufflé of een mooie bloemenborder genoeg is voor succes. Ze keek geboeid toe, haar haren glanzend in het licht van de televisie, haar ogen blauw en helder als de Atlantische Oceaan.

Antonia kwam meestal op andere tijden langs in mijn appartement dan Theo, hoewel ze de laatste tijd steeds minder vaak kwam en steeds vaker ruzie zocht. Onze avonden liepen dan ook steeds vaker uit op een boos stilzwijgen. Ik voelde me omringd door haar ongeduld, alsof ze wachtte op een reden om het gevecht te kunnen aangaan, als een dronkaard die opzettelijk tegen iemand op botst en doet alsof het per ongeluk was. Maar ik wilde geen ruzie maken; meestal liep ik weg, of ik boog mijn hoofd en bleef stil zitten tot het nare gevoel was overgewaaid. De laatste keer dat ik haar zag, waren we samen naar een feest geweest, waar een vrouw me discreet haar telefoonnummer had toegestopt. Toen we terug in het appartement waren, negeerde Antonia me, en in plaats van mee naar bed te gaan, bleef ze in een tijdschrift zitten lezen.

'Is er iets?' vroeg ik ten slotte. 'Ik ga haar heus niet bellen, hoor.'

'Je hebt haar aangemoedigd,' zei ze. 'Niet dat het mij iets kan schelen. Het is alleen niet eerlijk tegenover die vrouw, dat is alles.'

'Dat zal wel meevallen.'

'Het zag er belachelijk uit, zoals jij met haar aan het flirten was. Het was beneden je waardigheid.'

'Vergeet het nou maar,' zei ik kortaf. Ik begon me aan haar te ergeren; haar rotbui daalde als een deken van stof neer op onze ongecompliceerde avond. Ik wilde het stof wegblazen. 'Kom je nu nog naar bed of niet?'

Ze gaf geen antwoord en keek fronsend naar haar gesloten handen in haar schoot, alsof ze zich plotseling zouden kunnen openen en er iets onverwachts in bleek te zitten. Ik liep naar de keuken, dronk een glas water en poetste mijn tanden. Toen ik weer in de zitkamer kwam, stond Antonia op, trok haar jurk uit en kwam glimlachend op me af.

Felix keek me hoofdschuddend aan toen ik het hem vertelde. 'Draait het bij jullie dan echt alleen maar om de seks?' vroeg hij. 'Is dat alles wat ze wil? Is dat alles wat jij wilt?'

'Dat is van het begin af aan zo geweest. We hebben het er niet eens over hoeven hebben.'

'Oké…' zei hij, en hij trok zijn wenkbrauwen op. 'Je moet behoorlijk goed in bed zijn, dat kan niet anders.'

Als alles goed tussen ons ging, was ik blij dat Antonia en ik een relatie hadden. Ik genoot van haar filmische, sexy uitstraling, van haar opvallende schoonheid, zonder dat ik volledig betrokken hoefde te zijn bij haar leven. Ik vroeg me geen moment af waarom ze niet in liefde geïnteresseerd was; ik vond het prima zo. Ik had na een dag vergaderen met cliënten, aannemers, ingenieurs geen tijd om me ook nog in haar te verdiepen. Sterker nog, ik kon de last van het geluk van een ander niet dag in dag uit op mijn schouders de helling op rollen, zoals Sisyphus. Er waren momenten dat ik maar half functioneerde, net als de te vaak gebruikte speeldoos uit onze jeugd, waarvan de *Notenkraker*-prins na een aantal rondjes stopte en dan weer de andere kant op draaide. Ik vroeg me af wat er was gebeurd met het andere poppetje, de kleine Clara. Ik herinnerde me vaag dat ze afgebroken was – een ongelukje – waarna ze zoek moest zijn geraakt.

Sebastian keerde aan het begin van de winter terug uit India. Hij had zijn reis al zo vaak uitgesteld dat niemand hem meer geloofde toen hij zei dat hij naar huis kwam. Felix en ik moesten toen snel een welkomstfeest voor hem regelen in een café. We herkenden Sebastian amper: donkerder en rustiger dan voor zijn vertrek en kortharig als een hazewind. Hij bestelde het ene drankje na het andere, dat hij efficiënt achteroversloeg; de manier waarop hij het aanpakte en zich voordeed als zijn oude ik had bijna iets ernstigs.

'Als je een tv-serie zou moeten maken, waar zou die dan over gaan?' vroeg hij aan ons. Zulke vragen stelde hij ook toen hij die zomer bij ons logeerde, en ik zag in waarom: hij wilde de warmte en het licht terug, het met zijn hand afschermen als bij een brandende lucifer.

Theo klapte in haar handen. 'Over dieren die kunnen zingen.'

Sebastian zei: 'Ik zou de mijne *Salt & Pepper* noemen. Het zou over Jason Salt gaan, een veearts op het platteland die een bijbaantje als detective heeft, en zijn assistente, Judy Pepper. Ik zou er een fel realistisch drama van maken. Aan het einde van de kerstspecial gaat Judy dood. Geschept door een maaidorser.'

'Mag er een zingend varken in?' vroeg Theo.

'Ja,' zei Sebastian grootmoedig. Het was me opgevallen dat hij Theo met dezelfde plagend-omzichtige eerbied behandelde als daarvoor. Hij keek naar haar als zij een andere kant op keek, posteerde zich voor mensen die tegen haar op dreigden te botsen. Theo had niets in de gaten en danste lachend rond met het zijden shawltje en de zilveren armbanden die hij voor haar had gekocht.

Ik was moe van mijn werk en ging als eerste terug naar mijn appartement, waar ik met een koffie in de bleke lichtcirkel van een lamp zat en me afvroeg of ik Antonia zou bellen. Uiteindelijk legde ik de telefoon neer en viel in een diepe, onbevredigende slaap.

Ik werd wakker van Sebastian die me riep en op mijn slaapkamerdeur bonsde. Hij ondersteunde Theo die in zijn armen hing alsof ze sliep. Haar haar plakte aan haar gezicht en haar ogen waren slechts half te zien onder de hangende oogleden. Haar huid, bleek en glanzend, had een ongezonde uitstraling.

'Volgens mij heeft ze te veel pillen geslikt,' zei hij met een angstig gezicht. 'Net praatte ze nog maar nu komt er geen woord meer uit.'

Theo sloeg opeens haar ogen open en maakte ons aan het schrikken. Ze klampte zich vast aan Sebastians schouders.

'Doe de deur open!' zei ze. Haar stem klonk hoog en afgeknepen. 'De deur is dicht. Ik kan ze horen. Wat zeggen ze?'

'De deur is open,' zei ik.

'Nee... die deur,' zei ze, en ze wees ongeduldig naar de kale muur. We moeten de deur in de gaten houden. Ze praten over de geest.'

'Was jij erbij toen ze die pillen nam?' zei ik boos tegen Sebastian. Ik wilde dat ze op de bank ging zitten maar ze weigerde. Ze verstijfde en zette zich schrap. Ik gaf het op en liet haar staan. Ze bleef argwanend naar de muur staren.

'Ik had geen idee! Haar vrienden kwamen langs. Ik wist niet eens waar ze naartoe was gegaan. Maar ik heb nog nooit iemand zo zien reageren op een paar pillen. Ze moet nog iets anders gehad hebben. Maar volgens hen had ze alleen een paar pillen en wat wiet gehad.'

'Ze moet naar het ziekenhuis,' zei ik.

'Nee!' riep Theo uit. We moesten de buren gewekt hebben, want er bonsde iemand op de muur, op de plek waarnaar Theo even daarvoor had gestaard. Ze deinsde achteruit.

'Als we haar naar het ziekenhuis brengen, komt het in de krant,' merkte Sebastian op.

'Ja.' Ik dacht aan Eve. 'Shit!'

'Het is waarschijnlijk lsd. Ze kalmeert wel weer,' opperde hij.

'Maar als het erger wordt?'

'Dan kunnen we altijd nog naar het ziekenhuis.'

'Ik wil niet naar het ziekenhuis,' mompelde Theo. 'Ik wil niet weg. Ik wil daar niet terechtkomen. Ik krijg mijn ogen niet dicht.'

'Dan zou ik maar een beetje kalmeren als ik jou was,' zei ik scherp.

Mijn opmerking leek meteen het gewenste effect te hebben. Ze ging zitten en hield haar mond. Sebastian haalde een glas water voor haar en we zorgden dat ze rechtop televisie ging kijken. Ze wilde per se dat we een tuinprogramma opzetten. We bleven alle drie op en keken naar een vrouw die over een vreemd, blauwachtig gazon kuierde en over bamboe praatte tot Theo een enigszins heldere indruk maakte.

'Het is halftien. Ik ga naar bed,' zei ik. Ik wreef met mijn koude vingers in mijn ogen. Ik wist niet of ik zou kunnen slapen; ik was moe maar alert en akelig helder in mijn hoofd.

'Het spijt me,' zei Theo, en ze begon te huilen. 'Ik had jullie niet tot last willen zijn.'

'Ik heb me er niet mee willen bemoeien, maar je moet nu echt stoppen met die drugs, Theo,' zei ik streng. 'Je kunt er niet mee omgaan. Je gaat altijd te ver, met alles. Beloof me dat je niets meer zult gebruiken.'

'Dat beloof ik,' zei Theo snel. 'Dat beloof ik echt.'

'Oké,' zei ik. Ik stond op. Ik liet haar achter met Sebastian. Haar hoofd rustte op zijn schouder, zijn hand streelde over haar klamme haar. Ik ging naar bed en lag met mijn ogen dicht te wachten tot de lome mist van de slaap op me zou neerdalen, maar toen mijn gedachten eindelijk beneveld raakten, waren het de gedachten van iemand anders – die van Theo – als oude kleren die niet meer pasten, ongemakkelijk maar vertrouwd. Mijn laatste gedachte was een herinnering aan een geheime vijver op Evendon, het water ondoorzichtig als een zwaar metaal, trillend in de nachtelijke wind.

De volgende ochtend, toen Theo en Sebastian vertrokken waren, lukte het me niet me te concentreren op mijn werk. In plaats daarvan zette ik de televisie aan, maar ook daar kon ik mijn aandacht niet bij houden. Ik vroeg me af of ik misschien een borrel moest nemen, maar halverwege mijn wandeling naar de slijterij moest ik aan Alicia denken en keerde ik op mijn schreden terug. Tegen de tijd dat ik terug bij mijn appartement kwam, hing er een ravenzwarte duisternis boven Londen die dreigend afstak tegen het geel van de straatlantaarns en de witte gloed van de winkels. Eenmaal binnen deed ik het licht aan en keek verbaasd naar mijn bleke, blauwachtige handen toen ik aan het werk probeerde te gaan en mijn handen rusteloos over het toetsenbord van mijn computer liet glijden.

Hoe laat was het in Frankrijk? Maria zou inmiddels thuis zijn, in haar appartement, en met een kop koffie zitten te genieten van de zondagsrust. Ik aarzelde maar besloot haar toch te bellen.

'Jonathan, hoi!' zei ze toen ze opnam. Ik hoorde muziek op de achtergrond, en stemmen. Iemand lachte kort en hoog, als een ekster. 'Wat een verrassing. Hoe is het?'

'Sorry, bel ik ongelegen? Heb je het druk?' vroeg ik.

'Wat? O, nee hoor, geen probleem.'

'Ik belde alleen om even... nou ja, omdat ik misschien gauw een keer voor zaken in Parijs moet zijn. Daarom bel ik even.'

'Voor zaken?' zei ze. 'Ben je bezig met een ontwerp voor iets in Parijs? Wat leuk!'

'Het is nog niet definitief, dus ik zal je er nu niet mee lastigvallen. Ik bel een andere keer wel terug. Als het doorgaat, hoop ik dat we een keer kunnen afspreken,' zei ik. Ik probeerde een einde aan het gesprek te maken voordat mijn leugen te ingewikkeld werd.

Het geluid aan de andere kant van de lijn klonk verder weg, alsof Maria de kamer uit was gelopen. 'Jonathan, is er iets?' vroeg ze. 'Je klinkt anders dan ik van je gewend ben.'

'Nee hoor. Ik ben een beetje verkouden.'

'Ach, wat vervelend... Arme ziel.'

Het was even stil, en toen zei ze: 'Nou ja, laat maar weten wanneer je naar Frankrijk komt. Dat zou leuk zijn.' We namen afscheid en hingen op. Ik staarde weer naar mijn werk en vroeg me af hoe ik een opdracht in Frankrijk kon regelen. Ik voelde me nog ellendiger – en ontevredener – dan voor het telefoontje.

Eve, die een maand in Amerika was geweest, belde me om te zeggen dat ze thuis was en Theo en mij wilde uitnodigen om het weekend naar Evendon te komen.

'Alleen familie,' zei ze, waaruit ik begreep dat we met zijn vieren zouden zijn. Aan Alex' aanwezigheid bij familiebijeenkomsten was eerder dat jaar een einde gekomen na een ruzie met Eve. Ik was erbij. Ik zat samen met een soezende Alicia in de gouden salon toen ik Alex' hoge, boze stem aan de andere kant van de deur hoorde weergalmen in de hal, als die van een koorjongen.

'Nee, dat heb je niet gedaan,' zei hij boos. 'Laten we nu voor eens en altijd de waarheid spreken!'

Eves stem was te zacht om hem te horen. Er viel een stilte. Toen zei Alex: 'Ja, maar dat komt door jou. En nu doe je hetzelfde met hen.' De voordeur werd dichtgesmeten, en dat was het laatste wat we van hem hoorden. Eve sprak niet meer over hem, en het was voor iedereen duidelijk dat het deze keer niet meer goed zou komen. Ikzelf sprak ook niet meer over de ruzie, omdat ik het vage gevoel had dat het beter was als Alex wegbleef. Ik proefde in zijn timide vijandigheid een vorm van agressie; zijn rancune tegenover Eve kon onze familie schaden, waarvan de leden zich tot elkaar verhielden als een uitgebalanceerde stelling op een schaakbord en niet bewogen zolang niemand ze aanraakte, bevroren in de vreemde, aantrekkelijke rust van Evendon.

Theo en ik reden laat in de avond naar Wales, zodat iedereen al naar bed zou zijn tegen de tijd dat we aankwamen. Ik ergerde me aan Theo: toen ik haar bij haar appartement kwam ophalen lag ze nog snurkend op bed met een kattenneus en -snor op haar gezicht van eyeliner en een rij lege flessen om haar bed. Een tot as opgebrande sigaret lag in de asbak naast haar hoofd. Ik schudde haar wakker en vond wat kleren, die ze inpakte voor het weekend.

'Sorry, Jonathan,' mompelde ze. Ze moest haar best doen zich op mij te concentreren. 'Ik ben gister de stad in geweest. Ik wilde afscheid nemen van Sebastian.'

Theo was uit haar doen omdat Sebastian weer naar India zou gaan om les te geven. Ze begreep niet waarom hij terug naar huis was gekomen om maar een paar weken te blijven om af te studeren en vervolgens meteen weer regelingen te treffen om te vertrekken. Ze vatte het persoonlijk op en wilde proberen een betere vriendin te zijn, maakte foto's voor hem en kocht cadeautjes, alsof Sebastian een zwerfhond was die ze met lekkers aan zich kon binden. Maar ik kon aan hem merken dat het juist de vriendschap met Theo was die hem kwelde; hij moest zichzelf beschermen tegen Engeland, de plek waar niet van hem werd gehouden.

'Misschien kan ik met hem meegaan,' zei ze hoopvol toen we eenmaal in de auto zaten. 'Misschien begrijpt Eve dat het deze keer geen bevlieging van me is en leent ze me geld voor de reis. Of wil jij me wat lenen?'

'Sorry, Theo, maar je kunt je leningen nu al niet terugbetalen. Ik krijg nog geld van je. Bovendien heb je een baan hier,' zei ik.

'Nee hoor. Ik kan niet meer terug naar de galerie.'

'Waarom niet?'

'Ze hebben me de laan uit gestuurd. Ze zeiden dat ze mijn verkoopstijl nogal "ongewoon" vonden en dat ze het niet prettig vonden dat ik er niet altijd was. Maar er was bijna niks te doen voor mij, dus dan ging ik maar weer naar huis. Toen hebben ze Eve gebeld en gezegd dat ik niet meer hoefde te komen. Nu zal ze wel weer een ander baantje voor me zoeken...' Theo speelde bedachtzaam met haar aansteker. 'Ze vindt het volgens mij prettiger als ik iets doe.'

'Daar gaat het niet om, Theo,' zei ik.

'Het waren rare lui daar bij die galerie,' zei Theo. 'Ik vroeg hoe ze wisten wat hun kunst moest kosten. Ze zeiden dat de prijs wordt bepaald door wat mensen bereid zijn ervoor te geven. Toen klanten een schilderij wilden kopen waar geen prijs op stond, vroeg ik wat ze ervoor zouden willen betalen en rekende ik hun dat. Vervolgens deden ze daar dus moeilijk over.'

Ik schoot in de lach.

'Ik vind trouwens dat alle kunst gratis zou moeten zijn,' zei Theo. Ze leunde met haar hoofd tegen de steun en geeuwde. 'Vind je ook niet?'

'Inderdaad,' zei ik. 'Zolang hetgeen ik doe maar niet onder kunst valt.'

'O, nee hoor,' zei ze, waar ik om moest glimlachen, maar ze had haar ogen al dicht. Ze sliep de rest van de rit. De lantaarnpalen gleden met strakke regelmaat langs me heen, de afstandsborden tot de volgende parkeerplaats tekenden zich af tegen de duisternis waarna de autoweg almaar smaller werd, totdat we uiteindelijk de donkere oprit van Evendon bereikten.

Het huis was donker en stil toen we naar binnen gingen, met alleen een brandende lamp naast de voordeur, als een dwaallicht. Ik liep tussen de twee pilaren door de trap op en voelde de koele lucht op me neerdalen, de vertrouwde geur van het huis. Ik maakte geen licht; ik zag mijn contouren in het zwakke licht dat door de ramen kwam, mijn voeten wisten hoeveel stappen ze moesten zetten. Theo en ik liepen als slaapwandelaars naar onze kamers, het vertrouwde spoor van onze dromen volgend.

De volgende dag na de lunch brachten Eve en ik een paar uur samen door terwijl Theo met de dienstmeisjes naar de plaatselijke pub ging.

'Is dat nu wel zo'n goed idee?' zei Eve. 'Het zijn tenslotte wel werknemers.'

'Dat heb ik ook tegen haar gezegd.'

Eve schudde haar hoofd. 'Ik snap niet dat je zus zin heeft in al die dorpsroddels.'

'Misschien hoort ze wel iets over onze familie,' grapte ik, maar ze fronste. Er viel een korte stilte. Ik herinnerde me ineens vaag die dag bij de vijver een aantal jaren geleden: Theo's onduidelijke verhaal over onze vader, de koude oestergeur van het water. Ik kreeg weer datzelfde onrustige, misselijkmakende gevoel en merkte dat ik met mijn been wipte en dat mijn vingers van het oortje van mijn theekopje gleden.

'Over dorpsroddels gesproken,' zei ik, mijn kopje neerzettend. 'Ik sprak Maria's vader een paar maanden geleden. Hij had het nog over Alicia's bruiloft.'

Eve keek me verbaasd aan; haar wenkbrauwen gingen omhoog als toneelgordijnen zodat haar ogen in al hun kracht te zien waren, zwart op wit in zwart. 'Ik was vergeten dat hij ook op de bruiloft was,' zei ze luchtig. 'Wat zei hij?'

'Hij zei dat het een vervelende toestand was.'

'Je vaders dood?'

'Nee... het huwelijk. Hij wist niets van zijn dood.'

'Wat vreemd,' zei Eve. Ze keek me nieuwsgierig aan, haar wenkbrauwen nog steeds opgetrokken, alsof ze wilde zeggen: 'En?'

'Hij had het over een voogdijzaak,' zei ik.

'Lieverd,' zei Eve, 'het huwelijk van je ouders was allesbehalve gelukkig. Wil je dat echt allemaal weten?'

Iets in haar strakke mond en strenge maar kalme blik bracht me van mijn stuk, alsof ik elk moment haar afkeuring over me kon afroepen. Ik voelde me op een koude grens stuiten, alsof ik in water stapte; de eerste schok op de huid.

'De grote lijnen dan,' zei ik.

Na een korte stilte zei Eve: 'Het huwelijk heeft amper een jaar standgehouden. Het spijt me het te moeten zeggen, Jonathan, maar Michael was een moeilijke man. Hij was depressief, verbitterd, en hij dronk te veel. Het lukte hem maar niet zich los te maken van zijn verleden. Hij was geadopteerd en zijn ouders waren overleden. Hij heeft je moeder tijdens een vakantie ontmoet in een café. Ik maakte me zorgen over zijn bedoelingen, maar hij kwam over als een aardige man en werkte als fotograaf terwijl toen al duidelijk was dat Alicia zelf weinig ambitieus was. Ze waren in het begin zeker gelukkig.'

'Wat gebeurde er daarna?' vroeg ik.

Eve keek nadenkend in haar theekopje, alsof ze een zigeunerin was die koffiedik keek. 'De scheiding verliep niet soepel. Je vader probeerde de volledige voogdij over Theo en jou te krijgen omdat Alicia niet geschikt zou zijn als ouder. Daar had hij misschien gelijk in, maar dat was hij zelf ook niet. Na verloop van tijd besefte hij dat waarschijnlijk zelf ook en heeft hij de aanvraag ingetrokken. Ik heb hem gezegd dat hij jullie kan zien wanneer hij wil, maar hij wekte de indruk alleen genoegen te nemen met de volledige voogdij. Daarna is hij gewoon verdwenen. Dat was het laatste wat we van hem hoorden, totdat we bericht kregen van zijn overlijden, in Australië. Hij schijnt te zijn omgekomen bij een ongeluk op een kruising.'

'Wat een lapzwans,' zei ik. 'Hij wilde de voogdij dus alleen maar voor het geld.'

'Het spijt me, Jonathan,' zei Eve. 'Ik had jullie de details willen besparen. Maar ik ken natuurlijk niet het hele verhaal. Ik wil geen conclusies trekken over geld, hoewel hij er financieel wel een slaatje uit zal hebben willen slaan…'

Ik knikte. Het onderwerp vermoeide me nu al. Mijn nieuwsgierigheid was opgevlamd en gedoofd, als een oude aansteker die ik aarzelend had uitgeprobeerd. Ook de onrust was uit mijn lijf weggetrokken, alsof die er nooit was geweest. Toen Eve over mijn vader vertelde, had ik het gevoel dat het over een vreemde ging; het zei me net zo weinig als de monologen van mevrouw Williams.

'O,' zei ik. 'Dat lijkt me nogal... zinloos.'

'Het klinkt misschien egoïstisch, maar voor mij heeft het goed uitgepakt,' zei Eve. 'Ik was politiek zeer actief toen Alex en Alicia opgroeiden, en ik had het druk met de hotels toen Theo en jij klein waren. De "crisis" van je moeder' (ze sprak het woord 'crisis' uit met de fijngevoeligheid van een dame die een dode muis oppakt) 'was natuurlijk vreselijk, maar het is voor mij wel de aanleiding geweest om terug te keren naar huis. Toen ik eenmaal hier was en Theo en jou beter leerde kennen, besefte ik dat ik een rol in jullie opvoeding kon spelen. Het was voor mij in wezen een tweede kans op ouderschap.'

'Ik ben blij dat je voor ons bent komen zorgen,' zei ik. Ze glimlachte naar me, weer liefdevol nu, alsof haar magnetisch veld, dat even wat minder krachtig was geweest, weer op volle sterkte was.

'Ik herinner me nog dat ik jou voor het eerst zag in de hal. Je was ernstig, maar tegelijk ook kalm en onbewogen, terwijl je toen pas acht was en je moeder opgenomen was geweest. Ik zag mezelf in jou, zo jong als je was had je al geleerd zelfstandig te zijn. Sindsdien heeft het me vaak verbaasd hoezeer wij op elkaar lijken.'

'Dat is een groot compliment,' zei ik ontroerd. 'Hoewel ik niet weet of ik dat wel verdien.'

'Onzin,' riep Eve uit. Ze werd weer serieus. Ze boog zich naar me toe en liet haar ogen onderzoekend over mijn gezicht gaan. 'Het spijt me dat ik je niks beters over je vader te vertellen heb. Ik hoop dat je er niet te lang bij stil blijft staan, Jonathan. Ik heb er nooit het nut van ingezien te blijven piekeren over mijn "afkomst". Dan weiger je in feite om datgene wat voorbij is los te laten. Wat voor goeds kan het verleden de levenden brengen?'

'Zo denk ik er ook over,' zei ik snel, en ze glimlachte naar me.

Maar diep vanbinnen, geruisloos als een vinger die in fluweelzacht mos wordt gedrukt, verscheen de vorm, hoe vaag ook, van een andere vraag, die ik niet stelde. Wat voor slechts kan het verleden de levenden brengen?

Ik wachtte tot de avond op Theo's terugkomst uit de pub. Ik keek de krant door in de zitkamer bij het licht van de lampen en luisterde naar het krassen van de overhangende clematis tegen het raam. Ik dommelde steeds even weg, schrok weer wakker van het gekras en dommelde dan weer in.

Uiteindelijk hoorde ik haar de hal binnen komen, haar snelle voetstappen echoënd als die van een kind in een trollengrot.

'Theo!' riep ik.

Ze keek om de hoek van de deur, glimlachte opgelucht en kwam binnen. Ze rook naar alcohol en verschaalde sigarettenrook, maar haar ogen stonden helder en haar gezicht was rood van de kou. Ze kwam naast me zitten en legde haar hoofd op mijn schouder.

'Waarom ben je nog wakker?' vroeg ze.

'Ik zat nog een beetje de krant te lezen,' zei ik. 'Was het gezellig?'

'Ja, heel gezellig,' zei ze, en ze begon aan een grap die de barman had verteld, maar was de clou vergeten. 'Hè, jakkes. Wacht, ik herinner het me zo wel weer.'

'Ik geloof dat ik hem al ken.'

Theo zuchtte. Ze was al met haar gedachten bij iets anders. 'Weet je nog dat we vroeger altijd naar die geheime vijver gingen?' vroeg ze. 'En dat mevrouw Williams zei dat het daar spookte?'

'Daarmee wilde ze gewoon voorkomen dat wij daar gingen spelen. Jij vond het doodeng. Waarschijnlijk verzon ze ook dat Eve er ooit in is gevallen.'

'Nee hoor, dat heb ik al eens aan Eve gevraagd. Ze zei dat ze vroeger inderdaad in de vijver is gevallen,' zei Theo. 'Ze kon het zich nog heel goed herinneren. Ze waren een spelletje aan het doen – verstoppertje of zo – en ze wilde zich voor George verstoppen. Toen is ze uitgegleden en bijna verdronken.'

'Misschien maar goed ook dat we daar niet meer mochten spelen,' zei ik geamuseerd. 'Heeft mevrouw Williams toch nog iets goeds gedaan.'

'Ja,' zei Theo. 'Ik vind het nog steeds eng bij die vijver. Het bos is er pikdonker.'

Ik keek uit het raam naar de vage silhouetten van de tuin. De wazige boomvormen wierpen langgerekte schaduwen op het gazon, alsof de zwarte wolkenkrabbers aan het afbrokkelen waren en gaten vormden die het gras opslokten.

'Kom op,' zei ik toen ik Theo's sombere gezicht zag. Ik gaf haar een klopje op haar hoofd. Ik wist niet waarom ze zich altijd richtte op de nare en ontbrekende dingen uit het verleden en zich verloor in dromerijen waarin ze terugkeerde naar haar vroegere slaapkamer, naar een kinderfeestje in haar witte jurk of naar haar plekje onder de eettafel vanwaar ze de schoenenparade gadesloeg. Geen wonder dat ze zich niet kon concentreren.

'Het is al laat,' zei ik, en ik stond op. 'We kunnen beter gaan slapen.'

Maar toen ik in bed lag, merkte ik dat ik haar bange, sombere stemming niet van me kon afschudden. Haar huiveringen bleven aan me kleven en ik had rare dromen. Ik herinnerde me er maar flarden van, als een gezonken schip dat vaag zichtbaar is het donkere water. De trap die voor me lag en plotseling onder mijn voeten verdween. Spooklicht, dat onder de kier van de slaapkamerdeur door viel, alsof iedereen in huis wakker was. Het gezicht van Maria's vader, dat 'die vervelende toestand' zei, zijn oude, knoestige handen om een glaasje port geklemd. Ik staarde naar de handen, die me monsterlijk voorkwamen. Ten slotte zag ik Eve. Ze stond onder me en ik zag haar schaduw uit haar vloeien, over de flagstones.

Ik werd badend in het zweet wakker, met mijn benen verstrikt in de lakens, als een zeemeermin. Ik klemde mijn armen om het kussen op mijn hoofd en het duurde even voordat ik besefte wat er op mijn gezicht drukte, en nog langer voordat ik mijn armen en handen kon ontspannen en het kussen kon loslaten.

Toen ik weer in slaap viel, droomde ik van Maria, maar het was geen fijne droom. Ze stond op het dek van een schip dat van me af voer. Haar lippen bewogen en ze glimlachte, maar ik hoorde geen geluiden, behalve het geklots van het water en het ruisen van de wind. Ze werd blauwachtig, koud en vaag, en uiteindelijk loste ze op in de heiige overgang tussen zee en lucht, het verdwijnpunt.

Dertien

In de loop van de wintermaanden, terwijl de kerstglitter en -glamour de winkels en straten vulde, werd Antonia almaar stiller en afstandelijker. Haar humor, die altijd al een sarcastische ondertoon had gehad, was niet langer subtiel; ze kon de bijtende spot niet voor zich houden. Soms kwam ze niet opdagen of vergat ze me te bellen. Ze flirtte met andere jongens in mijn bijzijn, haar mond strak en onverbiddelijk als een soldaat. Ik dacht aan de uren dat we vrijden in bed en ze me naderhand verhalen over wederzijdse bekenden vertelde om me aan het lachen te maken. Ik besefte dat ze toen gelukkig was geweest, stralend en gewichtsloos, maar dat die gevoelens verdwenen waren. Ik wist niet waarom haar houding veranderd was. Ikzelf was niet veranderd, maar het leek alsof haar omgang met mij haar gaandeweg had bedrukt, haar hard en ondoordringbaar had gemaakt, als sedimentair gesteente, samengeperst onder de zeebodem.

Ik wist niet wat ik van het vooruitzicht van onze breuk vond. De term 'breuk' veronderstelde dat er zoiets als cohesie bestond, een structuur die kon worden verbroken, maar onze relatie was nooit structureel geweest. Dat was tenminste wat ik tegen Felix zei. Voor mezelf moest ik tot mijn schaamte bekennen dat het idee van een breuk met Antonia – de onontkoombaarheid ervan – zijn bekoring had; open als de zee, leeg in de duisternis... en dan het licht, hoog op de kustrand. Ik wilde weten wat Maria zou zeggen als ze vroeg:

'Hoe is het met je vriendin?' en dat ik haar dan ernstig kon toevertrouwen: 'O, we zijn uit elkaar.'

En hoewel ik al wekenlang tijdens onze vele ruzies verwachtte dat ze met me zou breken, gebeurde het toch onverwacht en had het zelfs iets stiekems. De breuk kwam aan het einde van een ruzie die me nogal doorsnee had geleken omdat ik door onze vorige ruzies onterecht het gevoel had gekregen dat ik wist hoe ze verliepen. Maar toen zei ze ineens met vertrokken mond: 'Ik heb iemand anders. Al een tijdje.' Ze keek me gespannen aan: onzeker maar ook triomfantelijk.

Ik had al zo'n voorgevoel, maar zei: 'O', omdat ik haar niet op de kast wilde jagen. Ik zag het einde tussen ons voor me, nieuw en glanzend als gesmolten glas; ik wilde de hitte wegnemen, het laten afkoelen en uitharden in zijn nieuwe vorm.

'Nou, veel geluk dan samen,' zei ik beleefd. 'Ik neem aan dat je het me vertelt omdat je met hem verder wilt.'

Ze deed een stap achteruit. De uitdrukking in haar donkere, vochtige ogen kende ik niet van haar. Ze had een boze, trillende glans in haar ogen. Ik schrok van haar tranen, haar lippen, die lichter en roder waren geworden, als verwelkte klaproosblaadjes.

'Wat ben je toch een kouwe kikker,' zei ze kalm, en ze mompelde nog iets, maar deed er toen het zwijgen toe. Ze wendde haar gezicht af en liep de deur uit. Ik keek haar na met mijn hand op de klink, totdat ik besefte dat het geen zin had daar te blijven staan en weer naar binnen ging.

Het Britton-huis dat Felix en ik hadden ontworpen werd in 2007 genomineerd voor de RIBA-prijs. Het huis was volledig in wit uitgevoerd en leek vanaf de zijkant op een eenvoudige trap. Aan de voorzijde van het gebouw liep een tweede trap omhoog naar een deur die in een glazen wand leek te zweven, als een illustratie uit *Alice in Wonderland*. Britton had zijn neus al gebroken omdat hij over de drempel was gestruikeld, maar hij bleef volhouden dat hij zeer te spreken was over het huis. 'Ik heb een dubbele pagina in de krant gehaald. Wíj hebben een dubbele pagina in de krant gehaald. Goed gedaan, jongens.'

Ik was aan een nieuw project begonnen: een huis dat eruit zou gaan zien als een simpel blok van witte steen, met een zwart dak dat deed denken aan een scheefgezakte hoge hoed. Het pand was rondom versierd met een strook ramen, met daaronder muren van zwart graniet. Ik had het zelf ontworpen, waarbij ik doelbewust discrete, strakke lijnen had nagestreefd. Geen enkel element stak uit en ik had nergens water bij de wijn gedaan. (Nadat de klant het ontwerp had gezien, sprak hij van het Panda-pand, waar ik me aan ergerde, vooral toen de naam aansloeg op mijn kantoor.)

Ik had verwacht dat ik in mijn carrière op een aantal moeilijk te nemen hindernissen zou stuiten, maar ik was soepel stroomopwaarts geslalomd, als een zalm, met hier en daar een sprong die goed had uitgepakt. Als mijn naam in de pers verscheen, werd er meestal het etiket 'wonderkind' op geplakt. Ik werkte hard zonder erbij te hoeven nadenken of mezelf te hoeven motiveren. Integendeel, ik vond het moeilijk om met het werk te stoppen. Toen ik dat tegen Eve zei, lachte ze en zei dat dát de waardevolste eigenschap was die ik van haar had geërfd.

Maar toch... Ik vertelde haar niet over de slechte dagen, over de middagen dat ik op kantoor zat en het gevoel had dat ik maar voor de helft aanwezig was, dat mijn hand maar voor de helft bewoog. Soms had ik zin om Theo te bellen om haar te vragen wat ze van mijn ontwerpen vond, hoewel ik al bij voorbaat wist dat ze er niets van zou begrijpen. (Ik zag haar in gedachten met een frons en opengezakte mond in mijn kantoorkamer zitten terwijl ze spelend met haar haar naar woorden zocht.)

Ik kon me steeds moeilijker concentreren op de toekomst, die me voorheen zo opwindend had geleken: mijn werk, met zijn chromen functionaliteit, domineerde de skyline en gaf saaie straten een nieuw gezicht. Ik keek naar buiten, waar de Londense wolken een koele glans over de stad wierpen. Ik was bang dat ik niet sterk genoeg was en dat er iets in mijn binnenste was dat me zou afremmen. Eve had vijftig jaar geleden ook zo in Londen gestaan, standvastig en ambitieus, en moest je nu zien, een Charis in Belgravia, een Charis in Bloomsbury, Marylebone, Soho. Ze had door haar raam naar de grijstinten in de lucht gekeken en een stad gezien die ze wilde veroveren. Ik keek naar buiten en zag een regenbui boven zee, het beeld van een gehavende nimf, de schittering in een raam in de verte.

Soms vroeg ik me af of ik niet een tijdje weg moest gaan, naar een afgelegen plek, hoewel ik betwijfelde of dat zin had. Ik wilde mezelf niet vinden; ik kende mezelf al. Ik kon niemand anders zijn dan Jonathan Anthony, in mijn Londense toren werkend aan eeuwige roem.

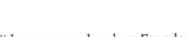

Tijdens een weekend op Evendon (deze familiebijeenkomsten waren steeds zeldzamer geworden, maar niettemin reed ik nog altijd om de zoveel maanden met een mopperende Theo naar Wales) zat Eve aan de ontbijttafel de kranten te lezen die haar die ochtend waren gebracht. Terwijl ze een van de kranten – een roddelblad – aan het doorbladeren was, stopte ze ineens en klapte hem fronsend open. Haar hand bewoog automatisch naar haar mobiele telefoon, maar ze liet hem toch weer los. Over de tafel las ik de omgekeerde krantenkop – Nieuw licht op moord president – en zag ik twee foto': een van Eve en Sam Anthony op hun huwelijksdag en een grotere foto van Eve in een baljurk, in gesprek met JFK.

Eve sloeg de bladzijde om, las – nog altijd met een frons – het artikel uit en begon toen weer van voor af aan. Ik keek naar Theo. Ze zat met haar ene hand in haar haar terwijl ze met de andere boter op een snee toast smeerde en leek niets te merken van de stilte die zich naast haar aan het opbouwen was. Terwijl ik naar Theo keek, viel me op dat ze de gewoonte had ontwikkeld om plotseling op te kijken, alsof iemand iets had gezegd, iemand die niet eens aan de tafel zat maar ergens daarachter. Een nieuwe tic voor de verzameling. Alicia staarde uit het raam. Ik besloot te doen of ik een van de bijlagen aan het lezen was. Niemand zei iets tegen Eve, die de krant dichtsloeg en roerloos bleef zitten, alsof ze diep in gedachten was.

'Oké,' zei ze na een paar minuten. 'Het spijt me, maar ik moet ervandoor. Ik moet een paar afspraken afzeggen.'

'Afspraken afzeggen,' zei Theo ineens. 'Wat klinkt dat raar, twee woorden met "af" achter elkaar. Als je af...'

'Zo is het wel genoeg, Theo,' snauwde Eve. Ze pakte haar telefoon op en verliet de kamer. Er viel een korte stilte. Theo keek bedenkelijk. Alicia staarde nog altijd uit het raam. Op dat moment voelde ik een duister soort bewondering voor Alicia: ze was er in de loop der jaren zo goed in geslaagd zich los te maken van haar lichaam dat ze bijna iets spiritueels over zich had. Als Eve sprak, vertrok Alicia geen spier. Ze staarde gewoon de tuin in, haar zeemeerminnengezicht bleek en onaards in het felle licht.

Zodra het geluid van Eves tikkende hakken op het marmer in de hal was weggestorven, pakte ik de krant en sloeg hem open op de pagina van het artikel.

... Maar onder de glamour en het charisma van de Democratische elite ging een aantal ranzige geheimen schuil. Niemand zou vermoed hebben dat Eve Nicholson – nog maar net getrouwd met de veelbelovende jonge politicus Freddie Nicholson in 1961 en zich amuserend met de grote JFK – een explosieve affaire met laatstgenoemde had. Dit is echter precies wat Johnny Wymans, die gevangenzat voor het ontvreemden van brieven en documenten uit het huis van Eve Anthony en deze brieven als een van de weinigen heeft gelezen voordat ze in beslag werden genomen door de FBI, heeft beweerd.

'Wat lees je?' vroeg Theo.
'Een vervelend stuk.'
Ik las snel de rest van het artikel.

Eve Anthony's carrière werd altijd vooruitgeholpen door vreemde toevalligheden en onwaarschijnlijke voorvallen; nadelige informatie over haar politieke tegenstanders kwam doorgaans op zeer gunstige momenten naar buiten. De een zal zeggen dat ze onder een gelukkig gesternte is geboren, de ander zal wijzen op haar oud-collega en uiteindelijke echtgenoot, Sam Anthony. Als hoofd van filmstudio SA had Sam Anthony niet alleen connecties met prominente maffiosi, maar was hij ook een van de laatste mensen die Marilyn Monroe voor haar mysterieuze dood in 1962 heeft gezien... Toen Eve Nicholson in 1976 de politiek verliet om naar Los Angeles te verhuizen en met Sam Anthony te trouwen, werd hun huwelijksfeest bezocht door talloze beroemde gasten, onder wie Frank Sinatra, Humphrey Bogart en Elizabeth Taylor, om er maar een paar te noemen. Minder fotogenieke gasten waren Paul Castellano en andere leden van de beruchte misdaadfamilie Gambino...

Er volgden nog meer beschuldigingen, waarmee de suggestie werd gewekt dat het huwelijk van de Anthony's een façade was die in hun beider voordeel was omdat de constructie hun geheimen diende af te schermen. Het artikel suggereerde tevens dat Freddie Nicholson, als vriend van Sam, bewust of onbewust het doelwit van een maffia-aanslag was geworden. Maar omdat Freddies verdronken lijk niet meer als bewijs kon dienen, leunde het artikel zwaar op Wymans, die op de bijgaande foto te zien was in zijn armoedige splitlevelwoning in LA, een man als een versleten, oude leguaan, defensief zijn ogen dichtknijpend tegen de zon.

Theo pakte de krant op en las het artikel. 'Denk je dat Eve boos zal zijn?' vroeg ze.

Eve was boos. Ik zag haar nauwelijks in de dagen na de publicatie van het artikel. Wat ik wel zag, waren de gevolgen van haar acties: het ontslag van de journalist, een ingediende klacht, de rectificatie, het redactioneel commentaar in een kwaliteitskrant over het bedenkelijke peil van de riooljournalistiek. (Van Wymans zelf werd nooit meer iets vernomen en hij overleed niet lang daarna: hij had het verhaal verkocht om de rekeningen te kunnen betalen voor de behandeling van een vraatzuchtige ziekte die zich – uiteindelijk – niet met geld liet afkopen.)

Sam zelf had later die dag naar Evendon gebeld, toen Eve al weg was. Ik nam de telefoon op.

'Schande,' bulderde hij met zijn vette Amerikaanse accent. 'Wat een hoop onzin bij elkaar. Ik weet dat Eve het zelf wel aankan, maar ik wilde toch even bellen. Werkelijk een schande.'

Ik wist niet wat ik moest zeggen. 'Dank u.'

'Maar goed, ik zat dus te denken, waarom komen jullie niet met z'n allen deze kant op? Eve, de kinderen, de kleinkinderen. De hele familie bij elkaar.'

Ik reageerde ontwijkend op zijn voorstel. Eve had me over hun scheiding verteld: 'We beseften dat we niet meer dan vrienden waren. En dat zijn we nog steeds. Sam was daar altijd goed in. Een heel beschaafde man.'

Maar hoe beschaafd Sam ook was, en hoe vriendschappelijk ze ook met elkaar omgingen, ik achtte het niet erg waarschijnlijk dat Eve op de uitnodiging zou ingaan, aangezien ze na de scheiding niet meer bij hem op bezoek was geweest. Zelf was ik wél nieuwsgierig naar hem. Niet vanwege de beschuldigingen aan zijn adres in het artikel – die bijna teleurstellend voorspelbaar waren – maar omdat ik altijd al door hem was gefascineerd, de onbekende zender van cadeaus, de sigaren rokende tycoon die ik me als kleine jongen voorstelde als een grote Italiaan in een mooi pak met een gouden horloge om, en aan elke arm een blondine. Hij was de enige in Eves verhalen die nog een onafhankelijk bestaan had, los van die verhalen, en dat maakte hem interessant voor mij. Bovendien zou ik over een paar weken toch naar Los Angeles gaan om de mogelijkheid van het ontwerpen van een kantoorgebouw te bespreken met een Amerikaanse projectontwikkelaar. Ik besloot dat ik Sam zou opzoeken als ik in Amerika was.

Toen ik Eve vertelde over mijn reis, zei ze dat ze het te druk had om me te vergezellen. 'Het is heel aardig van hem, hoor, maar ik kan niet zomaar op elke gril van hem ingaan. Ik denk ook niet dat het slim is om zo kort na dat belastende artikel naar hem toe te gaan. Straks zien ze er weer een complot in.' Alicia was weer naar haar kuuroord, en Alex' nummer had ik niet. Ik kon me echter niet voorstellen dat een van beiden met me mee zou willen. Alicia had geen enkele belangstelling voor Sam, wat ik op zich niet zo vreemd vond. Soms meende ik echter iets van een wil in haar gebrek aan interesse te bespeuren, alsof de koude mist van haar gereserveerdheid was opgetrokken en haar stenen, ijzige gezicht was onthuld.

Alex was toeschietelijker en lang niet zo vijandig als Alicia waar het hun vroegere stiefvader betrof. Tijdens een van de weinige perioden dat hij niet met Eve gebrouilleerd was, vertelde hij me dat Alicia en hij Sam nauwelijks hadden gekend omdat ze het merendeel van de tijd dat Eve en hij getrouwd waren op internaat zaten. 'Bedenk wel dat hij alleen onze stiefvader was omdat wij deel uitmaakten van de deal. Maar hij was wel heel aardig tegen ons, hoor. Ongetwijfeld een dubieuze figuur, maar een geschikte stiefvader.' Alex en Sam hadden geen contact met elkaar gehouden. 'Waar zouden we het in godsnaam over moeten hebben?' vroeg hij retorisch, met zijn gejaagde lach. (Als Alex lachte, klonk het altijd gejaagd, alsof het geluid zich zo snel mogelijk wilde bevrijden, bang opnieuw te worden gevangen.)

Ik belde Theo om te vragen of ze zin had om mee te gaan, maar ook zij kon niet. 'Mijn nieuwe baan laat het niet toe,' zei ze triest.

'Wat doe je nu dan?' vroeg ik, opgelucht te horen dat ze weer werkte.

'O, ik voer cijfers in op een computer. Best aardig om te doen. Als ik iets fout doe, lijkt niemand dat te merken. Soms vraag ik me af of ze die cijferlijsten niet gewoon verzinnen om me bezig te houden. Of misschien stuurt Eve ze wel, tegelijk met het geld om mijn salaris van te betalen. Geen idee waar die cijfers voor staan. Maar ik krijg geld, en dat zal wel de bedoeling zijn, zodat mijn geld huur en voedsel en kleren wordt, en dan wordt mijn geld het geld van iemand anders, die er dan weer meer huizen, voedsel en kleren van kopen... Ze vinden dat ik al zo goed als parttime werk en daarom mag ik geen vakantiedagen opnemen.'

'Oké,' zei ik, hoewel ik al niet meer echt luisterde. 'Ik zal de groeten van je doen.'

'Kom je morgen ook naar de demonstratie?' vroeg ze. 'Het is voor de mensenrechten.'

'Dat klinkt nogal vaag.'

'Ach ja, ik weet eigenlijk ook niet precies waar het voor is. Maar het gaat om een Chinees bedrijf, meen ik, dat de werknemers in China erg slecht behandelt, dus nu wordt er hier voor hun kantoor geprotesteerd. Al mijn vrienden gaan erheen.'

'Jezus, ga je dáárheen?' zei ik. 'Dat bedrijf gaat het gebouw huren dat ik in Amerika hoop te gaan ontwerpen.'

'Dat meen je niet!' riep Theo uit. 'Hoe los je dat op? Ga je ze zeggen dat je ze niet als huurder wilt?'

'Zo werkt dat niet. Dat kan ik niet maken. Trouwens, de beschuldigingen tegen Tang Beijing zijn helemaal niet bewezen.'

Toen het stil bleef aan de andere kant van de lijn, ging ik in de verdediging. 'Dat wil niet zeggen dat ik dat bedrijf steun. Ik werk niet voor hen. Ik doe niet rechtstreeks zaken met hen. Waarschijnlijk heb ik minder met hen te maken dan het merendeel van de mensen die spullen hebben gekocht in de winkels die ze hier hebben. Waarschijnlijk heb je daar zelf ook wel eens iets gekocht! Jouw geld is nu hun geld.'

'O, nee toch... Dus nu moet ik wel naar de demonstratie om het goed te maken,' zei Theo onzeker. 'Toch?'

'Nee! Dat soort protesten loopt altijd uit de hand, dus je kunt er beter bij uit de buurt blijven.'

'Maar mensen moeten toch weten dat jij niets met dat bedrijf te maken hebt...'

'Maak je nu maar geen zorgen om mij, Theo, alsjeblieft. Oké?'

'Oké,' zei Theo, maar het klonk niet overtuigd.

Toen ik de volgende avond het nieuws aanzette, zag ik haar voor een groep demonstranten staan die van hot naar her stroomde, als

afval dat door een onzichtbaar getij van geschreeuw en veiligheids-
alarm heen en weer werd geworpen. Theo keek in de camera, die
onvast op haar inzoomde. Op haar gezicht lag een verwonderde,
nerveuze uitdrukking en haar ogen waren groter dan anders, met
gitzwarte pupillen. Ze had een vredesteken op haar wang getekend
en iets wat op bloed of rode verf leek op haar arm. Even dacht ik
dat de uitzending live was, totdat ik besefte dat de lucht boven haar
een bleke, heldergrijze middagkleur had.

'Denk je dat dit protest niet te ver doorschiet met al die vernie-
lingen?' riep een verslaggever naar haar.

'O, nee hè,' mompelde ik. Op het scherm verschenen beelden
van gebroken ruiten, tieners met capuchons over hun hoofd, rijen
politie als de spijlen van een donkerblauw hek, en toen weer Theo's
beduusde gezicht. Achter haar stonden een paar van haar vrienden,
onder wie haar sjofele dealer met zijn clownskapsel, die vaag naar
de camera zwaaide en iets riep.

'Ik probeer iets goed te maken, omdat ik waarschijnlijk spullen
van dat bedrijf heb gekocht,' riep Theo ernstig. 'Het is een samenzwering. Een samenzwering die ons spullen laat kopen.'

'Een samenzwering?' vroeg de verslaggever.

'Het was maar een cd,' zei Theo. 'Ik mocht hem niet eens ruilen!
Omdat ze het geld gebruiken om mensen te doden!'

Toen de camera weer inzoomde op Theo's fanatieke gezicht,
sloeg ik mijn handen voor mijn gezicht. Ze vervolgde: 'Maar daar
mogen jullie Jonathan niet de schuld van geven! Hij heeft er niets
mee te maken. Hij wil geen crimineel bedrijf in zijn kantoorgebouw! Hij wil net als ik niet meedoen aan die samenzwering…'

De camera zwenkte naar een demonstrant die tegen een politie-
auto stond te plassen terwijl Theo het beeld uit liep.

'Ze snappen niet wie ze met Jonathan bedoelt,' mompelde ik in
mijn handen.

'En dan nu terug naar de studio,' hoorde ik iemand op de televisie zeggen. Het gegil en lawaai van de actievoerders was ineens weg, alsof iemand een raam dichtdeed. Ik liet mijn handen zakken. Een vrouw in een turkooisblauw jasje die was opgemaakt als een prostituee en een man met geelbruin haar en een geelbruin gezicht bespraken de protestactie met het plezier van mensen die even iets luchtigers mogen verslaan dan de echte misstanden en rampen in de wereld. Op het scherm achter hen danste een naakte man voor een muur van politieschilden.

'Dat was dus Theo Anthony, kleindochter van de gewezen politicus en hotelmagnaat Eve Anthony. Ze verwijst hier uiteraard naar haar broer, de architect Jonathan Anthony, wiens bureau in de race is voor het ontwerpcontract van de Tang-toren in Los Angeles.'

'Zou dit nog gevolgen kunnen hebben voor het architectenbureau?' vroeg de geelbruine figuur met gespeelde verbazing.

'Zonder een officiële verklaring van Anthony & Crosse kunnen we alleen maar speculeren...'

Ik zette de televisie uit en liet opgelucht de stilte van het zwarte scherm op me neerdalen, maar de knoop van woede en angst in mijn maag ontwarde zich en verspreidde zich door mijn armen en benen naar mijn gebalde vuisten en kromme tenen. Toen ging de telefoon. Ik schoot als een speer uit mijn stoel.

'Jonathan?' Theo's stem klonk klein tegen de grote, kale achtergrond. 'Ik ben op het politiebureau. Wil je me komen ophalen?'

Sam woonde in een roze Spaanse villa omringd door palmbomen en een hoog hek dat werd bewaakt door een beveiligingsman die me aanhoorde zonder zijn spiegelende zonnebril af te zetten. Het was heet daar, heet en uitgestrekt, de lucht een zinderend blauw boven rommelige, kale heuvels. Een dienstmeisje deed open en leidde me de plotselinge koelte van een enorme hal met een glanzende tegelvloer in. Ik zag een met witte vloerbedekking beklede trap, witte leren banken, grote glassculpturen, nog meer palmbomen, waardoor het geheel de indruk wekte van een ijspaleis dat men had geprobeerd te verlevendigen met groene planten.

Toen Sam in de hal verscheen, bleek hij tot mijn verrassing in een rolstoel te zitten, hoewel hij zongebruind was en dik als een zeerob. Zijn bijna kale hoofd glansde als een kastanje, zijn vochtig glanzende ogen waren klein en troebel. Toen hij zijn arm optilde om me de hand te schudden, hoorde ik hem zacht kreunen van inspanning.

'Hoe is het?' vroeg hij, maar voordat ik kon antwoorden, vervolgde hij: 'Kijk nou toch eens. Mijn knappe kleinzoon. Je bent lang, hè? Zijn de meisjes gek op je? Ach natuurlijk. Je hebt de ogen van je grootmoeder. Als enige, of niet?'

Ik had foto's van de familie voor hem meegebracht en Sam keek vol bewondering naar Theo. 'Wat een mooie meid. Pas goed op haar. Geen veilige wereld voor vrouwen.'

'Dat is waar,' zei ik. Ik keek met een frons naar de foto en dacht terug aan hoe Theo het politiebureau uit kwam, als een mot in een spijkerjasje, verschrompeld tussen het brutalistische beton van het gebouw, haar make-up uitgelopen. Haar was niets ten laste gelegd, maar ze was door een aardige politieman gewaarschuwd om voortaan beter uit te kijken met wie ze omging. Ze had me niet willen bellen, maar de politie vond het beter dat ze naar huis werd gebracht dan dat ze op straat werd gezet, alsof ze een veertje of paardenbloempluis was die niet eens in staat was de bus te nemen.

'Ik zei toch dat je bij die protestactie uit de buurt moest blijven?' zei ik toen we in de auto zaten.

'Ja, maar ik dacht dat ik iets kon doen…'

'Wat had je trouwens geslikt? Ik dacht dat je van de drugs af was.'

'Ik had helemaal niks geslikt.' Haar ogen werden groot, alsof ze verbaasd was dat ik ernaar vroeg.

'Kom nou, Theo, ik zag die loser van een dealer van je achter je staan. En als je niets gebruikt had, waarom kraamde je dan al die onzin uit? Dat meen ik. En vervolgens noemde je mij ook nog! Weet je wel welke consequenties dat optreden van jou in het nieuws voor mij kan hebben?'

Theo boog haar hoofd en ik zag het zwakke licht in haar ogen trillen en vervolgens uitdoven. Ik was te boos om haar te troosten.

'Dus waar lag het aan? Drugs? Of had je een vlaag van verstandsverbijstering?' vroeg ik, maar ze schudde alleen maar wild met haar hoofd. Ik kreeg geen woord meer over mijn lippen. Haar leugen had ons uit elkaar gedreven en bleef dreigend tussen ons in hangen. Ik kon haar niet volgen, ze was een weg in geslagen die ik niet in wilde. Ik keek roerloos toe terwijl ze huilde en de tranen uit haar ogen veegde met de mouw van haar jas, mijn eigen ogen vol stof van de puinhopen.

Sam bladerde verder door het fotoboek en vroeg naar 'de familie'. Ik wist niet hoeveel hij over Eve wilde horen, maar ik vertelde uiteindelijk toch te veel over haar, om te voorkomen dat ik het over Alex en Alicia moest hebben, over wie ik ook niets wist te vertellen. Sam op zijn beurt leek nogal verbaasd over het feit dat Alex überhaupt bestond, en vroeg verder nauwelijks naar hem. 'Inna-lectual,' zei hij met zijn vette Amerikaanse accent, en de manier waarop hij zijn schouders ophaalde, deed me voor het eerst aan Eve denken. Hij leek ook niet echt geïnteresseerd in Alicia. Ik vertelde geanimeerd dat ze graag in de tuin werkte en dat films kijken een andere hobby van haar was – alsof ik het zwarte schaap van de familie probeerde te verdoezelen in de update op de jaarlijkse kerstkaart – maar hij keek me bevreemd aan toen ik haar naam noemde, alsof hij naar iets zocht in mijn gezicht, waarna hij zijn ogen neersloeg, uitdrukkingsloos, zodat ik geen flauw idee had of hij had gevonden wat hij zocht.

'Ik waardeer het zeer dat je me bent komen opzoeken,' zei hij ten slotte. 'Je hoefde hier niet in de buurt te zijn, wel?'

'Nee,' zei ik. Na de media-aandacht die aan de demonstratie was gegeven, had Anthony & Crosse een brief van de Amerikaanse projectontwikkelaar ontvangen waarin ons te kennen was gegeven dat we niet zouden worden uitgenodigd voor de selectieprocedure voor het ontwerp van de Tang-toren, aangezien de kwestie nogal gevoelig lag. 'Maar we werken op het moment aan een paar andere opdrachten, maar daar kan ik uiteraard nog niet al te veel over zeggen.'

'*That's the spirit*,' zei Sam, alsof mijn antwoord gemeend was en geen glad smoesje dat ik speciaal voor dit soort gesprekken had bedacht.

Mijn werk verliep steeds moeizamer. Ging het voorheen van een leien dakje, nu vloog het alle kanten op, raakte verstrikt en moest weer worden ontward. Mijn persoonlijke assistente lag in scheiding en begon fouten te maken die ik moest herstellen. Ze zat regelmatig zachtjes huilend achter haar bureau en ik voelde me niet in staat om haar aan te spreken op haar gebrek aan professionaliteit. Vervolgens kwam een groot restaurantproject in Duitsland, waar Felix en ik aan zouden beginnen, op de plank te liggen toen de klant in hechtenis werd genomen op verdenking van de moord op zijn vrouw. Felix werkte onafhankelijk van mij aan enkele duurzame appartementen en stelde voor dat ik hem daarmee zou helpen, maar het was maar een klein project en ik had het gevoel dat ik hem alleen maar voor de voeten zou lopen.

Sam leidde me rond door zijn huis, wat neerkwam op het bekijken van nog meer luxueuze, witte ruimten. Hij leek zich het meest thuis te voelen in de grote privébioscoop, waar hij me een paar nieuwe films van zijn studio liet zien. In de donkere, warme zaal, op het gebruikelijke rode pluche van mijn stoel, moest ik vechten tegen mijn jetlag, zodat ik naderhand niet meer wist hoeveel films hij me had laten zien. Ik dacht twee – een ruimteschip met een rondborstige, energieke aanvoerder, en een gemummificeerde farao die oorlog voerde tegen blonde cheerleaders – maar het konden er net zo goed een of drie geweest zijn.

Sam was een man van weinig woorden. Hij gaf kort commentaar op de films en bleef me dan aankijken, alsof hij op zoek was naar iets. 'Die jurk – met de lichtjes erin – kostte driehonderdduizend dollar. Vloog hij ook nog in brand tijdens de laatste opname. We hadden bijna een rechtszaak aan onze broek.'

Hij vertelde me over zijn vriendin, een ontoereikend en al te frivool woord voor de beschaafde veertigjarige vrouw met wie hij al tien jaar samenwoonde. Marina kwam thuis toen we in de tuin zaten, zwaaide, en verdween meteen weer, zodat ik slechts een glimp opving van haar knappe verschijning; een donker profiel als een Romeinse huismoeder.

'Ja, we kunnen goed met elkaar overweg,' zei hij terwijl hij haar nakeek. 'Ze spreekt niet goed Engels. Ze zou goddomme wel een *inna-lectual* kunnen zijn.' Hij keek me weer onderzoekend aan, alsof hij me er ineens van verdacht ook wel eens een intellectueel te kunnen zijn. 'We zijn gelukkig,' vervolgde hij. 'Ook al woon ik niet samen met een filmster. Ik wil een beetje rust.'

Terwijl hij praatte, keek ik naar het witte haar aan weerszijden van zijn strakke gezicht, de weerspiegelingen in de glanzende vloer, het zwembad, zo glad dat het leek alsof het op de roze patio was geschilderd, en chemisch blauw als de lucht, de kleur van dode, vervuilde rivieren. Nog meer palmbomen, een rotsachtige heuvel. Eve had hier ooit op uitgekeken, loom dobberend in de zinderende hitte.

's Ochtends, boven een bord met bacon en flensjes met ahorn-
siroop, vroeg Sam: 'Hoe gaat het met dat bedrijfje van Eve? Ik hoor
niet meer zo vaak van haar. Ze zal het wel druk hebben, hè?' Ik vertelde hem over Charis, en hij knikte begrijpend. 'Ze laat zich door
niets weerhouden, hè?' zei hij met nauwelijks verholen plezier. 'Ze
heeft geen hulp meer nodig. Ik heb veel voor die vrouw gedaan. Ik
zou het zo weer doen.' Hij priemde streng met zijn vork naar me.
Ik voelde me ongemakkelijk.

'Ik denk dat ze dat artikel snel recht heeft weten te zetten,' zei ik.

'Dat was vreselijk goedkoop van die klojo,' zei Sam peinzend.
'Lachwekkend ook, dat soort zaken. Er schuilt altijd een kern van
waarheid in en de rest wordt uitvergroot, verdraaid en...' Bij gebrek
aan inspiratie tekende hij een zwierig pad met zijn vork in de lucht.
'Die smeerlap van een Wymans zei maar wat om aan geld te
komen. Maar neem het hem eens kwalijk. Dat doen we toch eigenlijk allemaal?'

'Dus u weet niet wie Marilyn Monroe heeft vermoord?' vroeg ik
luchtig.

'Nee, en Eve neukte ook niet met JFK. *Excusez le mot.*'

'Wat was er dan in de kern van waar?' vroeg ik nieuwsgierig, aangemoedigd door het zwierige gezwaai met zijn vork.

'Ze was inderdaad bevriend met een paar gangsters. Maar dat was
typisch Hollywood. Ik bedoel, wie was dat niet?'

'Ik dacht dat de ergste beschuldiging Freddie betrof,' zei ik. 'De
manier waarop hij om het leven is gekomen lijkt me al pijnlijk genoeg voor Eve en u.'

Sam legde met een woedend gebaar zijn vork neer en liet zijn
voorkomendheid vallen als een servet, als het laatste restje beschaving. 'Ja, dat sloeg goddomme alles. Zeggen dat ik een vriend van
die vent was. Die vuilak. Ik ben een maffiavriendje, jaja, en hij stond
toevallig alleen maar in de baan van de kogel.'

Ik staarde hem verbijsterd aan. 'Ik dacht dat hij een vriend van u was.'

'Ik zou nog niet op hem gepist hebben, al stond hij in brand. Sterker nog, ik zou hem ook niet nagesprongen zijn als hij op het punt van verdrinken stond. Freddie Nicholson' – hij sprak het deftig uit – 'mishandelde vrouwen. Eve zat regelmatig onder de blauwe plekken, alsof ze onhandig was en zich doorlopend stootte. Die vrouw heeft nog nooit een drankje omgestoten en is nog nooit van haar leven ergens over gestruikeld. Allesbehalve het domme, onhandige vrouwtje, wel?'

'Maar... Eve zou nooit... Ze heeft het er nooit met ons over gehad,' zei ik. Mijn stem klonk vreemd, scherp, als de blaf van een dier. Flensje, siroop, bacon en koffie reageerden giftig op elkaar in mijn maag.

Sams woede leek te zakken. 'Ach ja, ze hadden kinderen samen. Ze wil niet dat ze slecht over hun vader denken. Het had ook slecht kunnen uitpakken voor haar politieke carrière.' Hij wendde zijn blik af en leek zich voor het eerst niet op zijn gemak te voelen. Hij pakte zijn vork weer op alsof hij zich afvroeg waarom die op tafel lag. 'Ik had het er niet over willen hebben. Ik kan er alleen niet tegen dat jij – haar kleinkind – over die smeerlap praat alsof hij een of andere held was. Oké? Je kunt beter vergeten wat ik heb gezegd.' Ik begreep dat dit meer een bevel was dan een verzoek, en knikte.

De rest van de ochtend verkeerde ik in een soort shocktoestand terwijl Sam me trakteerde op Hollywoodroddels, vastgoedspeculaties en een lijst van vrienden die waren overleden aan kanker. De enige toespeling op ons gesprek maakte hij toen ik vertrok en de taxi buiten op me stond te wachten, gadegeslagen door de dubbele spiegels van de beveiligingsman.

'Ik was een goede echtgenoot voor haar,' zei Sam, en hij kneep hard in mijn hand. 'Ik zou haar altijd goed zijn blijven behandelen.'

Toen begreep ik wat hij miste: het was de grote liefde, die uit zijn leven was verdwenen.

In het vliegtuig, een nachtvlucht, lag ik met een onbestemd gevoel wakker in het gedempte gele licht en probeerde wijs te worden uit wat Sam me had verteld. Omdat ik niet het gevoel had dat hij had gelogen, bleven er twee mogelijke verklaringen over. De eerste was dat hij weliswaar blauwe plekken bij Eve had gezien, maar dat die volkomen onschuldig waren en dat hij automatisch had aangenomen dat het sporen van mishandeling waren omdat hij jaloers was op Freddie en verliefd was op Eve. Per slot van rekening had hij niet gezegd dat Eve zijn vermoeden had bevestigd. De tweede verklaring was dat Freddie Eve wel had mishandeld, maar dat zij dat verzwegen had, zoals mishandelde vrouwen traditiegetrouw deden, en had ze er na zijn dood niets over tegen haar kinderen gezegd omdat ze hun herinneringen niet wilde kleuren. Die houding moest haar moeite hebben gekost, waarvoor ze een soort geheime, innerlijke reserve moest hebben aangeboord, als een heldere, ondergrondse bron. Ik merkte dat het me ontroerde dat ze dat offer had gebracht, terwijl ze wist dat het niet waar was. Tegen het einde van de vlucht voelde ik het meest voor verklaring één, maar het ongemakkelijke gevoel bleef, zodat ik gespannen voor me uit bleef staren.

Sam zelf was heel anders dan ik had verwacht. Niet alleen vanwege het feit dat hij in een rolstoel zat, een onderwerp dat hij handig had weten te omzeilen, maar om wie hij was, de inhoud van zijn ziel, met zijn kale, doelgerichte machinerie. Ik kon niets in hem ontdekken wat Eve aantrekkelijk aan hem zou kunnen vinden. Het kon niet anders of hij moest op een of andere manier vroeger anders

zijn geweest, hoewel ik geen moment een glimp van die ooit geliefde Sam had opgevangen. Ik kon maar niet begrijpen dat ze ooit
getrouwd waren geweest.

Ik had met Sam te doen omdat hij zelf de enige leek te zijn die
niet inzag hoe onwaarschijnlijk zijn huwelijk met Eve was geweest.
Maar mijn medelijden werd overschaduwd door een complexer
gevoel. Ik was Sam gaan zien als de enige overlevende van Eves verhalen en wilde hem kunnen bewonderen om zijn heldhaftige auto-
nomie. Maar Sam bleek – net als Freddie Nicholson, George Bennett,
mijn eigen vader – niet meer dan het zoveelste onderdeel van het
verhaal, een hoofdstuk, een anekdote. Hij had haar verhaal niet
overleefd; hij was aan de grond gelopen als een schip op een zand-
bank, passief en nutteloos. Het verhaal was verdergegaan en had
hem achtergelaten.

Ik sloot mijn ogen en liet het geschud en gebrom van het vliegtuig over me heen komen om het strakblauwe zwembad, de strakblauwe lucht, de grote deur waarachter Sam in zijn rolstoel verdween, wachtend tot Eve zou terugkeren, van me af te kunnen
laten glijden.

Niet lang na mijn bezoek aan Sam liep ik in Londen op straat oom
Alex tegen het lijf. We zagen elkaar op hetzelfde moment, reali-
seerden ons dat een gesprek onvermijdelijk was en knikten vervolgens ongemakkelijk naar elkaar. Het was opmerkelijk hoe sterk hij
op Alicia was gaan lijken. Ze waren beiden met het klimmen der
jaren sterk vermagerd. Alicia zag eruit als een uitgedroogde vlinderpop, Alex als een fanatieke monnik.

'Hoe gaat het?' vroeg ik. Ik twijfelde of ik een toespeling moest
maken op het feit dat ik hem al jaren niet had gezien of dat ik Eves

gebruikelijke techniek moest volgen en moest doen alsof de tijd had stilgestaan. Alex leek het niet uit te maken. Hij was met zijn hoofd bij een ander probleem: hij had zojuist een kritiek gelezen op zijn nieuwe boek van een collega die hem kennelijk te persoonlijk en te hard had aangevallen. Ik knikte vriendelijk terwijl ik me probeerde te herinneren waar het boek ook alweer over ging. Alex ging ervan uit dat ik het had gelezen. Ik gokte erop dat het over criminaliteit ging en anders wel over religie. Ik maakte een paar vage opmerkingen en beledigde hem ten slotte door gedachteloos te zeggen: 'Waarschijnlijk is Eve beter op de hoogte van Amerika's morele geschiedenis.'

'Ik betwijfel of Eve iets over het onderwerp moraliteit te zeggen heeft.'

'Hoe bedoelt u?' vroeg ik.

'Sorry,' zei hij met een frons. 'Dat had ik niet moeten zeggen.'

Daar nam ik geen genoegen mee. Ik balde mijn vuisten en moest mijn best doen mijn woede te beheersen.

'Maar waarom zei u het? Ik heb Eve altijd iemand met een hoge moraal gevonden. Een moreler iemand dan zij ken ik niet.'

Maar Alex hield zijn kaken op elkaar. Kennelijk had hij spijt dat hij erover was begonnen, want hij wilde er niets meer over zeggen. Het lag op mijn lippen te zeggen dat zijn moeder veel voor hem had opgeofferd en dat ze zijn ondankbaarheid niet verdiende, maar ik herinnerde me dat ik Sams conclusies aangaande Freddie iets te voorbarig had gevonden, en dus namen Alex en ik uiterst beleefd afscheid van elkaar. Gejaagd en met fladderende jaspanden liep hij de straat uit, zijn benen dun als de spaken van een fietswiel.

Ik trok mijn eigen jas om me heen en rechtte mijn rug om het rillen tegen te gaan. Toen ik thuiskwam, belde ik Maria in verband met de bruiloft van Nick en Emily. Ze zouden over een paar weken trouwen maar hadden het, net als Sebastian met zijn terugkeer uit

India, zo vaak uitgesteld dat niemand meer geloofde dat het doorging. Er werd met opgetrokken wenkbrauwen over gepraat; iets wat Nick inmiddels zelf ook deed. Ik was niet geïnteresseerd in de ceremonie zelf, maar het leek me een mooi excuus om Maria te bellen. Ik wilde haar stem bij me thuis hebben, ook al was het via een gebrekkige transmissie uit een ander land. Zonder het vooruitzicht van een bezoekje van Antonia kwam mijn appartement me groot en vreemd voor. Mijn eigen gezelschap was te klein voor de ruimte; als ik thuiskwam had ik ineens geen zin meer in de aanblik van de televisie en de twee lange banken die als ijsbergen tegenover elkaar stonden op de uitgestrekte vloer.

'Willen ze echt duiven loslaten?' vroeg ik aan haar.

'Ja, echt,' zei Maria. 'Een van de bruidsmeisjes moet met de duiven leren omgaan. Ik moet de sleep dragen. Oftewel drie meter stof.'

'Jezus.'

'Het blijft iets raars, zo'n huwelijk,' vervolgde ze. 'Het idee dat een dikke diamant of duiven of een koets iets van doen hebben met een relatie. Het is gewoon een obsessie met het grote romantische gebaar. Maar een bed bestrooien met rozenblaadjes is geen liefde, net zomin als een aanzoek doen bij zonsondergang. Men denkt dat het gebaar het gevoel is, dat de show de waarheid is. En hoe eindigt het? Ik die in een kobaltblauwe jurk achter een boeketje aan hol dat ik niet eens wil hebben.'

'Helemaal mee eens,' zei ik enthousiast. 'Ik erger me ook aan die geïdealiseerde liefde. Het idee dat daarin de grote passie ligt die belangrijker is dan al het andere in het leven. Maar die bestaat helemaal niet, en mensen vinden van alles om dat gat te vullen, ze trouwen vanwege de lust of omdat ze iemand nodig hebben en doen dan alsof het 't lot is. Geen wonder dat zo veel mensen weer gaan scheiden.'

'Beter om op rationele basis met iemand te gaan samenwonen,'

zei ze geamuseerd. 'Gewoon als twee goede vrienden die met elkaar naar bed gaan.'

'Precies,' zei ik. Het gesprek viel stil en de opmerking bleef tussen ons in hangen.

'Weet je,' zei Maria uiteindelijk. 'Eigenlijk is jouw zoektocht naar
een vriendin om het bed mee te delen nog treuriger, nog roman-
tischer, dan de zoektocht naar passie, omdat de kans dat je dat zult
vinden nog kleiner is. Daar zouden ze een film over moeten maken.'

Ze lachte, maar haar stem had een geërgerde klank – althans, die
meende ik erin te horen – en ze vervolgde: 'O ja, heb je je al verdiept
in de huwelijkslijsten? Beddengoed met monogram. En niet onbe-
langrijk: een hoge draaddichtheid.'

Ik verborg mijn teleurstelling en zei: 'Wat dacht je van kristallen
portglazen?'

'Voor het paar dat alle andere types glazen al heeft,' zei Maria, en
zo gingen we nog even door, totdat ze zei dat ze weg moest. Nadat
we hadden opgehangen staarde ik een tijdje roerloos voor me uit en
bleef ik als een teleurgestelde geest ronddolen op de plek naast de
telefoon, totdat ik besloot uit te gaan met Felix. Ik werd dronken en
belandde in bed met een roodharig meisje in een T-shirt met de tekst
STOP DE OORLOG, maar toen ik vroeg welke oorlog ze bedoelde, zei
ze dat het zomaar een T-shirt was. De volgende ochtend voelde ik
me niet meer zo ellendig en zag ik het telefoontje niet meer als een
signaal dat was genegeerd, maar als een signaal dat niet was opgemerkt: zoals zo vaak gebeurde.

~

Een ander onverwacht gevolg van mijn breuk met Antonia was niet
eenzaamheid – zoals ik volhield tegenover Felix – maar een toene-

248

mend gevoel van alleen-zijn. Thuiskomen van mijn werk (zo laat mogelijk) was als roeien naar het midden van een groot meer: uren tussen mijzelf en een ander mens. Waarschijnlijk genoot ik daarom van Theo's onaangekondigde bezoekjes, zozeer zelfs dat ik haar niet meer herinnerde aan het misgelopen contract en haar ook niet dwong zich aan afspraken of afgesproken tijden houden. Ook verbood ik haar niet meer in de namiddag binnen te wippen op kantoor ('Ik dacht, ik ga Jonathan even iets voor de lunch brengen... maar ik vond het zo spannend dat ik verdwaalde, en toen zag ik een dakloze en die had zo'n honger, dus toen heb ik hem de lunch gegeven'), noch gaf ik haar een standje als ze 's nachts met nog maar één schoen aan haar voeten voor mijn deur stond, of 's ochtends, als ik me in allerijl moest aankleden en koffiedrinken om op tijd op mijn werk te komen ('Verrassing!').

Ik wist niet meer altijd waarom ze niet op haar werk was, of met wie ze nu weer bevriend was, of waar ze 's nachts uithing, en ik vroeg er ook niet meer naar. Ik kon wel raden wat ze had uitgespookt als ze met grote, glanzende maki-ogen kwam binnenvallen en met horten en stoten haar verhaal deed, nerveus spelend met haar sigaret; andere keren was ze juist heel stil en anders, en trilde ze als een rietje. Ik voelde me almaar meer een sociaal werker terwijl ik in gedachten de symptomen van drugsgebruik afvinkte; of een ouder die voor het eerst de voorlichtingsfolder 'Uw kind en drugs' had gelezen en op zoek was naar verbrand aluminiumfolie of lege plastic zakjes. En mijn achterdocht werd beloond: ik kreeg gelijk, wat een beloning. Ik zag haar schrikken van niets, schichtig en incoherent, mijn terechte vermoedens kronkelend in mijn maag als een paling.

Het ergst was de keer dat ze om vijf uur 's nachts zo hard op mijn deur bonsde dat ik niet kon doen alsof ik sliep. Toen ik haar binnenliet, klampte ze zich aan me vast, haar gezicht zwart van de uit-

gelopen make-up. Tussen de donkere vlekken was haar huid lijk-
bleek en wazig van angst.

'Hij is er weer, Jonathan, hij is er weer,' fluisterde ze met haar
handen om mijn arm geklemd.

'Wie bedoel je? Wat is er gebeurd?'

'Het teken bij de vijver,' zei Theo, zonder op mijn vraag in te
gaan. Ze beefde hevig. 'Is dat de manier waarop hij het doet? Zijn
het geheime tekens? Ik ben er eindelijk achter, ze hebben het me
verteld, ze hebben hem vermoord, de geest, onze vader... We zijn
allemaal in gevaar, Jonathan.' Ze verstevigde haar greep om mijn
arm, wat pijn begon te doen, en keek me doordringend aan.

'Theo.' Ik dacht dat ik boos was, maar mijn stem klonk zwak en
verdrietig. 'Theo, ik begrijp er niets van. Je had me beloofd dat je dit
niet meer zou doen.'

De woorden leken haar af te schrikken, alsof ik een straal water
op haar richtte. Ze zakte op de vloer, kromp in elkaar en sloeg
huilend haar handen voor haar gezicht. 'Waarom zeggen ze dat
allemaal tegen mij? Het is de waarheid en niemand gelooft me!
Niemand! Je moet me helpen... Ik kan het niet... kan het niet...'
Haar handen gingen omhoog alsof ze haar haren wilde vastgrij-
pen, maar gleden toen doelloos verder over haar gezicht. Ik hielp
haar overeind en loodste haar mee naar de keuken, waar ik haar
een glas water aanreikte, dat ze braaf opdronk, tussen het snikken door. Ik keek hulpeloos toe en raakte zo gefrustreerd dat
er een doodvermoeide, lichaamloze misselijkheid over me heen
kwam.

De volgende ochtend hield ik mijn mond over de drugs. Omdat
ze de vorige keer tegen me had gelogen toen ik er iets van zei, had
ik me voorgenomen er niet meer naar te vragen.

In plaats daarvan stelde ik voor dat ze terug naar Evendon zou
gaan. 'Londen is niet goed voor je, Theo. Dit kan zo niet doorgaan.

Je kunt beter terug naar huis gaan totdat je alles weer een beetje op een rijtje hebt.'

Theo keek me geschrokken aan. 'Nee! Ik wil niet terug naar huis. Ik red me wel. Het gaat alweer. Ik hoef niet terug. Ik kan het hier ook wel. Het spijt me dat ik je tot last ben. Zeg het alsjeblíéft niet tegen Eve.'

'Oké. Ik zal niets zeggen,' zei ik streng, nu de angst van afgelopen nacht was gezakt. 'Deze keer niet.'

Theo, gevoelig voor afkeuring, sloeg haar ogen neer. 'Je houdt niet meer van me,' fluisterde ze.

'Natuurlijk hou ik nog van je,' zei ik. Maar het was ingewikkelder dan dat. Mijn liefde voor Theo werd gedempt door gereserveerdheid. Als ik naar haar keek had ik het gevoel dat ik met gekruiste vingers naar een trapezeacrobaat keek die gillend van angst voorbijzwaaide. Het was te veel gevraagd om haar liefde toe te blazen, omdat die liefde zou kunnen verongelukken. Ik hield dus wel van haar, maar ze was te gevaarlijk – te ongecontroleerd – voor mij om haar zonder voorbehoud, en zonder mijn adem in te houden, lief te hebben.

Ik geloofde niet dat Theo er uit zichzelf weer bovenop zou komen, maar ik belde Eve ook niet. Toen verloor Theo het data-invoerbaantje ('Kennelijk merken ze toch welke cijfers ik intik') en wilde haar huisgenoot Lucy ook niet meer met haar in één huis wonen. Ze zei dat Theo haar bed aan een prostituee had gegeven die een 'verkleumde' indruk maakte en dat ze zelf op de bank was gaan slapen. De volgende ochtend was de prostituee weg, evenals Lucy's televisie en de laptop die Theo daags ervoor zonder mijn toestemming van mij had geleend. Daarna belde ik Eve.

'Ze is duidelijk niet in staat om alleen te wonen,' zei Eve zakelijk. 'Ik ben het met je eens. Ze kan beter terug naar huis komen.'

'Ik denk dat dat inderdaad het beste is,' zei ik met het ongemakkelijke gevoel dat ik Theo verraadde. Dat gevoel werd versterkt door Theo's reactie op het nieuws dat ze terug naar Evendon moest: ze huilde stilletjes en langdurig, alsof er iemand was overleden. Ze bleef die nacht in mijn appartement en viel in slaap in een stoel, haar ongekamde hoofd op haar gevouwen arm.

Toen de chauffeur Theo de volgende ochtend kwam ophalen was ik al op mijn werk. Ik was blij dat ik geen afscheid van haar hoefde te nemen. Tegen de middag wist ik mezelf gerust te stellen met het idee dat ze zich na een week of twee op Evendon weer beter en vrolijker zou voelen, en dat ze me misschien wel dankbaar zou zijn voor mijn bemoeienis. Ik hoopte dat ze zonder drugs, feesten en verkeerde vrienden zou veranderen en daarna afgekickt en evenwichtig zou kunnen terugkeren naar de stad zonder dat er een afkickkliniek aan te pas hoefde te komen. In de tussentijd reageerde ik niet op haar telefoontjes. 'Ze zal alleen maar terug naar Londen willen als ik met haar praat,' zei ik tegen Eve. Ik zei nogmaals: 'Het is beter zo', maar het smaakte onwaarachtig in mijn mond, alsof ik kauwde op een stuk schuimrubber.

Nadat de twee weken die ik Theo had gegeven om weer op te knappen waren verstreken, ging ik voor het weekend naar Evendon, waar ik ook met Nick had afgesproken omdat ik in Duitsland een gesprek had gehad met de juristen van de gearresteerde restauranthouder en niet op zijn bruiloft had kunnen zijn.

Toen ik op Evendon kwam, liet mevrouw Wynne Jones me binnen. 'Eve zit in Dubai,' zei ze op beschuldigende toon. 'Je zus ging een ommetje maken en toen stond jouw bezoek ineens voor de deur. Je moeder probeert ze te vermaken.' Ik kreeg even een beeld voor ogen van Alicia die haar best deed om mijn bezoek te vermaken (jonglerend, fietsend op een eenwieler?), maar toen ik haar met Nick en Maria in de zitkamer aantrof, zat ze er zoals altijd verveeld en stijfjes bij.

'Maria?' zei ik, en ik keek haar verbaasd aan.

Maria lachte. 'Verrassing! Ik hoop een leuke verrassing... O, Jonathan. Je lijkt wel teleurgesteld.'

'Teleurgesteld!' herhaalde ik. Mijn gezicht voelde onnozel door mijn plotselinge blijdschap. Ik zag dat haar haar lichter was dan anders, de kleur van donker grenen.

'Gefeliciteerd, Nick,' zei Nick ongeduldig.

'Sorry. Hoe was de bruiloft?'

'Rampzalig,' antwoordde hij. 'Een duif kakte op Emily's jurk, dus zij witheet natuurlijk. En toen rende een kind ook nog de bruidstaart omver. Ze waren met een bal aan het spelen. Ik had nog zo gezegd dat we geen kinderen moesten uitnodigen, maar Emily wilde per se bruidsmeisjes. Dus zo'n onderkruipsel stootte de taart om. Alles zat onder de troep.'

Maria glimlachte. 'Sorry, Nick,' zei ze. 'Het is natuurlijk niet grappig.'

'Lach er maar niet om waar Emily bij is,' waarschuwde Nick haar.

'Hé!' riep Theo uit. Ze kwam door de openstaande terrasdeuren de kamer binnen. 'Hallo, allemaal.' Ze had een veeg modder op haar gezicht en droeg een pyjama waarvan ze de broekspijpen in haar regenlaarzen had gestopt. In haar hand had ze een bosje bloemen, geplukt in de tuin.

'Wat zie jij eruit,' merkte Alicia sereen op.

'Ik was de tijd vergeten,' zei Theo.

'Jezus!' zei ik nadrukkelijker dan mijn bedoeling was, omdat ik me voor de zoveelste keer in haar teleurgesteld voelde. 'Ga je maar eerst omkleden, want we gaan naar het strand. Je loopt erbij als een zwakzinnige.'

Het strand van Llansteffan was eind september bijna verlaten, ondanks de ongewoon hoge temperatuur en de strakblauwe hemel. We kochten patat en gingen op het harde zand zitten. In de verte wandelde een man met een hondje dat naast hem op en neer sprong als een blad in de wind. Maria rolde haar spijkerbroek op en trok haar jasje uit om haar schouders door de zon te laten bruinen.

'God, dat we hier al zo lang niet meer geweest zijn,' zei ze. 'De eerste keer dat we hier kwamen is alweer tien jaar geleden. Lopen we echt al tegen de dertig?'

Ze had een onderzoekbeurs gekregen om met een Amerikaanse psycholoog samen te werken in een autistencentrum. 'Amerika is niet ideaal,' zei ze, 'maar in Llansteffan valt weinig te onderzoeken.'

'Hier lopen niet zo veel autisten rond.'

Ze glimlachte. 'Nee, helaas.'

Ik vroeg Nick hoe het met zijn werk ging, hoewel ik daar eigenlijk geen zin in had, en ik merkte dat hij er zelf ook liever niet over praatte.

'O, ik werk nu in de City,' zei hij. 'Mijn, eh, vader kent iemand bij Goldman Sachs... en omdat ik ging trouwen, dacht ik dat ik toch maar eens ...' Hij friemelde nerveus aan zijn manchet en keek weg, totdat hij op verdedigende toon zei: 'Je komt lastig binnen bij die banken.'

'Ik dacht dat je een hekel aan je vader had,' zei Theo.

Nick mompelde iets over het verleden achter je laten.

'O, wat fijn voor je,' zei Theo enthousiast. 'Nu heb je een vader.'

Ze zweeg en ik wachtte gespannen af op wat er nog meer zou komen, maar het enige wat ze zei was: 'Ik hoop dat het leuk werk is. Eve regelt ook baantjes voor mij. Als ze terug is uit Dubai, zal ze wel weer iets nieuws voor me zoeken.'

'En hoe gaat het met Emily?' vroeg ik aan Nick.

'Ze wil dolgraag een kind,' zei Nick. 'Ze wil stoppen met werken en zo snel mogelijk een gezin stichten.'

'En wat als jij voor de kinderen zou willen zorgen?' vroeg Maria.

'Ik wil helemaal geen kinderen. Maar als het haar gelukkig maakt... Het zal er vroeg of laat toch van moeten komen. Iedereen... nou ja, iedereen die niet al te veel te makken heeft, en dat geldt nu ook voor mij, rolt in een saaie baan en krijgt kinderen die een keel opzetten in de supermarkt. Ik kan mijn toekomst maar beter onder ogen zien. Ik zie de Renault Espace met mijn naam erop al voor me.'

'Wat kan er nog misgaan met zo veel briljante plannen?' zei Maria, en ze gooide een patatje naar hem.

Ik tuurde naar haar goudkleurige ogen onder de sensuele wimpers en probeerde, zoals altijd, niet naar haar te verlangen. Mijn verlangen had na jaren van vriendschap en teleurstelling natuurlijk allang gezakt moeten zijn – bekoeld of uitgedoofd – maar daar was het weer, onverhoeds scherp en schrijnend in mijn keel: de jaarlijkse cyclus van het verlangen.

'Hoe gaat het met Antonia?' vroeg Nick.

'O, het is uit tussen ons,' zei ik. Ik had indruk op Maria willen maken, maar het kwam er klein en mat uit en het belang ervan ging verloren in de wind.

'Zo te zien ben je er al weer aardig bovenop,' zei Nick, en ze lachten alle drie. 'Heb je nu een vriendin?'

'Nee,' zei ik, met een blik op Maria. Ze glimlachte flauwtjes, het vuur van haar lach gloeide nog wat na, en haar uitdrukking veranderde niet toen ik het zei. Ik veranderde van onderwerp; ik ergerde me aan haar, maar ook aan mezelf.

Na mijn breuk met Antonia dacht ik er een leven van ongecompliceerde seks op na te kunnen houden zonder het zachtroze waas en verborgen pijnen van intimiteit. Ik koos vrouwen uit die niet beschikbaar waren: toeristen, vrouwen of vriendinnen van onbekenden. Een hoofd lag nooit te lang op mijn kussen; er lagen geen haarborstels in mijn badkamer, er klonk geen onbekende muziek als ik de cd-speler in mijn auto aanzette. Maar seks bleek zelden nog zo eenvoudig als toen ik student was; het was nu niet meer voor de grap maar volle ernst. Steeds vaker leidde seks tot berichten van dronken vrouwen op mijn antwoordapparaat – dunne, hoge, elektronische stemmen, kaal door een gebrek aan resonantie – ruzies in cafés, tranen op straat. In de ochtend iemand die zich naar me toe draaide en mijn hand zocht; emotionele ogen, wazig als een aquarel. Ik besloot een tijdje geen seks meer te hebben.

Hoewel ik het niet graag toegaf, was dat niet de enige reden. Het was ook angst. Het idee wakker te worden in een vreemd bed na een van de dromen die steeds vaker mijn nachtrust verstoorden, als een storm die aan de deuren rammelde en de pannen van het dak blies. Twee keer, soms drie keer per week. Het gekke was dat ik wakker werd en bang was voor niets. Mijn slaapkamerraam op Evendon. Eves stem, glasscherven. Niets, helemaal niets.

Ik keek op en tuurde over het strand, in een poging mijn gedachten te verdrijven en me te concentreren op het feit dat we weer eens met z'n vieren aan het strand van Llansteffan zaten. Ik kon bijna niet geloven dat we hier waren, onder het waas van de zee, de helderblauwe lucht; het geluk kwam me op een of andere manier onmogelijk voor. Maria lag op haar rug in het roomwitte zand, Nick speelde de duik in de bruidstaart na, Theo lachte, haar ogen half verscholen onder haar verwaaide chrysantkapsel, dat wit oplichtte in het zonlicht. De steen in mijn maag werd lichter als ik naar haar keek. Toen keek Maria me aan en glimlachte, en ik had het gevoel dat ik dit moment moest onthouden, het moest begraven als een noot, voordat de winter inviel.

∽

Voor ik terug naar Londen zou rijden, ging ik op zoek naar Theo om afscheid te nemen, maar ze was nergens te vinden. Een van de dienstmeisjes wist me te vertellen dat ze naar Llansteffan was gegaan – kennelijk was ze vergeten dat ik die dag zou vertrekken – dus ik reed naar het dorp om haar te zoeken. Ik kwam langs de zee, kaal als een poolvlakte, en reed stapvoets door de smalle hoofdstraat met de eenvoudige rijtjeshuizen en de grijze kerk, uitgestorven in het avondlicht dat onder een steile hoek tegen de gevels viel. Ik tuurde bij het postkantoor en de winkel van mevrouw Edwards naar binnen, reed om de kasteelruïne met haar boograam en door bladgroene tunnels, totdat ik uitkwam bij de open weilanden, waar ik ten slotte wel moest stoppen voor de pub, de Glas Dwr. Ik hoopte alleen dat ik niet naar binnen zou hoeven.

Buiten de pub zag ik mevrouw Williams uit de voordeur van een huis komen. Het was lang geleden dat ik haar voor het laatst had gezien, maar ik herkende de slobberige groene jas en het onnatuurlijke, dunne gele haar. Mijn eerste gedachte was hoe ik haar kon ontlopen, maar daarvoor was het al te laat. Ze had mijn ogen in haar rug gevoeld en haar hoofd begon aan een onverbiddelijke draai in mijn richting. Onze blikken kruisten elkaar, maar ze keek meteen weer weg en liep door. Het was mevrouw Williams niet.

Een snelle blik in het schemerige interieur van de pub, met zijn vage rookwolken, kringen in het donkere hout en niet-brandende open haard, was genoeg om me ervan te vergewissen dat Theo zich niet onder de handvol oudere dorpelingen bevond die op hun vaste plaatsen aan de tafels of de bar zaten (een stoelschikking die de afgelopen tien jaar waarschijnlijk niet was veranderd) en, zoals te voorspellen was, me argwanend opnamen.

De kastelein keek met een vrolijk-spottende blik naar me op en riep vanuit de duisternis achter de bar: 'Zoekt u uw zuster, meneer Anthony?'

'Jonathan,' zei ik. 'Ja, heb je haar gezien?'

'Ze is net weg om sigaretten te gaan halen. Vreemd dat je haar niet tegen bent gekomen. Ze zal zo wel terug zijn. Tijd genoeg voor een borrel dus.'

Ik aarzelde, wat hij zag, zodat de witte wenkbrauwen boven de spottende blik nog verder omhooggingen en ik me gedwongen voelde een barkruk naar me toe te trekken.

'Dank je. Een biertje graag,' mompelde ik. Toen ik nadrukkelijk om me heen keek, werden de starende blikken neergeslagen en de gesprekken hervat. Ondanks de vier ramen die op de straat uitkeken en de vele brandende peertjes onder de chintz lampenkapjes, was het verrassend donker in de pub. Ik kon de uitdrukkingen van de stamgasten nauwelijks onderscheiden, en zelfs die van de kastelein niet, die zich weer had teruggetrokken en nu bijna onzichtbaar was in het halfduister. Ik had geen idee waarom Theo hier kwam.

De kastelein kwam weer tevoorschijn en zette met een raadselachtige glimlach een biertje voor me neer op de bar.

'Lang geleden dat u hier was, meneer Anthony. Sorry... Jonathan. Logeer je het weekend op Evendon?'

'Ja.' Ik reageerde kortaf omdat ik wist dat hij de spot met me dreef, en dat genoegen gunde ik hem niet.

Ik deed alsof ik mijn telefoon raadpleegde terwijl ik wachtte, maar betrapte me erop dat ik weer aan mevrouw Williams moest denken. Ik groef in mijn geheugen, maar mijn herinneringen aan

haar waren grillig: fragmenten ontbraken of sprongen er onverwacht uit, als elastiekjes. Theo en ik, zittend aan de keukentafel
met een rol koek terwijl zij rookkringen voor ons blaast. Mevrouw
Williams die Theo's vinger verbindt. Ik hoor haar zeggen: 'Die
twee, zonder vader, en nu ook geen moeder meer. Het is godge-
klaagd.' Ik herinner me dat het slecht weer was; de regen kletterde
op het terras, waarvan een warme, moessonachtige nevel opsteeg.
Ze zei het op meewarige toon, maar ook met genoegen, een toon
die ik toen niet begreep maar nu des te beter. Jaloezie. En waarom
ook niet? In hun ogen waren we geen kinderen; we waren van
goud, zoals de olifanten in de zitkamer: tanden van parels, juwelen-
ogen. Als wij praatten hoorden ze slechts het geritsel van geld. Ik
begreep nu waarom ze ons haatten.

Maar Theo was na mevrouw Williams' ontslag nog maandenlang
bij haar op bezoek gegaan. Theo had nooit geleerd die wrange ondertoon in een stem te herkennen, een vertrokken mondhoek, een
opgetrokken wenkbrauw. Ze begreep niet dat anderen zich ongemakkelijk konden voelen in haar bijzijn; ze voelde niet aan wat
slecht voor haar was. Theo kwam in deze pub, waar iedereen mevrouw Williams' verhalen moest hebben aangehoord – over haar
onterechte ontslag, over Alicia, die gek was en zelfmoord had proberen te plegen, over onze vader, die verdwenen en overleden was,
over Eve, dat kreng, en mij, die arrogante kwal, en Theo, aardig
maar simpel – en toch zat ze hier en had ze het gevoel dat ze welkom was.

'Te veel aan het hoofd?' Ik keek geschrokken op en zag de kastelein vooroverleunen, de handen gespreid op de bar, alsof hij wilde
zeggen: 'Gewoon belangstelling van een vriendelijke kastelein.'
Wat hij misschien ook was. Ik herinnerde me dat hij de oom was
van het vroegere vriendje van Maria, David, aan wie ik met genegenheid terugdacht nu hij niet langer mijn rivaal was.

'Valt wel mee.' Ik probeerde naar hem te glimlachen, wat hij op- vatte als een uitnodiging. Hij ging tegenover me zitten. Door het merkwaardige gebrek aan licht zag ik van zijn gezicht niet veel meer dan de zwakke glinstering in zijn ogen en de ironische mond.

'Ik moet ineens denken aan die keer dat je vader hier tegenover me zat,' zei hij kalm. Ik schrok.

'Hè?'

'Hij was dronken,' vervolgde de man. Hij negeerde mijn starende blik en keek in de smoezelige hoeken van de pub alsof mijn vader daar nog rondspookte en hem aanmoedigde door te gaan. 'En woe- dend. Hij kwam zwijgend binnen, maar na een paar drankjes had hij heel wat te vertellen. Dat is nu bijna dertig jaar geleden. Hij was getrouwd met je moeder, maar zij was weer hier komen wonen. Hij kwam haar achterna.'

Ik voelde een steek van angst die me ervan weerhield op te staan en iets te zeggen.

'Hij was woedend op Eve. Hij zei dat hij iets over haar wist en dat hij het niet langer voor zich zou houden. Ik had geen flauw idee waar het over ging.'

De man pauzeerde, verschoof op zijn kruk, waardoor het licht weer op zijn smalle gezicht viel, dat er zowel sympathiek als korze- lig uitzag, met een azijnzure spot. Ik begreep niet wat ik zag, maar wat ik zag, stelde me in staat weer in beweging te komen. Als een ontkapte valk vloog ik op en schoof mijn kruk luidruchtig naar ach- ter. Alle oude mannen keken met een frons op.

'Waarom vertel je mij dit?' vroeg ik.

'Het is jouw familie,' antwoordde de man simpelweg. 'Ik dacht dat je het wel wilde weten.'

'Nou, dat heb je dan verkeerd gedacht,' snauwde ik.

Hij haalde zijn schouders op, glimlachte in zichzelf en liep van me weg.

'Vertel je dit soort verhalen soms ook tegen mijn zus?' vroeg ik woedend.

'Nee,' antwoordde hij bedachtzaam. Hij maakte plots een ge-ergerde indruk. 'Je zus is een gevoelige meid. We proberen haar een beetje op te vrolijken. Ze is niet zo sterk als jij.'

Dat laatste zei hij op zo'n toon dat het beledigend klonk, dus om hem terug te pakken gooide ik wat kleingeld op de bar, dat nog narinkelde toen ik het koele, dode licht van de straat in liep.

'Jonathan!' Theo kwam me vanaf de zonkant van de straat zwaaiend tegemoet. 'Wat doe jij hier? Wat grappig dat ik je hier tegenkom! Ben je in de pub geweest?'

'Ik heb even binnen gekeken of je er was,' zei ik met een glimlach. 'En? Wil je een lift naar huis of loop je liever die heuvel weer op?'

'Lift! Lift!' riep Theo lachend, en ze sprong de auto in, alsof ik elk moment van gedachten zou kunnen veranderen.

Veertien

Een paar dagen later bezocht Eve me in Londen toen ze terug was uit Dubai. Ze kwam net van een vergadering en droeg een smaragdgroen mantelpakje en diamanten oorbellen. Toen ze me kuste, rook ik haar parfum, dat me altijd herinnerde aan haar werkkamer, waar ik als kleine jongen vaak op de bank naar haar telefoongesprekken luisterde en toekeek terwijl ze haar e-mails schreef. Haar beheerste stem en vaste hand, haar glimlach, star en scherp als een foto, die het overzichtelijke heden in zich droeg. Na mijn ontmoeting met de kastelein van de Glas Dwr, die zich als een snoek door zijn troebele territorium had bewogen, was het een opluchting haar te zien. Ik had besloten haar niets te vertellen over het verhaal van de kastelein over mijn vader, omdat ik niet wilde dat zijn kwaadaardige opmerkingen een onverdiende herhaling zouden krijgen of – erger nog – dat ik de indruk zou wekken dat ik hem geloofde.

'Erg, hè, van Sam?' zei ik. Het leek erop dat de reis die Sam ons allemaal had willen laten maken een sterfbedbezoek zou zijn geweest, in plaats van een reünie. Slechts een paar maanden nadat ik bij hem langs was geweest stierf hij aan kanker.

'Ja, heel triest,' zei Eve. 'Ik voel me bevoorrecht dat ik een aantal jaren van mijn leven met hem heb kunnen delen. Ik zal altijd met genegenheid aan hem terugdenken.'

Ik herinnerde me dat ik Sam en Eve totaal niet bij elkaar vond passen. Liefde, zo bedacht ik, was een merkwaardig, onverklaarbaar iets.

'Oké... ik wilde je iets voorstellen,' zei Eve na een korte stilte, en ze boog zich naar me toe. 'Hoe zou je het vinden om een nieuw hotel te ontwerpen? In Edinburgh? Het zal je veel publiciteit opleveren.'

'Een hotel?' vroeg ik. 'Gaat Charis nu ook zelf bouwen?'

'Nee, Charis niet, Mensson,' zei Eve. 'Dat is een boetiekhotelketen. Die hebben we een halfjaar geleden overgenomen en hij groeit razendsnel. Een zeer interessant concept, met geweldige, ultramoderne hotels. Ik dacht meteen dat het iets voor jou zou zijn.'

'Nou en of,' zei ik verbaasd. 'Maar ik zit nog midden in de juridische touwtrekkerij met die Duitse restauranthouder. Het contract bevat geen clausule voor het geval dat een van ons de gevangenis in gaat.'

'Ach, had dat gezegd. Ik zet er wel een paar mensen op,' zei Eve opgewekt. 'Hoe snel kun je aan het ontwerp beginnen?'

'Meteen,' zei ik. Ik wist al wat ik wilde.

'Je krijgt zo goed als de vrije hand,' zei Eve. 'Er moeten nog wel een paar zaken gladgestreken worden met de plaatselijke erfgoedorganisaties, maar dat komt wel goed. Als je naar Schotland komt, kun je bij de eerste gesprekken zijn.'

We schudden elkaar gekscherend de hand en openden een fles wijn.

'Weet je, Jonathan, het idee dat ik mijn nageslacht meer zou kunnen nalaten dan geld was nooit bij me opgekomen, totdat ik jou leerde kennen,' zei ze. 'Je was als kind al heel ijverig en wist wat je wilde. Ik word alleen maar trotser op je als ik zie wat je allemaal hebt bereikt. En dan kan ik nu met nog meer trots aankondigen dat we gaan samenwerken.'

Ze legde even haar hand op de mijne en glimlachte een van haar glimlachjes, zo stralend dat ik het aan den lijve voelde, alsof er een rozet op mijn hart werd geprikt.

'Dit betekent heel veel voor me,' zei ik. 'Ik hoop dat ik je niet zal teleurstellen.'

'Nooit,' zei Eve. (Hoewel ik naderhand de ontbrekende woorden probeerde in te vullen. Bedoelde ze: 'Ik zal nooit teleurgesteld in je zijn'? Of: 'Jij zult me nooit teleurstellen'? Of was het een bevel: 'Stel me nooit teleur'?)

Later vroeg ik haar: 'Hoe gaat het met Theo?'

Eve zuchtte en aarzelde even voordat ze antwoordde, alsof ze niet precies wist hoe ze het me moest vertellen.

'Ik ben het grootste deel van de tijd niet op Evendon geweest – op een paar dagen na – dus ik weet het eigenlijk niet,' zei ze langzaam. 'Maar ze kan soms nogal vreemd doen... de dingen die ze zegt. Ik denk dat het een vorm van aandachttrekkerij is. Ze blijft de halve nacht op en hangt dan overdag lusteloos rond. Ik snap niet wat er met haar aan de hand is. Ze trekt niet alleen met de dienstmeisjes op maar de meest vreemde types uit het dorp.'

'Ik heb het verhaal over die Wendell gehoord,' zei ik. Wendell was een alcoholistische boer die een paar karige hectaren grond nabij Evendon bezat. Een paar vandalen hadden onlangs zijn ruiten ingegooid, waarna Theo hem al haar geld had gegeven om ze te laten vervangen.

'O, dat is nog maar het topje van de ijsberg. Er zijn mensen die misbruik maken van Theo's... goedheid,' zei Eve. 'Ik geef haar geen geld meer. Ze geeft het allemaal aan die profiterende nieuwe vrienden van haar, of aan de goededoelencollectanten die haar op straat aanklampen. Profiteurs en uitvreters! Ik weet gewoon niet meer wat ik met haar aan moet.'

Ze keek omlaag, en nu haar ogen niet meer op mij rustten, ving ik een glimp van haar echte leeftijd op: een snel waas dat over haar glanzende gezicht trok, een lossere huid rondom de ogen, een neerwaartse trek bij haar mondhoeken. Ik schrok ervan. Maar toen ze weer opkeek was dat effect weg, en was ze weer zichzelf. Ze zag mijn gezichtsuitdrukking en zei: 'O, maak je maar niet ongerust, hoor. Zo erg is het niet.'

Ik vroeg me af of ik er verstandig aan had gedaan Theo terug te sturen naar Evendon. Ik besefte ineens dat Eve en zij te zeer van elkaar verschilden om in elkaars buurt te moeten verkeren, als ijs en vuur. Of als schaar, papier en steen, hoewel dat niet helemaal opging. Tenzij het op ons alle drie sloeg: Theo het vel papier, Eve de schaar. Ik zou dan de steen zijn, ongevoelige materie: hard, stil en alleen uit op zijn eigen verstening. Jonathan de steen.

Ik besefte dat Eve weer over Mensson sprak en dat ik niet had geluisterd. Het ergerde me dat ik de laatste tijd mijn gedachten steeds minder onder controle had. Eve dacht dat ik net zo was als zij: competent, snel, sterk. Ze zag deze nieuwe zwakheid niet aan me af, het gepieker, het gevoel verkeerd bezig te zijn. Ik wilde net zo overtuigd van mezelf zijn als zij; zonder die overtuiging zou ik zijn zoals de rest van mijn familie, onvoorspelbaar rond-fladderend en kwetsbaar als motten, geleid door de mysterieuze signalen van hun eigen vuurtorens. Ik wilde Eves weg gaan, zonder angst of twijfel, gewoon een traject, linea recta de toekomst in.

Daags voordat ik naar Edinburgh zou vliegen, ontving ik een brief van Theo. De envelop was zo stevig omwikkeld met plakband dat hij nauwelijks te buigen was. Ik moest hem met een mes opensnijden. Toen ik de brief openvouwde, kon ik haar handschrift slechts met moeite ontcijferen; de woorden schoten als bliksemschichten uit over het papier.

Lieve Jonathan,

Weet je nog dat we vroeger thuis een camera hadden, zoals normale mensen hebben? Maar het enige wat wij in dat fotoalbum hebben zijn foto's die gemaakt zijn door mensen die ons nooit hebben gekend. Er zitten foto's bij van ons allemaal op het gazon en van jou en mij voor het huis. Maar geen foto van onze vader. Het is warm buiten en ik kan de rozen ruiken. Ze ruiken naar nepbloemen. Ik kan niets veranderen aan die nep en het blijkt nu toch allemaal waar.

Wie maakt het wat uit wat ik uitspook? Of ik uitga of verdwaal, of zelfs als ik mensen vertel over de geest. We hebben een nieuwe huishoudster wie ik het misschien ga vertellen. Ze heet mevrouw North en ze vindt het leuk om voor me te koken. Ze vindt me te mager. Misschien ben ik dat ook wel. Maar zelfs al was ik dik, onder die speklaag zitten alleen maar vogel- en muizenbotjes verborgen die bij elkaar worden gehouden door mijn huid, omdat ik anders in elkaar zou zakken. Eve zegt dat ik jou tot last ben en dat ik je niet ongerust mag maken, maar ik móét je deze brief schrijven.

Ik wil mijn ogen sluiten en niets meer horen. Ik wil bij jou zijn. Mag ik alsjeblieft bij jou komen wonen? Alsjebliéft? Schrijf alsjeblieft terug, ook als je niet wilt dat ik bij je kom wonen. Ik ben zo bang dat je me niet meer terug kunt schrijven omdat je er niet meer bent. Ik ben bang dat je ontvoerd bent.

Theo

Mezelf verbijtend las ik de brief nog een keer. Het kon niet anders of een van haar nieuwe vrienden in Carmarthen had haar weer acid of iets van dien aard gegeven. Ik had ergens gelezen dat verslaafden altijd en overal aan drugs kunnen komen, maar ik had niet gedacht dat dat ook voor Theo zou gelden. Ik las de brief nóg een keer, en toen nog eens. Hij leek niet uit het groene, mooie, sobere Wales te komen, maar uit een mysterieus, donker bosland, vol vreemde spookvuren. Om het gevoel te omschrijven dat het bekende vreemd wordt schoot me alleen het Duitse woord *unheimlich* – letterlijk: ontheemd – te binnen. Theo's brief had, onbedoeld of niet, de vertrouwdheid van Evendon – de rozen, de foto's van ons op het gazon – aangetast en een pijnlijk, beangstigend tintje gegeven. Vreemd genoeg was het een kopie van een van mijn eigen dromen.

Ik belde Theo maar haar mobiel stond uit, en dus belde ik Evendon. Eve nam op.

'Hallo, Jonathan,' zei ze. 'Gaat het over het hotel? Ik moet zo weg, dus ik heb maar een paar minuten tijd.'

'Nee, ik heb een nogal vreemde brief van Theo ontvangen en wil even weten of alles goed bij jullie is. Ze was... niet zichzelf.'

Eve reageerde verbaasd. 'O, nou, alles is goed hier. Theo is niet anders dan gewoonlijk, maar je weet wat gewoon voor Theo is. Ik heb absoluut niet het idee dat er iets met haar aan de hand is. Het zal wel weer haar dramatische kant zijn.'

'Is ze thuis?' vroeg ik.

'Ja, maar ze ligt nog in bed. Moet ik haar wakker maken?' Haar stem, vol en koel en een tikje ongeduldig, ontnuchterde me en stelde me enigszins gerust. Ik schaamde me ineens dat Theo's brief, waarvan ze zelf waarschijnlijk al was vergeten dat ze hem had geschreven, me zo aan het schrikken had gemaakt.

Ik aarzelde. 'Nee. Nee, maak je maar niet ongerust. Zeg maar niet dat ik heb gebeld.'

Wat had ik ook tegen Theo willen zeggen? Dat wat ik altijd zei, en dat hielp niet. Ik was het beu dat ze geen verantwoordelijkheid nam en weigerde een normale baan te zoeken. Zelfs de dingen waar ze zich druk om maakte waren absurd en onveranderlijk: het daklozenprobleem, panda's, de dood van onze vader. Het was kinderachtig gedrag: ze vluchtte in drugs en hopeloze zaken. Ik had Theo nooit lui willen noemen, of werkschuw, maar ik vond nu dat ze het allebei was. 'Wat zei de kleine kaars tegen de grote kaars?' had Theo gevraagd tijdens het kerstdiner. 'Ik ga vanavond uit.'

Waarschijnlijk had ik haar gedrag nog verergerd door me druk te maken om haar en haar constant als een chagrijnige nanny te controleren. Misschien vermande ze zich als ik haar eindelijk eens met rust liet.

Ik hing op, gooide haar brief in de prullenmand en begon een paar ideeën voor het Mensson-hotel uit te werken.

Nick belde me later die avond om me te zeggen dat hij ontslagen was.

'Het komt door die verdomde kredietcrisis,' zei hij met dubbele tong. 'En nu is het bij mij crisis. De klootzakken. Misschien vertrek ik naar Amerika. Hoewel, ik vrees dat het daar nog erger is. Of ik ga samen met Sebastian lesgeven in India. Zo voel ik me op dit moment. Gewoon tegen niemand iets zeggen en mijn hielen lichten.'

'En Emily dan?'

'We doen een "proefscheiding", zoals zij dat noemt. Uiteraard ben ik degene die op proef is. Alleen weet ik niet wat ik heb misdaan. Ik heb haar alleen een grote bek gegeven toen ik merkte dat ze kapitalen had uitgegeven bij Harvey Nicks. Ze denkt dat onze ouders wel weer zullen bijspringen, maar ik wil verdomme niet telkens mijn hand hoeven ophouden. Dat klotehuwelijk ook. De hele dag gezeik aan je kop.'

'Zin om vanavond met mij en Felix mee uit te gaan?' opperde ik geschrokken.

'Hé, goed idee,' zei Nick, meteen een stuk opgewekter. 'Eens even lekker flink dronken worden.'

En dronken werden we, en Nick in het kwadraat, in een nieuwe bar in Soho – die QP of MQ of zoiets heette, initialen die niemand begreep – waar we in de protserig witte danszaal rondzwierven onder flikkerende licht-donkerpatronen die iedereen iets spookachtigs gaven. De gestalten op de dansvloer lichtten op, doofden uit en verschenen weer. Ik herkende een paar mensen die ik nooit echt had gemogen – het soort figuren dat meteen de eerste week naar dit soort bars ging omdat ze graag meteen op de gastenlijst kwamen als vip – maar voelde geen argwaan totdat ik Antonia zag.

Ze stond met haar gezicht van me afgewend, waardoor me een blik werd gegund op de perfecte vorm van haar kaak en wangen. Het viel me op dat haar haar korter was. Zonder erbij na te denken of me voor te bereiden op wat ik zou gaan zeggen, liep ik naar haar toe.

'Hoi, Antonia, hoe is 't?' zei ik in haar oor.

Ze draaide zich naar me om en keek me een ogenblik zwijgend aan. Ik voelde meteen haar afkeer, alsof ik een koude kamer binnen ging. 'Goed hoor,' zei ze ten slotte.

'Sorry.' Ik deed een stap naar achter. Ze knikte uitdrukkingsloos, en ik voegde me weer bij de anderen. Ik liet me op de glazen tafel zakken en staarde door mijn groene drankje naar mijn groenige voeten en begon mezelf met enige argwaan te bekijken. Ik vroeg me af of ik het type man was dat vrouwen haten, van die half-man-, half-dierfiguren: een vuile hond, een kouwe kikker, een slinkse rat.

Maar ik híéld van vrouwen, verdedigde ik mezelf dronken. Ik wilde ze gelukkig maken; ik wilde alleen niet verantwoordelijk zijn voor hun geluk. Ik kon mezelf niet voldoende afremmen om me in hen te verdiepen. Vrouwen waren als vormen aan de andere kant van een autoraampje: het ene moment onbeweeglijk en gedetailleerd, het volgende moment alweer vervaagd. Maria was de enige voor wie ik mijn tempo zou kunnen vertragen – altijd Maria – maar ze was te ver weg om haar beet te pakken, een zich verwijderende glimlach die in de lucht bleef hangen, als de glimlach van de Cheshire Kat.

Ik probeerde me te concentreren op de stemmen om me heen, maar dat ging moeizaam. Dronken als ik was hoorde ik alleen het lawaai achter de bar, rammelend als muntstukken in een spaarpot.

'Ik heb tegen hem gezegd dat het voorbij is als hij niet met haar stopt. Ze hebben geen seks, zegt hij.'

'Wat niet weet, wat niet deert.'

'Het leek wel een hoer.'

'We kunnen de hele boel beter verkopen. Al was het maar voor de verzekeringskosten.'

Ik wist niet waar deze gesprekken vandaan kwamen; ik was ineens weer acht jaar oud en zat onder een tafel met een gestolen canapé te kijken naar een parade van glinsterende schoenen. Vlak boven me meende ik Eves stem te horen, maar dat kon niet, en ik besefte dat mijn hoofd opzij was gezakt, als een zak meel, en dat ik even ingedommeld was.

Ik liet Felix en Nick, die met een paar vrouwen stonden te kletsen, alleen en ging naar huis. Ik struikelde toen ik in de taxi wilde stappen en opnieuw toen ik thuis met mijn voet achter de drempel bleef haken. Ik nam plaats op het bankje op mijn met palmbomen afgezette balkon, hoog en stil, en keek naar de Londense lucht, die me altijd aan ochtendrijp deed denken. Voor het eerst miste ik de volmaakt helderwitte sterren in Wales. Hoewel ik wist dat ik te veel had gedronken, schonk ik mezelf nog een groot glas whisky in, en daarna nog een. Bij het tweede glas beefde mijn hand zo hevig dat ik de helft over mijn broekspijp morste.

Wat had Theo ook alweer gezegd? Dat het neprozen waren? Theo in haar duistere wereld, vol denkbare en verloren dingen; overal waar ze keek zag ze een vader, alles wat ze omkeerde bleek een leugen. M.C. en A.A. op elke boom, glasscherven op elke terrastegel, een opbollend gordijn in een raam en een gedecideerde stem. De geest was terug, na al die tijd, die verdrietige, idiote geest. Voor het laatst gezien in een aan gort gereden rammelkast ten zuiden van Darwin, voor het laatst gezien op het terras, het donkere silhouet in een felverlichte rechthoek, voor het laatst gezien in een drukke straat. Ik wist niet wat ik haar moest schrijven, ik wist niet meer wie ik was, vanbinnen of vanbuiten, met mijn ogen open of mijn ogen dicht, met of zonder Theo. Het dunne oppervlak van mijn huid was als de verdikte rand van een glas: het voorkwam dat ik wegvloeide. Ik zakte opzij maar dwong mezelf weer rechtop te gaan zitten; ik morste niet. Mijn frustratie over Theo en haar brief stak weer de kop op en ik klampte me eraan vast alsof het een touw was waaraan ik mezelf uit de duisternis kon trekken.

Hoewel ik me steeds ongemakkelijker voelde over het hotel, vloog ik de volgende ochtend toch naar Edinburgh. Toen we het terrein bezochten, stuitten we op posters van de lokale actievoerders die zich sterk maakten voor het behoud van het weerloze negentiende-eeuwse pand dat doelbewust was verwaarloosd en ten prooi was gevallen aan vocht en verval. De lokale pers liet zich neutraal over het nieuwbouwproject uit, maar *Private Eye* noemde Menssons voorstellen 'barbaars'.

Ik keek de straat in met zijn hoge, victoriaanse gebouwen en zag hoe de vorm van het hotel, met zijn gepantserde omhulsel van spiegelglas, ertegen zou afsteken. Ik had gedacht dat het een spannend effect zou geven, maar nu – met de realistische blik van een stevige kater – schrok ik van mijn absurde ideeën: een gecrashte satelliet tussen de donkere, deftige stenen huizen.

Ik belde Felix. 'Hoe denk jij over de actievoerders?'

'Sinds wanneer maak jij je druk om actievoerders?' zei hij. 'Eerlijk gezegd maakt het mij niks uit. Jij moet maar beslissen of we dit aanpakken. Ik bedoel, we gaan toch al een heel andere richting uit. Ik voel gewoon meer voor duurzaam bouwen. Dat is een groeimarkt. En dan heb je tenminste geen last van... nou ja, van je geweten dus.'

'Ja,' zei ik, in verlegenheid gebracht. 'Ik ga erover nadenken.'

Toen ik die avond laat in Londen arriveerde, had het smoezelige, wattige gevoel van mijn kater plaatsgemaakt voor een knallende hoofdpijn. Ik had tussendoor nog steeds geen kans gezien om een dutje te doen, dus zodra ik thuis was, gooide ik mijn verfomfaaide pak over een stoel, liet ik mijn door de bagageband bekraste akte-koffer in een hoek staan en trok ik het dekbed over me heen. Op dat moment belde Maria.

'Jonathan, geloof het of niet, maar ik ben vanavond in Londen. Ik ben op een congres. We blijken vanavond vrij te hebben. Heb je zin om samen ergens iets te gaan eten? Of heb je geen tijd?'

'Jawel hoor,' zei ik. 'Ik weet wel een goed restaurant.'

Ik kwam, opgelapt door een paar aspirines, als eerste aan bij het restaurant, net op tijd om Maria te zien binnenkomen in een zwarte jurk. Ze glimlachte naar de ober en liet zich door hem naar mijn tafel leiden. Haar ogen, toen ze me zag zitten, waren donkerder dan anders, een broeierig goud binnen vaagzwarte randen. Ik voelde het gewicht van haar fluwelen blik bijna letterlijk op me rusten. Maar het contact was van korte duur. Ze kuste me snel en keek vervolgens het restaurant rond, zichtbaar geamuseerd over de pretentieuze inrichting, die was opgesmukt met draperieën, servetten en zwaar, zilveren bestek, en werd bestierd door een legertje obers.

We zaten in het licht van hetzelfde lampje en praatten over dingen waar we altijd over praatten. Ik besefte tot mijn wanhoop dat de avond zijn bekende loop zou nemen.

Spelend met mijn koffiekopje vroeg ik uiteindelijk: 'Ben je ooit verliefd geweest?'

Ze keek geschrokken op en schoot toen in de lach. 'Interessante vraag. Ja, twee keer. Bijna drie keer.'

'Hoe was dat?'

'Wat wil je horen? Het hele verhaal?'

'Ja,' zei ik. 'Het hele verhaal.'

'Oké,' zei ze, 'ik zal proberen er een verhaal van te maken, maar zo ervoer ik het destijds niet, hoor. Liefde is vaak een... zootje, een hoop ervaringen bij elkaar. Later, als het uit is, probeer je er een soort orde in aan te brengen.

Dus, er was eens een jongen, genaamd Guy, met wie ik in Bath in het eindexamenjaar iets had. We pasten helemaal niet bij elkaar en moesten ons van elkaar losvechten toen we naar de universiteit gingen. Dat deed pijn. Daarna leidde hij een wild leven, ging aan de drugs, dook met iedereen het bed in, het bekende verhaal. Ik heb gehoord dat hij uiteindelijk een vriendin heeft gevonden met wie hij een heel andere kant is opgegaan. Ze heeft hem bekeerd tot mormoon of Jehova's getuige. In elk geval iets strengs in de leer.

Daarna, toen ik in Frankrijk werkte, kreeg ik iets met Olivier. Ik hield van hem, maar het heeft maar een jaar geduurd. Het ging fout tussen ons vanaf het moment dat ik een keer thuiskwam met een jurk met een open rug. Ik moest hem beloven dat ik de jurk alleen zou dragen als ik met hém uitging. Dat zag ik door de vingers, net als zijn gedrag als ik over vrienden van me praatte. Na een tijdje kon ik het niet meer aan en was ik doorlopend ongelukkig. Ik denk dat ik in het begin blind was omdat ik me eenzaam en onthecht voelde. Je woont in een land dat niet je thuis is. Ik had het gevoel dat ik kon worden weggeblazen als ik me niet aan iemand kon vasthouden.

Daarna had ik in Amerika een paar dates, maar die gingen niet verder dan een welterustenkus op de wang. Ik had het te druk en trok vaak niet langer dan een paar maanden met iemand op, niet eens lang genoeg om te ontdekken of het iets kon worden. Uiteindelijk ontmoette ik een psycholoog op de kliniek, Jack, maar dat was een vreemde relatie. We dateten eindeloos met elkaar om maar geen beslissing te hoeven nemen. Het was een leuke vent, maar toch niet de ware. Ken je dat gevoel?'

'Zo ongeveer,' zei ik.

'Ik denk dat ik voorzichtig ben in relaties na wat er met mijn ouders is gebeurd. Maar ook omdat mijn eerste twee relaties zo vervelend afliepen. Dus als ik iemand ontmoette die rationeel gezien aan alle eisen voldeed, dan overtuigde ik mezelf ervan dat het dom van me zou zijn als ik niet met die man in zee ging. Ook al voelde ik iets anders.'

'Is het ook wel eens andersom geweest?' vroeg ik haar. 'Dat je jezelf moest overtuigen om iets níet te willen?'

Ze lachte verbaasd en aarzelde toen zo lang dat ik me afvroeg of ze nog wel antwoord zou geven. Toen ze weer opkeek, vielen haar ogen, gloeiend onder de zware wimpers, onmogelijk te interpreteren. 'Ik doe niet anders,' zei ze.

Voordat ik begreep wat ze zei of kon antwoorden, vervolgde ze fris en opgewekt, alsof ze het moment wilde uitwissen: 'Maar hoe is het eigenlijk afgelopen met jou en Antonia?'

Ik herinnerde me – met tegenzin – de breuk met Antonia: de verstikkende sfeer van ruzie en teleurstelling die in mijn longen had gebrand toen ik haar vanuit de deuropening nakeek. Antonia, die me met betraande ogen had aangestaard en had gezegd: 'Wat ben je toch een kouwe kikker.' Een moment waaraan ik niet graag terugdacht; een vervelende ervaring uit het verleden die nooit was gladgestreken. Ik was in de veronderstelling dat Antonia en ik elkaar begrepen, maar hoe langer ik haar kende, hoe minder ik haar begreep. We waren in bed begonnen en vandaar almaar verder van elkaar verwijderd geraakt, totdat ze slechts een donkere, boze gestalte in de deuropening was.

'Dat weet ik eigenlijk niet precies. We hadden geen hechte relatie. We praatten niet zo veel. Ik ging ervan uit dat we hetzelfde van elkaar verwachtten, maar dat bleek niet zo te zijn.'

'Dat spijt me voor je,' zei ze.

'Nee, zo bedoel ik het niet. Zij was degene die het uitmaakte, maar het was waarschijnlijk mijn schuld.' Ik dacht even na. 'Ja... ik ben er vrijwel zeker van dat het aan mij lag.'

Ze lachte, hoestte toen, werd ernstig, en schoot weer in de lach.

'O, Jonathan... sorry. Ik lach je niet uit, hoor.'

'Geeft niet,' zei ik. Ze glimlachte nog steeds naar me, zonder haar blik af te wenden, en ik kreeg een knoop in mijn maag van hoop. 'Zullen we naar een bar gaan?'

'Waarom niet?' zei ze.

Toen we opstonden pakte ik haar tas op, waaruit een boek viel. 'Wat lees je?' vroeg ik.

'Het gaat over een beroemde kunstenaar die zijn invloed voor verkeerde doeleinden aanwendde. Zelf was hij ervan overtuigd dat hij de wereld verbeterde en dat hij zijn volk een dienst bewees.'

'Tja, dat is natuurlijk een misvatting,' zei ik opgewekt terwijl ik haar de avond in volgde. 'Dat het algemeen belang ermee gediend moet zijn.'

'Denk je niet dat je prestaties op zijn minst voor een deel gericht moeten zijn op verbetering van het lot van anderen?' vroeg ze.

'Nee. Na een spelletje tennis voel je dat je iets hebt gepresteerd,' zei ik. 'Maar daar is niemand mee geholpen. Het gaat om de competitie, om het uitblinken. Daar gaat het om in het leven.'

'Oké,' zei ze, en ze sloeg haar ogen neer. De stilte werd luider. Ik zweeg, en zag mezelf staan onder het zonnescherm van het restaurant, met mijn armen over elkaar, mijn voet gewichtig opgeheven. Ik zag het lichte, smaakvolle overhemd, de blazer over de arm, de pols verzwaard door het kostbare horloge; de geknipte vingernagels en de keurige rij tanden, de soepele, kastanjebruine, handgemaakte schoenen, het haar niet te lang, niet te kort; rechte rug, gezicht gesloten als een etalagepui, de gespannen, ietwat samengeknepen mond die onzin uitkraamde.

'Maria, dat sloeg echt nergens op,' zei ik. 'Dat meende ik niet. Zullen we maar vergeten dat ik het gezegd heb?'

Ze keek me nu recht aan, haar haren opwaaiend uit haar kraag, als een vlag in de wind, en glimlachte. Ze pakte me bij de arm.

'Laten we in de bar van mijn hotel nog iets drinken.'

Toen de bar sloot, namen we de halfvolle fles witte wijn mee naar haar kamer, die luxueus en subtiel was ingericht: gedempte sfeerverlichting, het raam beslagen met regen, onze contouren opgeslokt door de sprei op het bed waar we half liggend op gingen zitten. De nacht was een wiegende boot die ons kalm en zorgeloos omsloot. Aangeschoten hield ik onze glazen vast terwijl Maria langs de films op televisie zapte.

'Ze hebben de programma's in categorieën verdeeld,' zei ze. 'Liefde, seks, dood. Welke wil je?'

'Liefde,' zei ik.

'Ik herinner me een gesprek met jou waarin je beweerde dat liefde niet bestond,' zei ze luchtig terwijl ze haar glas van me aannam.

'Ik ben van gedachten veranderd. Hoewel ik denk dat veel relaties niets met liefde te maken hebben. Maar dat geldt niet voor alle relaties.'

'Kijk uit, Jonathan... je wordt gevaarlijk soft. Een marshmallow is er niks bij.' Ze gaf me een plagend duwtje tegen mijn arm, als een kat.

'Mijn conclusie steunt anders wel op deugdelijke wetenschappelijke observatieprincipes.'

'Aha, je doet dus onderzoek naar het onderwerp. Stel je me daarom al die vragen? Ben ik een casestudy?'

'Ik vroeg het omdat ik niets van je weet,' zei ik. 'Zoals je lang geleden al eens zei.'

Haar glimlach verdween en er viel een stilte. Ze had haar gezicht naar het plafond gekeerd, en omdat ik naast haar zat, kon ik maar een deel van haar gezicht zien.

'Je zei dat ik een te positieve indruk van je had,' vertelde ik haar.

'Ik weet nog wat ik zei.'

Ik probeerde aan de hand van haar profiel haar gevoelens te lezen: de ronding van haar wang, de zijkant van haar neus, haar wimpers. Ze leek gesloten, was onleesbaar. Toen haar reactie uitbleef voelde ik me ineens diepongelukkig. Een ellendig gevoel waar ik telkens weer in wegleed: de tweede keer die avond, de honderdste keer die week. Ik was er al zo vertrouwd mee dat ik wist welke vorm het zou aannemen; 's nachts in mijn appartement, een stapel papierwerk, de herrie van de telefoon, het kille bed. Ik stelde me voor dat ik straks alleen naar huis moest en wist niet of ik dat zou kunnen. Maria's gezicht, nog altijd van me afgewend, herinnerde me aan Antonia, die niets meer voor me voelde. Geen belangstelling, geen vriendelijk woord.

'Ik weet niet meer waar ik mee bezig ben,' zei ik tegen haar. 'Ik ben moe. Moe van mezelf.'

Ze draaide zich om en keek me aan, maar zei niets.

'Het is de bedoeling dat ik een gloednieuw hotel ga bouwen op de plek waar nu een mooi oud pand staat. Is dat mijn werk?' zei ik.

'Aan de andere kant... ik zou niet weten wat ik anders nog kan. Dit is het enige. Ik ben een man die gebouwen ontwerpt. Anders niets.'

'Nee,' zei ze. 'Dat is niet waar.'

Ze legde haar hand op de mijne. Er viel een stilte. Maria wendde haar blik niet af; tot mijn verbazing stond haar mond eindelijk serieus. Ik bleef roerloos zitten en genoot van de luxe van het moment; de lichte aanraking van haar vingers verdampte als water op mijn huid. Ik had het gevoel dat ik het zou verpesten als ik nu iets deed; ik mocht geen beweging of geluid maken, niets wat de hoge vochtigheidsgraad tussen ons zou verstoren, de oplopende spanning. We zeiden niets, keken geen van beiden weg; en toen rinkelde haar telefoon en was het moment voorbij.

Ik vroeg me af wie haar om één uur 's nachts kon bellen, totdat ik haar gezichtsuitdrukking zag – geschrokken, en toen verlegen – en besefte wie het was: iemand wie ze had beloofd te zullen bellen zodra ze weer thuis was, iemand die op haar telefoontje had zitten wachten en zich had afgevraagd of ze het was vergeten of dat ze in slaap was gevallen, en die uiteindelijk had besloten zelf te bellen, omdat hij had uitgezien naar hun late gesprek en teleurgesteld zou zijn als het niet zou doorgaan en hij naar bed zou moeten. Ik zou in zijn plaats hetzelfde hebben gedaan.

'Je hebt een nieuwe vriend, hè?' zei ik.

'Ja.'

'En die belt je nu.'

'Ja.'

Ze maakte geen aanstalten om op te nemen, dus het gerinkel hield op, maar wij bleven achter in de leegte van de afwezigheid van het snerpende geluid dat de volmaakte stilte van zo-even aan stukken had gereten. Ik ging rechtop zitten. Maria ging achteroverliggen en legde in een bijna defensief gebaar haar arm over haar ogen, die ze echter bijna meteen weer wegtrok.

'Het is al laat. Ik kan beter naar huis gaan,' zei ik. 'Het spijt me dat ik heb zitten klagen over mijn werk en zo. Dat is natuurlijk het nadeel van psycholoog zijn... iedereen wil een gratis consult.'

Ze stond op en volgde me door de kamer terwijl ik mijn jasje en mijn schoenen aantrok en mezelf weer probeerde te herpakken. Ze keek onzeker, maar dat lag voor de hand: hoe lang had ik haar niet aangestaard? Ik was dronken, dat was het probleem. Ik zat gevaarlijk dicht tegen een huilbui aan.

'Jonathan,' zei ze, maar toen zweeg ze weer, en tegen de tijd dat ik bij de deur was, lag er weer een pantser van beleefdheid over haar uitdrukking. Ze mompelde dat we elkaar snel weer zouden spreken, waarna ik welterusten zei en vlug de hal in liep, achtervolgd door het kale geluid van de hotelkamerdeur die achter me in het slot viel. Toen ik even later vanuit de draaideur van het hotel de drukte van de straat in liep, bracht ik de hand die ze had aangeraakt naar mijn mond, alsof ik de complexe geur van haar huid opnieuw zou kunnen oproepen: zout, karamel, een zweem van haar parfum, dat was geabsorbeerd door de zon.

Ik wist dat ik haar moest laten gaan, althans mijn gedachten aan haar. Om mezelf te straffen telde ik de jaren dat ik naar haar had verlangd op. Ik wilde buiten blijven in de kale nacht, wilde schoongeboend worden door de koude, zwarte lucht en het opdringerige lawaai van het verkeer. Ik wilde verlost worden van het verlangen, van de droge dorst van het lichaam, van het vruchteloze vragen van mijn gevoelens. Ik ging terug naar mijn appartement, schonk mezelf een glas in waar ik niets van proefde en hield mijn hart vast alsof het een lek was dat gedicht moest worden.

Tegen vier uur zette ik mijn telefoon weer aan, in de hoop dat Maria me een sms'je had gestuurd. Ik had veertien telefoontjes van Theo gemist – wat niet ongewoon was – en ze had een voicemailbericht ingesproken. Ik was blij dat ik naar haar kon luisteren en niet met haar hoefde te praten.

Ze begon pas na een lange stilte te praten en het had niet veel gescheeld of ik had opgehangen. Haar stem klonk rauw, slissend, alsof ze gehuild had.

'Jonathan... ik moet dit over de telefoon vertellen, ook al zijn telefoons niet veilig. Ik weet niet hoe ik je anders zou moeten bereiken. Maar ik moet het je zeggen. Niet zo lang geleden had ik me buiten bij Eves werkkamer verstopt omdat haar jurist zou komen en ik wilde weten wat ze met je hebben gedaan. Ik hoorde ze door het raam met elkaar praten. Eve noemde zijn naam, ze zei "Michael Caplin". Ze zei: "Ik zie niet in waarom dat een probleem zou zijn." Ik herinner me elk woord van wat ze zeiden. De jurist zei: "Hij is al een jaar lang niet aan het geld gekomen." Toen zei ze: "We hebben hem hier niet meer gezien. Als hij geen geld wil opnemen uit het fonds, moet hij het zelf weten." Toen ik later aan Eve vroeg: "Waar is mijn vader?", werd ze boos. Ze zei dat hij dood was, en toen wist ik dat zíj dat gedaan moest hebben, dat zij hem had vermoord, vanwege het geld, de geldsamenzwering met Tang Beijing en de galerie en de data-invoer, en ik wist dat ze jou iets had aangedaan. Ik weet niet of ze me nu vanaf het schilderij afluistert, of vanuit de televisie. Jij bent weg...' Ze zweeg, in tranen. 'Ze zeiden dat je terug zou komen maar ik weet dat ze liegen. Ze hebben je vermoord. Ze proberen me van je weg te houden. Ik heb niet veel tijd. Ik kan hier niet blijven. Ik moet vluchten. Ik weet eindelijk hoe ik weer bij je kan zijn, en bij hem. Dan zal ik ook een geest zijn. Ze zullen ons niet kunnen vinden, wij met z'n drieën. We zullen ver weg zijn, Jonathan... wat zullen we gelukkig zijn.'

Ze zei nog iets maar het einde van haar bericht werd abrupt afgebroken. Toen ik haar terugbelde kreeg ik geen gehoor.

Ik beefde hevig toen ik naar Evendon belde. Ik zat op het voeten-
einde van mijn bed in mijn appartement en keek naar mijn handen
op de telefoon, die trilden alsof ze van papier waren.

Na lang overgaan nam de nieuwe huishoudster, mevrouw North,
op. Haar stem was dik van de slaap, en pas na lange tijd hoorde ik
Eves stem, zacht, en toen echter naarmate ze dichter bij de telefoon
kwam. 'Wie is het?' zei ze, en ik hoorde dat ze de telefoon aanpakte.
'Jonathan, alles goed?'

Haar stem had de normale, solide klank van iemand die in een
zijden peignoir op een roomwitte damasten bank zat en uitkeek op
een bloemstuk met lelies. Ik zag haar in gedachten zitten zoals ze
altijd zat, als marmer met een bewegende mond, het ene been over
het andere geslagen, de teen wijzend. Het strakke, donkere gazon
strekte zich achter haar uit in het licht van het huis.

'Dat weet ik nog niet,' zei ik. 'Was Theo vandaag bij jullie?'

'Zo ver ik weet is ze vannacht niet thuisgekomen. Ze ging geloof
ik uit met een vriendin.'

'Heeft ze gezegd wanneer ze terug zou zijn?'

'Dat doet ze nooit, lieverd. Is er iets? Zal ik haar zeggen dat ze je
terug moet bellen? Over bellen gesproken, ze heeft tegenwoordig
iets tegen telefoons. Ze zegt dat ze er niet in gelooft. Een of ander
vaag newage-idee, vermoed ik.'

'Ik maak me zorgen om haar,' zei ik. 'Over haar gemoedstoestand.
Wilt u haar vragen of ze me belt zodra ze thuis is?'

'Natuurlijk. Ze is inderdaad nogal somber de laatste tijd. Humeu-
rig zelfs. Maar ik denk niet dat er reden tot zorg is. Je kent Theo.'

'Daar begin ik steeds meer aan te twijfelen,' zei ik. Ik wist nauwelijks wat ik zei. Mijn angst voor het gesprek nam toe, maar als een auto die een heuvel af rolt, kon ik alleen maar toekijken hoe hij vaart meerderde.

'Jonathan?' vroeg Eve. 'Weet je zeker dat alles goed met je is?'

'Heeft Theo nog naar onze vader gevraagd?'

Ik hoorde Eves ergernis nu, stekelig onder het gladde, monotone oppervlak van haar stem. 'Dat zou best kunnen. Dat herinner ik me niet precies.'

'Zo lang kan dat toch niet geleden zijn? Kunt u zich niet meer herinneren wat ze heeft gevraagd?'

'Jonathan, ik begrijp niet waarom je me op dit uur van de dag op deze manier denkt te moeten uithoren. Zo ken ik je niet. Ben je dronken?'

'Hij leeft nog,' viel ik haar in de rede. 'Waar of niet?'

Het bleef stil aan de andere kant van de lijn.

'Wat hebt u met hem gedaan?'

'Doe niet zo onredelijk,' zei Eve, haar stem kouder en scherper dan ik van haar gewend was, alsof de kleren die haar stem gewoonlijk droeg – het fluweel en de zijde – waren afgerukt. Ik stortte in; haar stem floot door het wrak, metaalachtig en kil. 'Ik denk dat het verstandiger is terug te bellen als je in een betere bui bent.' En dus hing ik op.

Ik belde diverse keren naar Theo's mobiel maar hij bleef overgaan en zond het gerinkel de lege ruimte in. Het licht weerkaatst in het raam was waterig zwart, als olie op water. Ik kon niet overeind komen of opstaan; in de kern van mijn lichaam voelde ik een koude pijn, afgewisseld met stevige steken. Ik bleef voorovergebogen zitten, met de telefoon in mijn hand, die mijn vingers niet warm konden krijgen. Ik wist al dat ze niet zou opnemen, maar ik zag een beeld voor me van een groepje vrienden in een pub in Wales, Theo's telefoon die overging in de tas aan haar voeten, het geluid gesmoord in gelach. Ze zat te roken, gehuld in een versleten legging en een overhemd van mij, en om haar nek een zijden shawltje van Alicia dat ze op weg naar de pub van de kapstok had gegrist. Ze was vergeten dat ze mijn voicemail had ingesproken omdat de pillen die ze eerder die dag had geslikt uiteengevallen waren in onschadelijke deeltjes die hun grip op haar aan het verliezen waren. Haar vrienden plaagden haar nu, omdat het ergste achter de rug leek. 'Je was compleet de weg kwijt,' zei een van hen. 'Je zei de meest idiote dingen.' Theo haalde een hand door haar haren en lachte beschaamd.

Na een poosje kon ik mijn rug weer iets ontspannen en had ik voldoende kracht in mijn handen om mijn auto te starten. Ik reed over een bijna lege snelweg naar Wales. De houtskoolzwarte nacht kleurde grijs en het begon zacht te regenen. Hoewel ik nog steeds in mijn eigen pubverhaal geloofde – ik klampte me er zo stevig aan vast dat de warmte en het licht waarin ik had gebaad langzaam uitdoofden, als een flakkerende vlam – hoorde ik boven de geluiden van de pub iets anders uit: een lijst van dingen die ik, of ik ze nu wilde horen of niet, tegen Theo had moeten zeggen.

Toen ging de telefoon op de stoel naast me over en zag ik haar voor me, haar haren als rookslierten om haar gezicht, haar ogen starend naar de wolken die voortjoegen door de lucht.

2008

Op het vliegveld kijk ik toe hoe mijn bagage door de lange plastic tanden wordt opgeslokt terwijl ik argwanend word gadegeslagen door de man achter de balie. Met zijn gleufvormige mond en doffe ogen heeft hij iets van een dvd-speler. Ik overweeg naar hem te glimlachen om hem ervan te overtuigen dat ik, ondanks mijn ongeschoren gezicht en mijn licht wanhopige uitstraling, geen terrorist ben, maar mijn vastgeroeste mondhoeken werken niet mee.

Terwijl ik op een vastgenagelde stoel voor het vertrekbord wacht op mijn vluchttijd, voel ik ogen op me rusten. Als ik opkijk zie ik tegenover me een kind vanuit zijn rolstoel naar me staren terwijl het een lolly ronddraait in zijn felgroene mond. Kinderen kunnen nog genieten van de luxe van het staren; naarmate we ouder worden heeft een starende blik meer consequenties, dus leren we het af (dat wil zeggen, de meesten van ons; Theo heeft het nooit afgeleerd). Ruim tien minuten lang voel ik zijn strakke maar vriendelijknieuwsgierige blik op me gericht, totdat hij wordt weggereden door zijn ouders. Dan voel ik me plots alleen. Ik sta op om de luchthaven rond te wandelen, op zoek naar iets eetbaars waar ik eigenlijk geen zin in heb.

Uiteindelijk sluit ik aan in de rij voor de dichtstbijzijnde fastfoodketen. Er hangen posters aan de muur van Amerikaanse gebouwen met neonverlichting en Cadillacs voor de deur. Rondom hangen spiegels die alles reflecteren in een lichtgelige tint. Ik vraag me af of dit een doelbewuste keuze is om het ego te krenken: het opdringen van een gevoel van zelfhaat om troosteten aan te moedigen.

'Wilt u de dagaanbieding?' vraagt het meisje achter de balie zonder me recht aan te kijken.

'Ja, graag.' Ze is mooi; haar haar is samengebonden in een paardenstaart die haar bleke oren en nek bloot laat, de huid is te jong, te zacht voor het goedkope, felgekleurde uniform en het stijve kapje. Maar haar gezicht straalt een harde zelfverzekerdheid uit, een gebrek aan interesse, waardoor ze naadloos opgaat in haar omgeving.

'Wat wilt u erbij drinken?' Ze kijkt niet op van haar rekenmachientje.

'Pardon? O, nee. Niets, dank je.'

'Het drinken is onderdeel van de dagaanbieding.' Ze kijkt naar me op, haar vinger nog in de aanslag.

'Oké. Doe me dan maar een cola.' Terwijl ze het intikt, vraag ik: 'Hoe is het om hier te werken?'

Ze pauzeert even, niet echt uit het veld geslagen. Waarschijnlijk wordt dat haar vaak gevraagd door vriendelijke moedertypes en eenzame of geile oude mannetjes. 'Ach, het is werk, nietwaar?' zegt ze. 'Dat is dan vier pond negenennegentig, alstublieft.'

Ik geef haar een briefje van vijf en krijg in ruil daarvoor een plichtmatige glimlach, een plat uitziende burger en een zakje met dunne frieten.

'Ben je gelukkig?' vraag ik ineens.

'Hè?'

'Ik zei: "Dank je wel".'

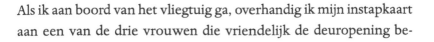

Als ik aan boord van het vliegtuig ga, overhandig ik mijn instapkaart aan een van de drie vrouwen die vriendelijk de deuropening bewaken maar nauwelijks op mijn instapkaart kijken. Ze hebben alle drie dezelfde kobaltblauwe oogschaduw op. 'Prettige vlucht,' zegt een van hen met een knipoog, waar de andere twee om moeten lachen.

In het vliegtuig ga ik naast een vrouw met een donkere, saaie jas en een bril zitten, die naar het kleine beeldscherm boven onze hoofden kijkt en haar medepassagier geen aandacht schenkt. Buiten het raampje strekt zich een Noordpoollandschap uit: blauwe luchten boven een toendra van wolken en blauwe waterplassen. Om de tijd te doden kijk ik het inflightmagazine door. Vervolgens verdiep ik me in de veiligheidsinstructies. Ik gedachten loop ik de ontsnappingsroute na totdat ik besef dat ik in geval van een crash helemaal niet wíl ontsnappen. Ik zou mijn ogen sluiten en wachten tot ik haar zie. Gaandeweg zijn de details van wat ik tegen haar wil zeggen weggezakt; mijn offer is ingedikt tot zijn pure vorm, tot zijn simpele essentie. *Het spijt me. Ik hou van je. Vergeef me, alsjeblieft.*

⁓

Met het verstrijken van de uren verandert de lucht in een science-fictionachtig decor van zwevende paarse en witte strepen. Boven de strepen hangt een diepblauw dat vervaagt naar ijswit. De lucht lijkt van glas, als het binnenste van een knikker, levenloos, onwerkelijk.

Ik herinner me dat ik een gratis krant heb gekregen en haal hem uit mijn tas. Het is mijn minst favoriete tabloid; de toon is te verontwaardigd en moralistisch voor de smoezelige verhalen die erin staan, als een victoriaanse dominee die stiekem gevallen vrouwen bezoekt. Aan mijn familie wordt een groot, twee pagina's tellend artikel gewijd: DE VLOEK VAN DE BENNETTS. Het herinnert de lezer aan het feit dat George Bennett in zijn tijd een paar Maya-graven heeft blootgelegd die werden beschermd door een vloek. Vandaar dat het nogal voor de hand ligt dat zijn broer veel schulden had toen hij stierf, dat zijn vrouw op jonge leeftijd overleed en dat ook de vol- gende generaties door de haat van de oude koningen te gronde zul- len worden gericht. Eve is te zien op de grootste foto. Dan heb je Alicia, die 'de bons heeft gekregen' van haar verdwenen echtgenoot; Alex, de verbitterde vrijgezel; Theo, de tragische kleindochter.

En ten slotte ik, gecast als de vervreemde erfgenaam. De eerdere opmerkingen van mijn moeder over mijn afwezigheid worden op- nieuw geciteerd, vergezeld van een foto van Alicia bij een polowed- strijd, waarop ze er eerder elegant uitziet dan diepbedroefd. Tot mijn opluchting zie ik dat de foto van mij niet bijzonder treffend is.

Ze hebben het mis, de journalisten; het was geen vloek. Het was een beschermende toverspreuk die zijn werking verloor toen de dagen van de opperfee geteld waren en zij niet langer in staat was de tijd stil te zetten of het paleis in slaap te sussen.

Er waren dagen in het verleden dat we zomers wel eens met het hele gezin buiten zaten. Alicia en Eve onder de witte parasol als een bollend zeil, Theo liggend in het gras. Geluk, als je het zo zou kun- nen noemen, hing als een glazen stolp om ons heen; alles daarbui- ten was stiller dan het zou moeten zijn. Theo rookte een sigaret, haar ogen lichtblauw in het licht. Het was een schemerzone, ge- schorste tijd; maar het enige wat ik wil, is teruggaan in het verleden om weer met mijn ogen dicht in de volmaakte, ongecompliceerde zon te liggen.

Ik ben ongewild in slaap gevallen en word pas wakker als het vlieg- tuig – gillend en bevend als de heldin in een horrorfilm – de landing inzet. Terwijl de reizigers door het gangpad naar buiten schuifelen, slaapt de vrouw naast me door. Ze zit voorovergezakt en haar hoofd, dat bijna in haar schoot rust, leunt tegen de stoel vóór haar. Ik heb het akelige gevoel dat ze dood is, maar dan zie ik haar mond bewegen, en voordat ik haar op haar schouder kan tikken om haar te wekken, kijkt ze op naar de vertrekkende passagiers, pakt haar tas en sluit zich aan in de rij.

'Dank u,' herhaalt de stewardess almaar als we haar passeren naar de trap. Haar glimlach verstrakt iets in de hoeken als ik vanuit het vliegtuig met samengeknepen ogen de drukkende hitte in stap.

Deel vier

2007

Ze is weg, ze is verloren, ze is gevonden, ze is altijd mooi!
Sir Walter Raleigh, *The Ocean to Cynthia*

Vijftien

Ik hing de telefoon op en staarde naar de miezerige boompjes langs de parkeerhaven, het groen van de open weilanden, het saaie grijs van de weg die langsgleed als stromend water, de afstandelijke lucht, alsof niets deze triviale, kunstmatige elementen nog samenbond en hun wezenlijke leegte, hun ledigheid, werd blootgelegd. Ik kon de leegte van het landschap en de leegte in mezelf niet uit elkaar houden. Ik wachtte roerloos op een gedachte – welke gedachte dan ook – maar ik was uitgehold, gewichtsloos. Ik had geen hart dat ik kon voelen, geen maag, geen geest. Ik keek wezenloos voor me uit, broos als een eierschaal, ademde zonder longen, knipperde zonder ogen.

En toen nam het schuldgevoel bezit van mij. Ik holde mezelf uit en werd gevuld met schuld, waarna er niets meer van me overbleef dan een lege huls.

Gedachteloos startte ik de auto weer en reed verder. Ik bereikte de Severn Bridge en passeerde de tolhokjes naar Wales, dat kleurloos en koud was, een geschokte, onderbroken dag, zwaar van spookachtige regendruppels. Voorbij Cardiff zag ik er steeds meer tegen op om terug te gaan naar Evendon. In plaats daarvan verliet ik de snelweg en stopte in het dichtstbijzijnde dorpje, een groezelig plaatsje met een onuitspreekbare naam en slechts één kleine B&B, dat gesloten bleek. Desondanks ging ik naar binnen en boekte een kamer voor de nacht.

'We hebben geen saucijsjes,' zei de eigenaresse met een spijtig gezicht.

'Sorry?'

Ze wees naar een bord waarop geadverteerd werd met een volledig Engels ontbijt: twee eieren, twee saucijsjes, twee plakjes bacon, bonen, en gebakken brood of toast.

'Geen saucijsjes,' zei ze nogmaals. 'Sorry.'

'O,' zei ik, en we wachtten terwijl ik naar een antwoord zocht. 'Geen probleem.'

Eenmaal op mijn kamer sloot ik de deur af, deed de gordijnen dicht en ging op bed liggen. Ik staarde naar de lilakleurige muren en de geborduurde bloemen die boven de schoorsteenmantel tegenover me hingen. Ik had het gevoel dat ik in de tocht van de open haard lag; ik ademde een bittere rooklucht in die schuurde in mijn keel en als zand in mijn ogen brandde. Ik probeerde te slapen maar mijn oogleden waren te rood, te licht. Vervolgens probeerde ik me haar gezicht te herinneren, en toen dat niet lukte, werd ik bang. Het was slechts een verzameling van gelaatstrekken, een grote blonde haardos. Telkens weer probeerde ik de delen bij elkaar te rapen, maar ze zonken weg in nachtelijk water; mijn vingers streken erlangs, maar ze ontsnapten aan mijn greep. Pas toen het in de kamer donker werd, viel ik in slaap.

De volgende ochtend voelde ik me slap, uitgedroogd, maar helder. Het licht stroomde door de vitrages en de dunne chintzstof de kamer binnen. Ik hoorde het gebonk en gerammel van vrachtauto's op de brede weg voor het huis en stemmen op de gang. Er klonk een mannenstem, gevolgd door een schrille vrouwenlach, als van een roofvogel.

Ik lag verdwaasd op mijn bed in de kleren van de vorige dag en stond op om de gordijnen te openen. De lucht zag er nog steeds winters uit, zwaar en gezwollen van de regen, zilverkoud. Ik had het gevoel dat ik ervan had gegeten; mijn maag leek bevroren van angst.

Ik stond een ogenblik gedachteloos voor het raam. Toen herinnerde ik me dat mijn zusje dood was; de kou verspreidde zich door mijn lijf en drong diep in mijn botten, sneeuwde me in.

De oprit naar Evendon maakte boven op de heuvel een bocht, dus in plaats van dat het huis langzaam verscheen terwijl je het met de auto naderde, ontrolde de weg zich door een tunnel van bomen die aan het einde terugweken als theatergordijnen en de brede gevel in één keer onthulden. De aanblik nu van het huis – de natgeregende, grijze steen, de gesloten deuren – was te hard, te abrupt. Ik bleef in de auto zitten en staarde wezenloos voor me uit totdat de nieuwe huishoudster, mevrouw North, in de voordeur verscheen en haastig naar me toe kwam lopen. Noodgedwongen stapte ik uit om haar te begroeten. Ze was nog maar begin veertig en had een open, treurig gezicht. Ze mompelde haar condoleances. Ik kon niet anders dan met haar het huis in gaan, waar ik werd getroffen door de vertrouwde geuren; die van geboende vloeren, lelies, parfum, lucht. Het rook hetzelfde als anders. De rode muren en oosterse tapijten in de zitkamer, de salon als een gouden ei; de hoge, tochtige hal, de ivoorkleurige woonkamer. Mijn hoofd deed er pijn van, zo gewoon zag alles eruit.

'Heeft ze een briefje achtergelaten?' vroeg ik aan mevrouw North. 'Zover wij weten niet,' zei ze. 'Het spijt me.'

'Wie heeft haar gevonden?' vroeg ik. 'Een van de tuinmannen?'

'Nee, een dienstmeisje en haar vriendje. Ze werkte hier net. Ze rookten nog een sigaretje voordat ze aan het werk gingen. Omdat het nogal afgelegen ligt. Ze hoorden haar telefoon overgaan.'

Ik vond het een ondraaglijk idee dat de mensen die Theo op die manier hadden gezien vreemden voor ons waren. Ik moet ineengekrompen zijn, omdat mevrouw North me ineens bezorgd aankeek.

'Het spijt me,' zei ze weer.

Toen kwam Alicia de trap af. Ze liep sneller dan anders. Ze klampte zich even aan me vast, wat ik niet van haar gewend was; ik rook een scherpe alcohollucht. Haar vingers streken over mijn schouders, doelloos, krachteloos, als zeewier.

'Dit is heel, heel moeilijk,' zei ze klaaglijk. 'Ik weet niet of ik dit nu wel aankan.'

Het grootste deel van de ochtend voerde ik gesprekken met politieagenten, artsen en verslaggevers. Ik was me bewust van Eves aanwezigheid aan de rand van mijn blikveld. We zeiden geen woord tegen elkaar. Ik hoorde haar dingen zeggen als 'niets voor haar' en 'een tragedie', op eenzelfde manier zoals ze het woord deed voor de camera, en ik vroeg me af of dit sterfgeval opnieuw een keerpunt in haar leven zou worden, zoals al die andere belangrijke gebeurtenissen in het verhaal van Eve Anthony. Alicia liep de kamer in en uit en maakte een steeds beschonkener indruk.

'Waarom is ze niet naar de kant gezwommen? Als je in het water valt, begin je toch zeker automatisch te zwemmen?' vroeg ik aan de politieagent.

'De vijver is in het midden behoorlijk diep,' zei hij. 'Je zus had stenen in haar zakken.'

'O.'

'Het spijt me, meneer Anthony. Het ziet ernaar uit dat er geen complicaties zijn voor wat betreft de oorzaak. Het lijkt op een een-voudige zelfmoordzaak.'

'Maar de drugs dan?' vroeg ik aan de arts.

'Drugs?' vroeg hij geschrokken.

'Ik weet het niet. Lsd of wat dan ook. Ze moet toch iets genomen hebben?'

'Er zijn geen tekenen van drugsgebruik,' zei hij. 'Hoewel we dat pas zeker weten als we het autopsierapport hebben.'

Ik weet niet meer precies wat ik daarna dacht of voelde. Zodra de meeste mensen weg waren, ging ik in de zitkamer op de bank lig-gen met de deuren dicht. Dat leek me het eenvoudigst. Ik zweefde roerloos in het gedempte, loodgrijze licht, mijn ogen gericht op het plafond.

Na verloop van tijd besefte ik dat er iemand in de kamer was: de gestalte was donker vanwege het tegenlicht en veranderde geleide-lijk aan in Eve. Ze stond, roerloos als altijd, naar me te kijken; geen bewegingen, behalve de noodzakelijke.

'Jonathan,' zei ze nu. 'Gaat het?'

'Heeft ze nog iets gezegd voordat ze wegging?' vroeg ik. 'Zei ze dat ze naar een vriendin ging?'

'Nee. Ik heb haar nauwelijks gesproken voordat ze vertrok. Ik ging ervan uit dat ze naar een vriendin ging.'

'Wat was het laatste dat ze tegen u heeft gezegd?'

'Dat weet ik niet meer precies. Het was iets vreemds. Maar dat was ik van Theo gewend.'

'U herinnert zich niet wat ze heeft gezegd? Of wilt u het niet zeg-gen omdat het over onze vader ging?'

Eve deed een stap naar me toe; de schaduw van het raam gleed van haar af, alsof ze een standbeeld was dat werd onthuld. Wit, scherp.

'Ik weet dat je van streek bent,' zei ze. 'Dat zijn we allemaal. Maar je bent in de war. Je vader is dood. Ik weet niet waar die plotselinge belangstelling voor hem vandaan komt, of wat dat met Theo te maken heeft. Maar het is niet eerlijk om mij ervan te beschuldigen dat ik over hem lieg. Wees alsjeblieft niet onredelijk.'

Ik stond op, gejaagd, en Eve deinsde al even gejaagd achteruit. Als ze iemand anders was geweest, zou ik gedacht hebben dat ze verschrikt keek. Maar ik vergiste me. Er was niets ongewoons aan haar gelaatsuitdrukking, op haar ogen na, die oplichtten; de huid van haar gezicht was strakker, kouder dan anders.

'Jonathan, luister. Dit heb ik niet verdiend. Ik begrijp niet waarom je boos op me bent.' Ik zei niets, en dus vervolgde ze iets vriendelijker: 'We zijn allemaal verdrietig, lieverd. Maar het is belangrijk dat we elkaar steunen en ons niet van elkaar afkeren.'

'U zult me nooit de waarheid vertellen, of wel?' zei ik onthutst. 'Zelfs niet nu ik het weet. *Het geheime leven van Eve Anthony!* Mijn vader is niet dood... U hebt iets met hem gedaan. U hebt hem afgekocht. Maar hij kwam terug voor ons. De inbreker... dat was hij, nietwaar? En Theo zag hem in Londen. Ze wist dat hij niet dood was. En ik zei tegen haar dat ze zich vergiste.'

'Je bent jezelf niet,' zei Eve, maar ook zij was boos, en ze sprak harder dan anders, en haar ogen probeerden zich op mij te blijven focussen. 'Probeer een beetje te kalmeren.'

'Waar is de overlijdensakte? Als ik ernaar op zoek ga, vind ik dan ergens een bewijs van zijn dood?'

Ze staarde me zwijgend aan.

'Ik neem aan dat er ook nergens een bewijs is dat hij geld van u ontvangt? U weet als geen ander dit soort dingen te verdonkeremanen.'

'En is dat de vader die je terug wilt? Iemand die zich laat afkopen?'

'Dus u hebt hem afgekocht!'

'Dat zei ik niet.'

'Nee, natuurlijk zei u dat niet, goddomme. En zij zag hem en ik probeerde het haar uit haar hoofd te praten. Ik zei dat ze zich vergiste, omdat ik u vertrouwde. Ik bewonderde u. Ik probeerde te zijn zoals u! Maar ik weet niet meer wie u bent. En wat zegt dat over mij? Ik ben een slechte kopie van iets wat namaak is. Waardeloos, meer dan waardeloos. Theo had gelijk, maar ik zei tegen haar dat ze zich vergiste waar het u betrof, en ook waar het onze vader betrof. Wie weet wat u allemaal tegen haar hebt gezegd in de weken dat ze hier was. Het zou goed zijn gekomen als niet iedereen tegen haar had gelogen en haar had opgejaagd. Ze kwam achter de waarheid omdat ze u met uw jurist hoorde praten, en toen heeft ze zelfmoord gepleegd. Uw leugen heeft haar gedood. En als ik niet die nepfiguur was geweest die ik van mezelf heb gemaakt, dan had ik haar geholpen. Dan had ik haar verdomme niet naar Evendon gestuurd om hier te sterven, om te verdrinken in die wildernis, dat water, helemaal alleen.'

Ik was me ervan bewust dat Eve zich had omgedraaid en de kamer had verlaten en dat ik haar naschreeuwde, maar het maakte me niet uit of ze me hoorde of niet, of mijn woorden wel samenhang vertoonden, hakkelig en vaag als ze waren, van woede en tranen, waar ik mezelf om haatte vanwege al de keren dat ik Theo aan het huilen had gemaakt door iets wat ik zei of deed, terwijl zij mij nooit aan het huilen had gemaakt. Nooit.

Na die dag ging Eve naar bed, en ze bleef in bed. Ik had slechts een vaag besef van de dagen en nachten, van de lichten die aan of uit gingen, de gordijnen die open of dicht werden gedaan. Later hoorde ik dat het een week had gekost om Theo's begrafenis te regelen en dat Eve niet van haar kamer af was geweest. Haar eten werd naar haar slaapkamer gebracht, maar ze at er nauwelijks van. De huisarts werd erbij geroepen om te zien of ze ziek was; ze stuurde hem weg.

'Ze is al jaren niet bij een huisarts geweest,' zei hij wrevelig. 'Je grootmoeder zou zich eens goed moeten laten onderzoeken.'

Ik regelde de begrafenis van Theo zelf. Alicia toonde interesse maar bood niet aan me te helpen. Na de schok van de eerste dagen had ze vreemd genoeg iets energieks over zich. Ze las de brieven die binnenstroomden en nam regelmatig de telefoon op, die roodgloeiend stond. Ze was welbespraakt als het om de meest onbelangrijke details van een begrafenis ging en één keer hoorde ik zelfs het zeldzame geluid van haar lach doorklinken vanuit de hal. Ze gebruikte zelfs meer make-up dan anders, werkte rimpels en donkere kringen weg, kleurde zichzelf in. De dramatische gebeurtenis en het feit dat ze Eve verving leken haar weer zin in het leven te geven.

Op een ochtend kwam ze fronsend met een van de zwartgerande rouwkaarten de eetkamer binnen. Ik vroeg me af of dat het uiteindelijk had gedaan; zo'n stevig stukje kaart, de harde, sierlijke belettering. *Beste Alicia. Ik wil je eraan herinneren dat je dochter overleden is. Ze heeft zichzelf verdronken. De begrafenis zal plaatsvinden op vrijdag; neem een fles mee.* Ik las de teleurstelling af aan haar opgetrokken bovenlip.

'Jonathan, wil je echt dat de rouwkaarten er zo uitzien?'

'Hoe bedoel je?'

'Ze zien er zo… goedkoop uit.'

Met opengevallen mond draaide ik me rond op mijn stoel. Het enige antwoord dat in me opkwam was: 'Nou, dat zijn ze anders niet.'

'Het lettertype… De kaart voelt glad aan.'

'Ze zijn al verstuurd. Je kunt er nog één achteraan sturen als je wilt. Je zou er een excuusbriefje bij kunnen doen voor de eerste kaart. Zeg maar dat ik ze heb uitgezocht en dat ik gek was van verdriet. Hopelijk komen de mensen dan toch nog.'

'Je hoeft niet zo onaardig te doen.'

Er viel een stilte, en terwijl Alicia afwezig met haar vingers over de kaart streek, liep ze de kamer uit.

Omdat ze een verwant was van Eve Anthony, werd in de kranten en in het nieuws aandacht besteed aan Theo's dood. De vrouwelijke nieuwslezer zei in de camera dat Eve ernstig ziek was geworden van de stress. Ze zei het met een serieus gezicht, keek even in haar aantekeningen en vervolgens, nog altijd met een serieuze blik, keek ze weer op. Toen zei ze: 'En dan nu het weer', en maakte een grapje met de weerman over zijn leuke stropdas.

Theo werd begraven bij de kleine kerk in de buurt, in de hoek met de bemoste entablementen van de Bennetts, onder de schaduw van de gehavende cherubijnen van Sir James' tombe. De begrafenis was met gesloten kist, hoewel de begrafenisondernemer ons had verzekerd dat het ook met open kist kon als we dat wilden, omdat Theo niet lang in het water had gelegen. Maar dat had ik van de hand gewezen. Ik wilde haar niet gebleekt door de dood zien, het begin van de vernietiging. Maar toen we om het graf stonden, werd ik ineens onrustig en wilde ik haar gezicht zien. Ze zou verdwijnen, in een zwart gat, de scheiding tussen mijn herinneringen en haar teraardebestelling. Het was barbaars dat ze op deze manier in de grond gelegd zou worden. De kist, het geluid van de aarde en de stenen op het deksel. De aarde, het hout, de botten en het vlees. Ik keek vol afgrijzen toe en herhaalde de gebeden.

Eve kwam haar kamer uit voor de begrafenis. Mevrouw North had haar op de hoogte gehouden van de gang van zaken. Daar was ik haar dankbaar voor. Mevrouw North stelde geen vragen. Ze vroeg niet waarom ik sinds mijn komst niet met Eve had gesproken, of waarom ik ingewikkelde omwegen op Evendon maakte om Alicia te ontlopen. Ze deed gewoon stilletjes haar werk. Ze was de enige in huis die niet tot stilstand was gekomen, vastgelopen als een oude klok, een verlamde koekoek half uit zijn deurtje.

Tijdens de dienst zat Eve achter een ondoorzichtige voile in een rolstoel, haar rug recht, haar hand stijf op haar been. Ze had die ochtend op willen staan maar had gemerkt dat dat niet lukte. Ik kon aan haar zien dat ze razend was. Ze had de rolstoel met nauwelijks verholen woede geaccepteerd van de dokter. Alicia stond naast me; ze trok een gevoelvol gezicht naar de koude buitenwereld en depte haar ogen op een manier zoals ze vermoedde dat andere mensen hun tranen zouden drogen. Bij daglicht, en in zwarte kleding, was het verval van haar schoonheid goed te zien. De huid boven haar ogen plooide in fijne lijntjes, als vloeipapier, en was dunner en doorschijnender dan de rest van haar gezicht. Haar hand op mijn arm was zo licht als een bosje droogbloemen. Alex stond aan mijn andere zijde. Hij was op zijn hoede in mijn nabijheid, hoewel ik mijn best deed hem het gevoel te geven dat hij welkom was. Alex, Alicia en ik; we hadden ons misschien solidair met elkaar kunnen voelen, maar zelfs nu waren we zwijgzaam en verdeeld.

Mijn vrienden stonden achter me: Nick, Felix, Sebastian, met zijn hand voor zijn ogen. Ik had hem buiten opgewacht zodat ik hem alleen kon spreken. Hij struikelde bijna toen hij uit de taxi stapte en opnieuw toen hij op me afliep, alsof hij zijn ledematen altijd heel bewust had aangestuurd en dat nu niet meer voor elkaar kreeg omdat hij zich niet kon concentreren. Zijn gezicht, gebruind na zijn maandenlange verblijf in India, was een gravure van zichzelf, een radeloos negatief.

'Dus het is waar,' zei hij. 'Dit is echt.'

Ik begreep wat hij bedoelde. 'Misschien ligt het eraan hoe je het bekijkt.' zei ik. 'Toch?'

Hij boog zijn hoofd in een zwak gebaar van erkenning, maar verontschuldigde zich. 'Ik ben vandaag niet in een metafysische bui.'

'Nee. Ik ook niet.'

'Ik heb nooit iemand zoals zij gekend,' zei hij. Zijn stem klonk onvast. 'We schreven met elkaar. De helft van de tijd vergat ze terug te schrijven... Ze wilde bij me komen wonen...'

'Ik heb het haar uit het hoofd gepraat,' zei ik. 'Het was beter geweest als ze wel was gegaan.'

'Jouw schuld niet,' zei Sebastian, maar ik schudde mijn hoofd. Er viel een lange stilte, totdat we ons beiden naar de donkere kerkdeur omdraaiden, een zwarte, uitgeknipte boog. Toen ik zijn arm pakte om hem te ondersteunen, herinnerde ik me de nonsensgedichtjes die hij samen met Theo verzon, liggend in het gras, verteerd door liefde; al die zinloze, overbodige liefde.

Maria was niet op de begrafenis, maar haar bloemen waren aangekomen. Haar vlucht was geannuleerd vanwege een terroristische dreiging; ze was gestrand in een of andere Amerikaanse staat, waar ze nu wachtte op een nieuwe vlucht. Nathalie Dumas was er wel. Ze had ons al een paar keer een bezoekje gebracht om haar hulp aan te bieden en was gebleven om te praten. Ze was een van de weinigen wier gezelschap ik kon verdragen.

Ik zag verscheidene mensen die niet waren uitgenodigd en zich een beetje afzijdig hielden van de rest van de rouwenden, dus naderhand ging ik naar hen toe om met ze te praten. Ik had Theo's laatste vriendengroepje niet gekend, deze buitengesloten marginalen, hoewel ik er een paar herkende uit het dorp. Een vrouw met zwarte kralen in haar dreadlocks pakte snikkend mijn hand vast. Haar gezicht was rood van de kou en het huilen, en verfrommeld als een prop papier. Ik, met mijn droge ogen, benijdde haar. Ik wilde ook diep naar adem kunnen happen en lage, deinende geluiden van ellende uitstoten. 's Nachts tastten mijn ogen blindelings rond naar hun herinnerde beelden, tranen vergietend; ik had er geen meer over voor in het openbaar. Geschrokken maar ook ontroerd raakte ik even weifelend haar arm aan.

Behalve enkele plaatselijke ongenodigden waren er ook een paar jongeren, onder wie een meisje dat ik herkende en dat in een bakkerij in Carmarthen werkte. Ze stonden in een groepje bij elkaar, uiterst discreet, zich ervan bewust dat ze niemand kenden. Toen ik met hen stond te praten, zag ik de kastelein van de pub in Llansteffan, die me had proberen te waarschuwen. Buiten het benauwende halfdonker van zijn café, in het genadeloze licht, was hij klein en oud en ik schaamde me dat ik hem had beledigd. Ik liep naar hem toe om me te verontschuldigen maar hij wuifde mijn excuses weg. 'Hoeft niet,' zei hij vriendelijk, en hij gaf me een klopje op mijn schouder.

Ik ging bij Theo's nieuwe vrienden staan alsof ik, door me onder te dompelen in hun groepje, een nieuwe versie van haar kon scheppen door alles in me op te nemen waar ze van had gehouden, die andere helft van haar leven, waar ik geen deel van had uitgemaakt. Na enige tijd merkte ik dat Alicia zenuwachtig in mijn richting begon te kijken, en dus nodigde ik hen allemaal uit voor de samenkomst op Evendon.

Toen we het kerkhof verlieten, kwam boer Wendell, van de stukgegooide ruiten, naar het hek toe gelopen. Ik had gehoord dat hij

van de drank af was en weer werkte, hoewel hij nog steeds straat-
arm was. Hij deed een stap terug toen ik op hem afliep.

'Ik wilde alleen even kijken. Ik dacht dat het afgelopen zou zijn.'

'U was welkom geweest. U bent ook welkom op Evendon.'

Er verscheen meteen een frons op zijn gezicht; zijn ogen gingen
praktisch verborgen onder zware, steenachtige oogleden, maar ik
zag dat hij moeite had zijn tranen te bedwingen.

'Ik zal nooit vergeten wat je zuster voor me heeft gedaan...'

'Zo was Theo,' zei ik.

Tot zwijgen gebracht door het 'was' schudden we elkaar de hand.
Hij liep terug naar de straat, ik naar mijn familie en vrienden, niet
van elkaar te onderscheiden in het zwart, hun gezichten wit in de
wind.

Het was moeilijk om in huis de mensen te spreken te krijgen die ik
kende. Sebastian, die eruit had gezien alsof hij elk moment kon
flauwvallen, had van Alicia een kalmeringstablet gekregen en was
naar boven gestuurd om te gaan liggen. Ik zou willen dat ik hetzelfde kon doen. Groepjes van mijn vrienden hadden zich met elkaar gemengd en zaten op gedempte toon met elkaar te praten. Eve
was een populair onderwerp van gesprek. Ze was niet opgebleven
voor de nazit, met als excuus haar slechte gezondheid, maar iedereen met wie ik praatte vroeg naar haar. Aanwezig of niet, ze was
de grootste ster, met name op Evendon, haar eigen creatie, haar be-
toverende kasteel.

Het op een na favoriete onderwerp van gesprek was het weer.

'Het ziet ernaar uit dat het gaat sneeuwen,' zei iemand naast me.

'Het is een heldere dag.'

'De tuin ziet er prachtig uit,' zei een van Theo's schoolvriendinnen. 'Het zou heerlijk zijn om er even doorheen te kunnen wandelen.' Het meisje viel stil, draaide zich met een paniekerig gezicht naar me om en mompelde: 'Sorry.'

'Geeft niet.'

We bewogen ons allemaal pijnlijk voorzichtig door een wankel kaartenhuis, in een poging het kwetsbare bouwwerk niet om te stoten. Toen er iemand een grapje maakte, voelde ik een paar snelle, schuldbewuste blikken op me en verontschuldigde ik me met de mededeling dat ik even naar buiten ging. Iedereen knikte begrijpend. Wat ik op dat moment ook had gedaan – iemand slaan, een ruit ingooien – ze zouden bij alles geknikt hebben.

Nick volgde me. 'Sorry,' zei hij. 'Het spijt me zo. Ik heb haar een paar weken geleden nog gezien. Ik dacht dat ze gewoon wat neerslachtig was. Ik wist niet dat het zo erg was. Ik had haar moeten helpen.' Zijn mond bewoog vreemd toen hij het zei, ontdaan, en ik dacht dat ik mezelf hoorde praten, en mijn eigen mond zag bewegen. Door de open deuren klonk muziek, iets sentimenteels. Theo zou het mooi hebben gevonden. Ik legde mijn hand op Nicks arm, maar kreeg geen woord over mijn lippen. Toen liep Nick weg en bleef ik alleen achter in de lege eetkamer, waar ik met een glas whisky aan het hoofd van de grote, koude tafel ging zitten.

In het autopsierapport stond dat Theo in de afgelopen maanden geen drugs had gebruikt. Ik vroeg me nog steeds af hoe dat kon en hoe het mogelijk was dat ik er zo naast had gezeten. Ik begreep niet wat er was gebeurd en probeerde nog steeds te ontdekken waar ik de mist in was gegaan. Als Theo geen drugs had gebruikt, dan was ze ziek. Ik kende de regels die voor gezonde en zieke mensen gelden. Gezonde mensen zorgen voor zieke mensen. Ze nemen hen in bescherming, houden een oogje in het zeil, zorgen dat ze alles krijgen wat ze nodig hebben. Ze negeren geen telefoontjes, gooien geen brieven in de vuilnisbak; ze lezen de zieken niet de les, klagen niet over hun gedrag en sturen hen niet weg om hen op een afgelegen plek aan hun lot over te laten. Ze wenden hun gezicht niet af, laten de ander niet eenzaam sterven.

Sinds Theo's verdrinkingsdood had ik me haar gezicht niet meer voor de geest kunnen halen en was ik niet in staat geweest me opnieuw een samenhangend beeld van haar te vormen, niet in kleur en niet in geluid. Ik had het vermogen verloren het verleden te doen herleven; mijn herinneringen aan vroeger waren op een of andere manier halverwege de rit naar Evendon geblokkeerd. Ik sloot mijn ogen, en even keerde ik bijna terug naar hoe het was, half verblind door de zon, de geur van jasmijn bij de deur. Theo zat met haar rug naar me toe onder een boom in de tuin; haar haar vlamde op in de zon. 'Theo,' riep ik, maar ze hoorde me niet en ze draaide zich niet om. Ik opende mijn ogen en was weer in de eetkamer, alleen, met het schilderij van Eve. Alleen in de grote kilte, alleen in de uitgestrekte duisternis.

Zestien

Na Theo's begrafenis bleef Eve op haar kamer. Er kwamen honderden condoleancebrieven, die ongeopend bleven, een vloed die steeg tot aan haar deur en zich ophoopte naast haar bed. Uiteindelijk borg mevrouw North ze hoopvol op in dozen, voor als ze zich goed genoeg voelde om ze te lezen.

Eve nam de telefoon niet meer op. Wel hoorde ik haar soms telefoneren. Eén keer ontving ze haar jurist en twee keer haar boekhouder. Zo nu en dan vernam ik uit de pers wat ze aan het regelen was: ze ging met pensioen en verkocht de Charis Hotels Group aan de directie. Ze stapte ook uit het bestuur. De directeur van het bedrijf zei in een toespraak dat ze veel verschuldigd waren aan Eve, die niet alleen een enorm succesvolle zakenvrouw was geweest maar ook een grote bron van inspiratie. Ik zag zijn foto in de krant; zijn brillenglazen weerspiegelden het geflits van de camera's terwijl hij met een ernstig gezicht zijn onzin verkocht.

Uiteindelijk droogde de stroom van bezoeken en telefoontjes op. Wat ik over Eve wist, vernam ik van mevrouw North. Het was moeilijk in te schatten of ze iets at van het eten dat ze terugstuurde naar de keuken. Ze stuurde een volgende arts weg. De dienstmeisjes moesten uit haar kamer blijven. Het licht mocht nooit worden uitgedaan.

'Ook 's nachts niet?' vroeg ik.

'Ik begrijp niet hoe ze kan slapen met al die lampen aan,' zei mevrouw North. 'Ik weet eigenlijk niet eens of ze wel slaapt.'

Eve wist nu dus, net als Theo, dat duisternis niet alleen de afwezigheid van licht was. Duisternis had een eigen leven, kroop in de hoeken en gaten van de dag, om 's avonds van achter haar schuilplaatsen en de horizon vandaan te springen en alles op te slokken. Ikzelf hield ook niet meer zo van de duisternis.

Eve kwam na de begrafenis slechts één keer naar beneden. Ze was de trap afgedaald tot in de hal, waar ze door vermoeidheid was overmand en flauwgevallen. Ik was degene die haar daar vond. Toen ik de berg textiel op de trap zag, dacht ik even dat Theo nog leefde en haar jas op weg naar haar kamer op de grond had gegooid. Alleen Theo maakte dat soort achteloze rommel.

Totdat ik besefte dat het Eve was. Mijn eerste gedachte was dat ze van de trap was gevallen. In plaats van dat ik schrok, had ik even een gevoel van opluchting. Ik liep snel naar haar toe, controleerde haar onbeweeglijke gezicht en wilde net mijn vinger op haar dunne voilehuid drukken om haar pols te voelen toen ik haar oogleden zag bewegen. Zonder make-up en met de nieuwe, grijze strook in het midden van haar onopgestoken haar, leek ze, in haar onbeholpen houding, op de vrouwen met wie Theo bevriend was, de vrouwen in de hoekjes van de winkelportieken, met hun verlopen gezichten en opgezwollen ogen. Haar gezicht had zijn glans verloren, zijn frisheid, haar huid lag bloot als pleisterwerk.

Ik ondersteunde haar arm en loodste haar naar haar slaapkamer, waar ik in een stoel naast haar bed ging zitten. Ze keek me alert en onderzoekend aan.

'Ik ga een dokter voor u bellen,' zei ik. Ze wendde haar gezicht af.

De dokter kwam, concludeerde dat ze niets had gebroken, probeerde haar ervan te overtuigen meer te eten, stelde een paar vragen om vast te stellen of ze dement was en vertrok.

Ik bleef in haar kamer en kwam ook de dagen daarna bij haar aan het bed zitten. Mevrouw North was zichtbaar opgelucht bij dit vertoon van familiegevoelens, maar in werkelijkheid was het voor ons beiden een vorm van straf. Ik vond het verschrikkelijk, maar kon het niet laten. Ik moest bij haar zitten om het schuldgevoel tussen ons in te laten hangen als parfum, als de rook van een sigaret, het vage gegons van een voorbije avond.

Op de vijfde dag zei Eve, liggend in haar bed: 'Twee begrafenissen.' Ik dacht eerst dat ze in haar slaap praatte, totdat ik zag dat ze haar ogen open had. Ze waren nog onverwacht scherp, met hun duidelijke irissen, het patina als zwart email, maar dwaalden zonder enige belangstelling of verwachting over me heen en door de kamer. Ook haar stem klonk scherp, als geblazen van heet woestijnzand, verstikt door zijn eigen droogte.

'Wat zei u? Theo's begrafenis?'

'Nee, de begrafenis van George. En van Freddie. Die... waren mijn vrijheid.'

Ik moest me naar haar toe buigen om haar te kunnen verstaan. Ze straalde geen warmte uit, geen geur. Ze kon een droog blad zijn dat tot stilstand was gekomen, een stuk balsahout op het strand; haar droge, ruisende stem. Ik moest voor mezelf herhalen wat ze zei om het te kunnen begrijpen, omdat ik niet zeker wist of ik het goed had verstaan.

'Wat bedoelt u?' Ik herinnerde me mijn bezoek aan Sam. 'Heeft Freddie u geslagen?'

'Ja. Maar dat niet alleen,' zei ze. Er viel een stilte. 'Ik wilde... ik wilde geen kinderen.'

Terwijl de betekenis langzaam tot me doordrong, begon ze weer te praten, alleen krachtiger nu. 'Freddie is niet verdronken. Hij was wel op de boot, maar hij is niet overboord geslagen. Sams vrienden hebben hem meegenomen, Sam heeft me geholpen. Maar Alicia moet ons naderhand over hem hebben horen praten. Ze was jong. Ze verstopte zich onder tafels... achter banken. Ik wist nooit waar ze was. Maar we praatten er alleen 's avonds over, als de kinderen naar bed waren...' Ze zweeg, en ik dacht dat ze zou stoppen, maar ze verzamelde kracht om het geluid uit haar keel te stuwen en te voorkomen dat haar stem zou dalen of wegvallen, en vervolgde: 'Ik wist niet dat ze het wist. Totdat ze ging scheiden. Ik wilde per se niet dat jullie aan Michael zouden worden toegewezen. Alicia was ongeschikt voor het moederschap. Maar hij... hij deugde niet. Niet als vader. Toen kwam hij met het verhaal dat Alicia tegen hem had gezegd wat er met Freddie was gebeurd... ze had hem in vertrouwen genomen. Hij wilde geld, zei hij, of anders ging hij naar de politie. Dus gaf ik hem geld. Hij beloofde uit de buurt te zullen blijven.'

Haar stem begaf het en ze begon te hoesten. Het klonk als vloeipapier dat werd verfrommeld. Ze zei een hele poos niets, en haar oogleden vielen bijna dicht.

'Eve, u moet proberen te slapen.'

Met moeite opende ze haar ogen.

'Nog niet klaar,' mompelde ze.

'Ik kom morgen weer aan uw bed zitten,' zei ik.

'Beloof je dat?'

De laatste persoon wie ik iets had beloofd, was Theo, acht jaar oud, met een verfomfaaid, betraand gezicht, terwijl ze in slaap viel in haar olifantjespyjama. En wat was er van die belofte terechtgekomen? Hoe dan ook. Eves hand strekte zich naar me uit. Ik kon me er niet toe zetten hem vast te pakken.

'Ja,' zei ik.

Er viel weer een stilte, waarin haar ogen opnieuw dichtvielen. 'Tot morgen,' zei ik, maar ze leek me niet te horen.

Toen ik haar kamer uit was, haastte ik me de trap af, alsof ze me terug zou kunnen roepen. Pas later die avond, toen ik in bed lag, dacht ik na over wat ze had gezegd. Maar ik vond geen context voor wat ze me had verteld. Ik kon het niet in verband brengen met de Eve die ik dacht te kennen, omdat ze voor mij niet had bestaan sinds de dag van het telefoontje, en het lukte me niet een nieuwe Eve samen te stellen, een Eve die klopte.

Ik wist niet wat Eve van mij had verwacht. Verbijstering, nieuwsgierigheid, medelijden? Ik vroeg me af of ik haar duidelijk moest maken dat ik geen scala aan gevoelens tot mijn beschikking had die ik zomaar in elke situatie kon oproepen. Het enige wat ik had als ik mijn ogen sloot en naar mezelf keek, was mijn schaamte. Een uitgestrekte vlakte van schaamte, glinsterend als water, donker en zilt van smaak. Ik keek in dat water en zag niets. Maar ik wist dat Theo daarbeneden was, net onder het oppervlak, haar huid bleek glanzend, haar lippen blauw en roerloos in de kou.

Zeventien

Toen ik de volgende ochtend de trap op liep om naar Eves kamer te gaan, kwam mevrouw North naar beneden gehold. Toen ze me zag, bleef ze met een paniekerig gezicht staan. 'O, Jonathan, snel...'

'Bel Alicia,' zei ik. 'Ze is in Londen. Misschien is ze nog niet op weg terug. Probeer het Montmorency Hotel. Ze had daar gisteren een bruiloft.' (Alicia leek haar sociale leven weer op te pakken, alsof het dertig jaar geleden bevroren was in de tijd en ze nu weer verderging waar ze gebleven was. Haar vriendschappen volgden niet de gebruikelijke regels van emotionele verbondenheid; het waren sociale bondgenootschappen, historische bouwwerken die statig standhielden, onafhankelijk van de vraag of hun menselijke bestanddeel ook echt aanwezig was. Maar nu leek Alicia inderdaad aanwezig, wakkerder dan ooit en klaar voor het bal.)

Ik rende door naar Eves kamer en riep vanaf de overloop naar mevrouw North: 'Bel Alex. Zijn nummer staat in het boekje.' En toen, omdat ik bijna was vergeten dat er een kans op genezing, op herstel was: 'En bel een dokter.'

Toen ik de deur opende, zag ik dat het voor het eerst in lange tijd donker was in de kamer; alleen het licht dat door een kier in de gordijnen viel gaf de Eve in het bed contouren en een gezicht. Ze zuchtte toen ze me zag, een broos, krakerig geluid. Haar hand lag dun en gevouwen naast haar. Ik ging bij het bed zitten maar twijfelde of ik haar hand in de mijne zou nemen. Ik begreep dat dit een sterfbed was, en dat ik haar hand moest pakken, maar ik kon mezelf er niet toe brengen. De hand lag daar, als een verwijt aan ons beiden.

Ze zuchtte weer en draaide haar hoofd half naar me toe, de ogen gesloten.

'Ik heb veel...'

'U hoeft niets...'

'... verkeerd gedaan.' Haar oogleden waren wit, maar toen ze ze opsloeg, zag ik tot mijn schrik een gekwelde glans in haar ogen. 'Had meer moeten doen...' Er viel weer een stilte. Alicia zal niet op tijd hier zijn, schoot het door me heen. De dokter ook niet. Ik had een brandend gevoel in mijn hoofd, in mijn mond.

'... voor Theo.'

Sneeuw viel over haar gezicht; de beweeglijke lijnen ontspanden, vloeiden uit en kwamen, zachter dan ooit, tot rust. Ik pakte haar hand; haar hart klopte nog, maar steeds langzamer; ze was niet meer bij bewustzijn, en toen was er de stilte en de roerloosheid, stiller en roerlozer dan ik had verwacht.

Alicia nam het nieuws goed op.

'O,' zei ze. En toen, na een poosje: 'Dan komt er, neem ik aan, een tweede begrafenis.'

Ik stond buiten Eves slaapkamer terwijl de dokter en de ambulancebroeders haar inpakten om vervoerd te worden. Alicia was op de drempel blijven staan, bedachtzaam, mompelde dat ze haar jas nog aanhad en ging weer naar beneden, alsof het niet comme il faut was dat je met je jas aan tegenover een dode stond. Later voegde ik me bij haar in de gouden salon, waar ze haar adressenboekje aan het doornemen was.

Eves dood zorgde voor danig wat beroering in de media. De lijkschouwer deelde ons mede dat ze aan diverse lichte vormen van kanker had geleden, waaraan ze stuk voor stuk overleden had kunnen zijn, maar mogelijk had de stress rondom Theo's plotselinge dood haar het meest parten gespeeld. Ondanks deze berichten deed op internet het gerucht de ronde dat ze zou zijn vermoord omdat ze te veel wist over JFK, of over de maffia, of beide, waarna de complottheorieën hun weg vonden naar de kranten.

'Daar komen ze dan wel erg laat mee,' zei ik tegen mevrouw North.

'Het is volkomen ongepast,' zei mevrouw North met een blik op de oprit, waar regelmatig journalisten opdoken. 'Het spijt me heel erg voor u dat u hierdoorheen moet, meneer Anthony.'

Het was mevrouw North die met een grafschrift voor Eve kwam nadat ze wat renaissancepoëzie had uitgezocht in de bibliotheek.

'*Truth and Beauty Buried Be*,' las ze aan ons voor. 'Dat komt uit een gedicht van Shakespeare.'

Ik keek naar haar terwijl ze het zei, in een poging te zien of ze huichelde, maar ze leek in dezelfde Eve te geloven als in wie iedereen geloofde. Ze dacht dat Eve een heldin voor vrouwen en onderdrukten was geweest; ze was er trots op dat ze het grafschrift had gevonden en was zich bewust van de vermoedens. Ze nam ons nu bezorgd op.

'Eve zou het mooi hebben gevonden,' zei ik, en mevrouw North plengde een paar tranen, Alicia las verder in haar tijdschrift, en iedereen was het erover eens.

Theo had geen grafschrift: geen laatste woord, zo leek het, had haar kunnen vangen, en dus had ik de steen onder haar naam leeg gelaten.

Eves begrafenis in Wales was alleen voor familie, maar haar herdenkingsdienst in Westminster Abbey, in maart, trok massa's men-

sen, die buiten samendromden onder koude wolken die zich hadden uitgesmeerd over de lucht en het licht smoorden. Binnen stond
ik tussen Alex en Alicia in. Alex zag bleek, en ik was bang dat hij zou
struikelen of zelfs zou flauwvallen. Hij had boos gelachen toen hij
over Eves dood hoorde.

'Typisch Eve om de verantwoordelijkheid uit de weg te gaan,' zei
hij. Toen begon hij te huilen. Ik had hem uitgenodigd om op Evendon te komen logeren, maar hij had mijn aanbod afgeslagen. 'Ik
hou het daar niet uit.'

Ik wierp een snelle blik op hem; zijn tengere handen, het losse vel
van de hals boven zijn stijve boord. Ik probeerde tevergeefs iets van
Eve in hem te ontdekken, die dood weer op zichzelf was gaan lijken, zoals ze daar als Sneeuwwitje lag, met haar zwarte haar weer
in model en haar serene gezicht zo hard en wit dat het van bot leek.

Sommige beroemdheden en politici kwamen naar voren om een
toespraak te houden. Eve was vrijgevig en grootmoedig. Ze was
een sterke vrouw met een hekel aan onrechtvaardigheid, ont-
krachtte vooroordelen, vocht als een leeuwin voor de onderdrukten
en de kwetsbaren. Ze was hartelijk, geestig en onderhoudend; een
paar uitspraken werden aan haar toegeschreven, sommige terecht,
andere niet. Naast me knikte Alicia met neergeslagen ogen bij alles
wat er werd gezegd, haar handen om haar handschoenen geklemd,
als een gekwelde heilige.

In de tranen van de menigte – de woorden 'goed' en 'volmaakt' en
'vriendelijk' werden voortdurend herhaald – smolten Eves karakter-
eigenschappen, ze werden zacht en vloeibaar, en almaar idealer. Ze
werd weer het krantenartikel, het citaat op de mok, de stralende ster
op het witte doek, een publiek bezit. Meer was er niet van haar over.

Nathalie en Nick Dumas kwamen naar de begrafenis, maar Maria had niet kunnen vertrekken uit Amerika; een van de autistische tieners met wie ze werkte – Nick struikelde over zijn woorden toen hij op dit punt in zijn verhaal aankwam – liep met zelfmoordplannen rond en Maria was de enige die tot het kind kon doordringen. Ik hoorde hem wezenloos aan. Maria had gebeld en geschreven met de vraag of ze moest overkomen om te helpen, maar ik kon haar vraag niet beantwoorden. Theo's dood had een afgrond in me geopend, als een graf; alles wat ik sindsdien zag of hoorde, verdween in de duisternis en werd kleiner en kleiner. Ik vergat met wie ik die dag had gesproken, wiens hand ik had geschud of welke wang ik had gekust. Vlees en wol en parfum en juwelen en haar; het kwam nietszeggend voorbij, een verzameling substanties. Toen de avond viel ging ik naar huis, legde mijn hoofd op mijn kussen en in plaats van nachtmerries te hebben droomde ik over vreemde, onsamenhangende dingen die tot een eigenaardig geheel aaneen waren geregen. De gouden olifanten in de zitkamer, een groen drankje op een glazen tafel, een boom met een hart erin gekerfd, een flakkerend vuur op een verlaten strand.

Na Eves begrafenis werd het benauwend stil in huis, alsof iedereen me te dicht op de huid zat. In welke kamer ik me ook bevond, ik hoorde alles wat er op de gang gebeurde. Nu, in de zitkamer, hoorde ik twee dienstmeisjes met elkaar praten.

'Ik zal ze schoonschrobben. Die oude tapijten zijn sterker dan ze eruitzien.'

'Is het de bedoeling dat we niet meer op Theo's kamer komen?'

'Ja, mevrouw North zei dat we daar weg moesten blijven.'

'Arme Theo.'

'Sst, zachtjes. God, wat zit dit toch strak.'

'Het is nieuw, vandaar.'

'Ik krijg bijna geen lucht meer.'

'Weet je, als ik meneer Anthony was, zou ik het huis verkopen.'

'Zeg dat nou niet! Ik vind hem geweldig. Ik wil niet dat hij weggaat.'

'Je had hem moeten zien voor dit gebeurde. Hij ziet er nu doodmoe uit. Hij zou hier weg moeten gaan en naar een mooi land moeten verhuizen. Als ik zo veel geld had, zou ik naar de Bahama's gaan.'

'Daarmee heeft hij zijn familie nog niet terug.'

'Dat is waar,' beaamde het andere dienstmeisje, en toen waren ze buiten gehoorsafstand.

'Er had een dokter bij uw zus geroepen moeten worden,' zei mevrouw North plompverloren onder het mom dat ze mij een kop thee kwam brengen. 'Dat heb ik ook tegen uw moeder en grootmoeder gezegd.'

'Een arts? Waarom denkt u dat?' vroeg ik. Mijn stem klonk scherp van verbazing. Ik zag dat mevrouw North ineenkromp van schrik, en ik moest haar overhalen te gaan zitten en haar hart te luchten.

'Theo was verlegen tegenover mij,' zei ze. 'Ik heb haar nooit iets vreemds horen zeggen. Maar kennelijk heeft ze tegen een van de dienstmeisjes – Laura, het meisje dat haar gevonden heeft – gezegd dat ze dacht dat jij ontvoerd was of vermoord. Ze dacht ook dat hier geesten rondwaarden. Het deed mij aan schizofrenie denken. Mensen denken dan aan meerdere persoonlijkheden, maar dat is het niet. Mijn vriendin heeft een neefje die dat heeft. Hij zegt altijd dat de regering hem bespioneert. Hij wil niets meer met een scherm in zijn huis.'

'Wat zei Eve toen u dat tegen haar zei?'

'Ze zei: "Bedankt voor uw bezorgdheid, mevrouw North." Ik denk dat ze er niet blij mee was dat ik dat zei. Ze hebben geen dokter gebeld. Ik denk niet dat mevrouw Anthony besefte hoe ziek uw zuster was. Ze was niet vaak thuis. En Theo en zij... waren niet erg hecht.'

'Ik zou graag een keer met het dienstmeisje praten dat haar heeft gevonden,' zei ik. 'Denkt u dat ze dat zou willen?'

'Laura? Ik kan het haar wel eens vragen,' zei mevrouw North. 'Misschien lucht het haar op. Ik denk alleen niet dat ze nog hiernaartoe wil komen.'

Ik keek de schaars verlichte kamer rond, naar de rij ramen die uitzicht hadden op de kale apriltuin, nat en winderig, naar het koele licht dat als water binnenstroomde en een bleke glans verspreidde. Vanaf de hoge plafonds daalde een deken van stilte op ons neer, zwaar en drukkend. Ik was het met mevrouw North eens dat het verstandiger was om bij Laura thuis af te spreken.

Laura woonde dicht bij het centrum; om bij haar huis te komen moest ik voor het eerst sinds Theo's dood door Carmarthen lopen. Mensen draaiden zich om en keken me na terwijl ik over de markt liep, maar ik registreerde amper wat ik zag. De omgeving was een soort dubbellandschap geworden. Mijn herinneringen waren overal mee verbonden, geluiden uit het verleden mengden zich met stemmen uit het heden, nieuwe gezichten lagen als overtrekpapier over gezichten van vroeger. Ik zag een donkerharig, ernstig kijkend kind en dacht dat ik het zelf was; ik zag een grote vrouw en dacht dat het mevrouw Williams was.

'Jonathan!'

Het wás mevrouw Williams. Ze kwam met snelle pas naar me toe gelopen, een jong kind met chocolade om zijn mond in haar kielzog. Hijgend bleef ze voor me staan. 'Hemeltje,' zei ze hijgend. 'Wat een tempo.' Ze overhandigde me een kaart. 'Ik wilde hem net gaan posten.' Haar gezicht werd ineens rood, en ze veegde met de mouw van haar jas haar tranen af. 'O, Jonathan, het was zo'n lieve meid. Het is toch verschrikkelijk wat er is gebeurd. Echt verschrikkelijk.'

Omdat ik niet wist wat ik moest zeggen, gaf ik haar een klopje op haar arm terwijl ik me afvroeg hoe ik zo snel mogelijk weg kon komen. Maar de dorpelingen, die me al heimelijk in de gaten hadden gehouden, begonnen nu toe te stromen. De vrouw van het kaaskraampje kwam naar me toe en begon te huilen voordat ze ook maar iets kon zeggen. Vervolgens vertelde een man me dat Theo een keer haar portemonnee in zijn winkel had laten liggen en dat ze zo aardig en charmant was geweest toen hij haar had gebeld om hem terug te bezorgen. 'Daarna wipte ze altijd even binnen voor een praatje,' zei hij. 'Ik kan het nog steeds niet geloven... wat er is gebeurd.' Een groepje meiden kwam verlegen naar me toe om te vragen of ze een foto van haar konden krijgen. Uiteindelijk moest ik me verontschuldigen en zeggen dat ik een afspraak had. Mevrouw Williams wilde me graag de weg wijzen, per slot van rekening was het niet ver van haar eigen huis vandaan.

'Ze was een engel,' zei ze nogmaals voor ze vertrok. 'En nog gecondoleerd met Eve,' voegde ze er schoorvoetend aan toe.

Laura's ouderlijk huis was klein en warm; een gebloemd behang, een roze vloerkleed en een kleine roze moeder, die me binnenliet. Laura, een nogal mollige, nerveuze zeventienjarige, zat op het puntje van de bank. Het viel me op dat ze een mantelpakje droeg, alsof ze zich had gekleed voor een sollicitatiegesprek. Nadat ik haar beleefd naar haar eindexamen had gevraagd, keek ze me nog altijd met een onzekere frons aan, zodat ik haar recht op de man af vroeg: 'Maakte Theo een... labiele indruk voor haar dood?'

'Ze was ongelukkig. Maar ze was niet gek. Ze was alleen bang voor vreemde dingen. Ze dacht dat er geesten in huis waren. En ze ging naar het kerkhof om u te zoeken, omdat ze bang was dat u misschien... dood was. Op het laatst bleef ze dat maar herhalen. Hoe vaak ik niet tegen haar heb gezegd dat u op zakenreis was. Ze zei dat u ontvoerd was en ergens verborgen werd gehouden. Later zei ze dat u vermoord was.' Ze keek op. In haar rossig-bruine ogen verscheen een strijdbare blik. 'Mevrouw Anthony deed niet aardig tegen haar,' zei ze met stemverheffing. 'Ze wilde niet naar Theo luisteren en liep gewoon de kamer uit. Ze zei dat ze zich niet zo moest aanstellen omdat u anders niet zou terugkomen, en dat u het zat was dat ze zich zo kinderachtig gedroeg.'

Ze begon te huilen.

'Theo was altijd zo lief, echt waar. Mevrouw Anthony had dat niet tegen haar mogen zeggen. Volgens mij begreep ze niet dat Theo er zo door van streek raakte. Ze zei dat soort dingen niet om aandacht te trekken. Hoewel er mensen waren die dat dachten.'

'Het spijt me dat je dit is overkomen,' zei ik. De kamer was drukkend warm; te roze, te benauwend. Ik stond op. Ik wilde zo veel mogelijk afstand creëren tussen mezelf en het frisse, bruinharige meisje bij wie de tranen nu over de wangen rolden. Ik had het gevoel dat ik haar op een of andere manier zou vergiftigen, enkel door in haar buurt te verkeren en haar bloot te stellen aan de straling van mijn nucleaire hart, de dode rivier van mijn bloed.

'Heb je een ontslagvergoeding gekregen?' vroeg ik toen ik vertrok.

'Mevrouw Anthony heeft me heel veel geld gegeven. Te veel eigenlijk. Ik ben haar heel dankbaar…'

'Oké. Natuurlijk.' Ik liep snel naar de deur. 'Het spijt me. Succes met je eindexamen. Fijn dat ik even langs mocht komen.'

'O, graag gedaan… Dag,' zei ze beduusd. En toen stond ik weer veilig buiten in de regen.

~

Een kleine week na mijn bezoek aan Laura hoorde ik Alicia telefoneren toen ik langs de zitkamer liep.

'Ja, dat was het zeker,' zei ze. 'Het is heel triest dat ze allebei rond dezelfde tijd zijn overleden. Hoewel Eve niet verwacht zal hebben dat ze nog lang te leven had, op haar leeftijd.' Het lukte haar erover te praten alsof het over een andere familie ging.

Omdat Alicia in een betere stemming leek – sterker, de beste stemming waarin ik haar ooit had gezien – wachtte ik buiten de deur totdat ze het gesprek had afgerond. Daarna ging ik naar binnen en vroeg ik hoe het met mijn vader ging.

'Waar heb je het over?' zei ze, en ze keek langs me heen alsof ze het liefst naar de deur zou glippen om aan mijn blik te kunnen ontsnappen.

'Eve heeft het me verteld,' zei ik. 'Sam en zij hebben Freddie laten vermoorden. Jij bent daarachter gekomen en hebt het tegen mijn vader gezegd. Hij heeft geprobeerd Eve te chanteren. Toen heeft ze hem geld gegeven in ruil voor de belofte dat hij zich niet meer zou laten zien, en daarna hebben jullie allemaal gedaan alsof hij dood was.'

Terwijl de stilte op ons neerdaalde, bleef Alicia roerloos tegenover me staan. Ze had haar gezicht afgewend en niets aan haar bewoog; haar neergeslagen oogleden niet, haar sierlijk gevouwen handen niet, noch haar keurig naast elkaar geplaatste voeten. Ze stond erbij alsof ze een officiële ceremonie bijwoonde, zwijgend en strak in de houding. Ik wachtte en vroeg me af wat zich onder haar bewegingsloze uiterlijk afspeelde. Haar gezicht was kleurloos boven het intense zwart van haar jurk. Ik meende haar lip te zien trillen. Toen zei ze: 'Wat ga je doen?'

'Hoe bedoel je?'

'Ga je dat nu overal rondbazuinen? Ga je onze familienaam te schande maken?'

Ze staarde me een poos aan, en toen, van het ene op het andere moment, zag ik Eve: dezelfde ondoordringbare ogen, de scherpe gelaatstrekken die duidelijk naar voren kwamen. Van schrik deed ik een stap achteruit.

'Denk je dat mijn leven niet al moeilijk genoeg is zonder dat jij dit gaat oprakelen? Als dit in de openbaarheid komt, zal ik het ontkennen en zeggen dat ik van niets weet. Ik wil er niets mee te maken hebben. Je brengt ons allemaal in verlegenheid.'

'Jezus,' zei ik verbijsterd. 'Je moeder en je stiefvader hebben je vader vermoord en het enige waaraan jij denkt is de schande?'

'Ik heb mijn vader nauwelijks gekend. En al die anderen ook niet. Bovendien zijn ze allemaal dood nu. Het heeft absoluut geen zin om dit naar buiten te brengen. Wat wil je ermee bereiken? Behalve dat wij straks de familie van een moordenaar zijn.'

'Hoezo naar buiten brengen? Daar heb ik nog geen moment bij stilgestaan. Ik vroeg me alleen af hoe je het zo lang geheim hebt kunnen houden en hoe dat voor jou was. Vergeef me! Ik had moeten snappen wat er werkelijk op het spel stond: je aanwezigheid bij de paardenraces in Ascot. En stel je voor dat ze je onheus zouden bejegenen bij de Henley Regatta.'

Ze negeerde mijn opmerking. Ik voelde het onvriendelijke licht van haar blik over me heen gaan als een MRI-scan die mijn weke delen analyseerde, teneinde vast te stellen welke organen het zou-den kunnen begeven.

'Ik zal het niet naar buiten brengen,' zei ik vol afgrijzen. 'Maar niet omdat ik rekening wil houden met jouw sociale agenda.'

'Je architectenbureau…' begon ze.

'Mijn architectenbureau kan me geen donder schelen! Ik breng het niet naar buiten omdat het niemand iets aangaat.'

'Dank je,' zei Alicia met een diepe zucht van verlichting, alsof het gesprek alleen ten doel had gehad haar te kwellen. Haar starende blik gleed van me af, en daarmee de gelijkenis met Eve; ze was weer Alicia en keerde zich verwijtend van me af. Verbijsterd sloeg ik de verandering gade.

'Stel dat mijn vader terugkomt nu Eve dood is?' zei ik.

Ze schudde haar hoofd. 'Ik weet zeker dat hij liever zijn geld opstrijkt.'

Met stomheid geslagen ging ik op de bank zitten. Ik besefte dat Eves dood Alicia een vorm van vrijheid had gegeven die ik aanvan-kelijk niet had herkend: niet de vrijheid van de waarheid, maar het vooruitzicht om nooit meer eerlijk te hoeven zijn en zorgeloos in de betere kringen te kunnen verkeren; onze familiegeheimen veilig weggestopt onder de grond met de oude koningin, onder het water met de profetes.

Niet langer aan de grond genageld door mijn blik, probeerde Alicia ongemerkt bij de deur te komen, als een kind dat niet gezien wil worden bij het verstoppertje spelen. Even had ik de neiging 'Buut Alicia!' te roepen, maar in plaats daarvan zei ik: 'Doet het je dan helemaal niets?' Niet dat ik op een eerlijk antwoord hoopte, maar ik wilde haar dwarszitten.

'Of het me iets doet? Doet dat er nu nog toe? Eve en Sam hebben altijd alles onderling geregeld. En daarna regelden Eve en Michael alles met elkaar. Ik was een zenuwinzinking nabij, maar daar had niemand aandacht voor. Daarna werd ik in de steek gelaten en kon ik twee jonge kinderen alleen opvoeden. En nu rakel jij dat allemaal weer op met je vragen. Op een moment als dit. En nu' – ze speelde haar troefkaart met ingehouden hooghartigheid uit terwijl ze de deur uit liep – 'ga ik even liggen, want ik heb hoofdpijn.'

De dag daarop belde ik Alex om te vragen of hem kon spreken. Hij reageerde verbaasd en terughoudend, maar stelde voor af te spreken in een café nabij de universiteit, enkel en alleen, zo vermoedde ik, omdat hij zo snel geen excuus kon verzinnen waarom het hem niet uitkwam. Maar daar had ik vrede mee. Het bleek een klein, saai café dat werd verlicht door een koude tl-buis, die Alex er ziek deed uitzien en elk neerslachtig trekje in zijn gezicht benadrukte. Zijn lichaam leek zich ertegen te wapenen, zoals hij defensief zijn hoofd introk.

Ik nam een slok van de koffie die ons net was gebracht. Hij was lauw en smaakte bitter, maar omdat ik niets anders wist te zeggen, zei ik: 'Lekkere koffie.'

'Integendeel,' zei Alex. 'Maar mijn volgende college begint al over een uur en dit café was het dichtstbij.'

Er viel een stilte waarin we beiden in onze koffie staarden. Toen zei ik: 'Ik zou graag met u over mijn vader willen praten.'

'Aha,' zei Alex. 'Dus hij heeft geen auto-ongeluk in Australië gehad? Weet je waar hij is?'

'Ik had gehoopt dat u dat zou weten.'

'Nee, ik heb nooit geweten wat er met hem is gebeurd. Ik had alleen zo mijn vermoedens. Eve en Alicia hebben altijd volgehouden dat hij dood is.' Hij zweeg even en keek me meelevend aan, de blik die ik me herinnerde uit mijn jeugd. 'Sorry. Je hoopte meer van me te horen, hè?'

'Misschien kunt u iets meer vertellen over hoe hij was,' zei ik na een tijdje.

'Ja, dat kan ik wel,' zei Alex. Hij begon gejaagd te vertellen. 'Je moeder en hij trouwden jong. Te jong, dat is één ding dat zeker is. Ze ontmoetten elkaar toen Alicia in haar eindexamenjaar zat, op een skivakantie in Klosters. Na drie weken onafgebroken in elkaars gezelschap besloten ze te trouwen. Ik denk deels omdat Alicia graag uit huis wilde en trouwen de makkelijkste manier was zonder dat ze zoiets intellectueel veeleisends hoefde te doen als studeren of een baan zoeken. En natuurlijk moet ze gesnakt hebben naar "liefde"' (hij sprak het woord onzeker uit, alsof het een andere taal was en hij twijfelde over de uitspraak) 'omdat we daar thuis niet veel van kregen.'

Ik kan me voorstellen dat Michael en Alicia na die drie weken dachten dat ze perfect bij elkaar pasten. Ze hielden allebei van uitgaan en leuke dingen doen. Je moeder was toen heel anders dan nu. Ze zat er niet mee dat hij niet tot "ons soort mensen" behoorde. Dat wist je niet? Nu moet je je ook weer geen arme Londense venter voorstellen of een mijnwerker uit Yorkshire. Alicia had haar grenzen. Maar Michael had een onduidelijke achtergrond. Zijn ouders waren overleden en hij was opgegroeid in een weeshuis. Hij had wel voortgezet onderwijs gevolgd, geloof ik. Eve maakte zich daar zorgen over. Ze zei dat hij uit de lucht was komen vallen.

Eve was niet blij met de relatie, maar ze heeft er nooit openlijk bezwaar tegen gemaakt. Ik denk dat ze stiekem blij was dat Alicia het huis uit ging. We stelden haar allebei teleur, ieder op onze eigen manier. Jou daarentegen zag ze als haar erfgenaam. Wat voor jou waarschijnlijk moeilijker was dan de zoveelste teleurstelling te zijn voor haar.

De relatie tussen je moeder en Michael verslechterde, zoals zo veel relaties, hoewel ik ze niet vaak zag en geen details hoorde. Ik ben nooit erg hecht met Eve of Alicia geweest, en ik denk dat Michael mij terecht een boekenwurm vond en zijn uiterste best deed me te ontlopen.'

'Eve zei dat hij te veel dronk en depressief was.'

'Dat zou kunnen. Maar daar doet ze hem geen recht mee. Ik herinner me hem als een zeer onderhoudende man. Hij zat altijd vol ideeën. Misschien dat hij perioden had waarin hij depressief was, maar ik zou niet weten of een arts er de diagnose depressieve stoornis op zou plakken. En als het op drinken aankwam, kon je moeder er ook wat van.

Ik denk dat Eve nooit had verwacht dat hij de voogdij zou aanvragen. God weet waarom hij dat heeft gedaan. Hij was geen partij voor haar. Ik was op Evendon toen hij belde, en hoorde haar aan de telefoon met hem. Toen was ze even allesbehalve de mooie Eve. Ik weet dat iedereen altijd opgeeft over haar "uitstraling", maar ze kon inderdaad oplichten als dat ding daar.' Hij maakte een hoofdknikje naar de tl-buis. 'Dat was schrikken, want het zag er niet gezond uit. Ik had haar nog nooit zo kwaad gezien. Toen ik haar de keer daarop zag, zei ze dat Michael het verzoek had ingetrokken. Later hoorde ik dat hij het land had verlaten. En toen was hij ineens dood. Ach, de hele zaak stonk, zoals Sam zou zeggen. Ik geloofde niet dat hij dood was, maar ik weet niet waarom hij nooit is teruggekomen. Ik heb altijd vermoed dat ze hem ergens mee heeft bedreigd.'

'Ze heeft hem afgekocht.'

Alex keek me met een bezorgde frons aan. 'Heeft Eve dat gezegd?'

'Ja, en Theo heeft Eve er met haar jurist over horen praten. Het enige wat hij wilde was geld. Dat zei Alicia ook.'

'Het klopt dat hij geen geld had, en ook geen baan. Maar hij mag dan problemen hebben gehad, ik denk wel dat hij om jullie gaf. Het zou me niks verbazen als ze ook nog op een andere manier druk op hem heeft uitgeoefend. Een aanbod dat hij niet kon afslaan. En Alicia… natuurlijk zegt ze dat. Ze heeft hem nooit vergeven dat hij haar in de steek heeft gelaten.'

Ik schudde mijn hoofd. 'Dat hoeft u niet te zeggen.'

'Dat zeg ik niet uit tact. Daar ben ik nooit goed in geweest.'

'Nou ja, we zullen wel nooit te weten komen hoe het zit. Tenzij hij komt opdagen. Of ik hem vind.'

'Wil je proberen hem op te sporen?' zei Alex.

'Meer voor Theo dan voor mezelf,' zei ik. 'Ze wilde… Ze…'

Er viel een stilte.

'Je hoeft het me niet uit te leggen, hoor,' zei Alex. Nerveus verplaatste hij zijn handen, waardoor ze nog vreemder op de tafel rustten dan daarvoor.

'O ja, ik moet u nog iets vertellen,' ging ik verder. 'Over de dood van uw vader…'

Hij onderbrak me. 'Mijn vader was een wrede man. Ik was altijd doodsbang als ik in de vakanties naar huis moest. En op school werd ik gepest. Sam is altijd goed voor me geweest. Heel vervelend dat ik hem niet meer heb kunnen bezoeken voordat hij stierf. Ik weet dat mijn vader onder dubieuze omstandigheden is gestorven. Daar denk ik al heel lang het mijne van. Net als van de ongelukkige val van de trap van mijn grootvader.'

'Denkt u dat zij…'

'Geen idee. Het is maar een vermoeden. Ik weet dat ze hem haatte, binnen vier muren. Als kind vroeg ik of ik zijn schilderij een keer mocht zien en toen zei ze: "Dit is hem dan, George Bennett. Kijk toch eens hoe hij die belachelijke schedel vasthoudt. Alsof zijn leven ervan afhangt." Wie weet wat híj haar weer heeft aangedaan. Niet dat dat een excuus is. We worden allemaal gevormd door onze opvoeding. Maar als volwassenen zijn we verantwoordelijk voor ons eigen gedrag. Ik zou bijvoorbeeld geen goede vader zijn geweest, denk ik, en daarom heb ik ervoor gekozen me niet voort te planten. Een ander zou misschien een ouderschapscursus volgen om te leren hoe je een kind moet opvoeden. Wat ik wil zeggen is dat er niets in Eves leven is gebeurd dat haar kan vrijpleiten van het feit dat ze als ouder gefaald heeft.'

Alex deed er het zwijgen toe, op een manier zoals dat hij altijd deed: hij spuugde zijn informatie uit en viel vervolgens stil, als een computerprinter. Hij leek een slok van zijn koffie te willen nemen, bedacht zich toen het kopje bij zijn mond was, zette het weer neer en wrong zijn handen in elkaar.

'Ik begrijp wat u bedoelt,' zei ik. 'Ik ben ook boos op haar.'

Alex leunde voor het eerst die middag voorover op de aluminium caféstoel en liet zijn defensieve houding varen. Zijn ogen, ver weg achter sterke lenzen, keken me indringend aan.

'Jonathan, ik kan je niet verder helpen. Maar ik kan je wel een tip geven als het om Eve gaat. Ik kon haar niet vergeven toen ik jong was, en dat kan ik nu nog steeds niet. Ik ben alleen en het enige wat ik heb, is mijn rancune. Laat dat jou niet gebeuren.'

Ik knikte, niet wetend wat ik moest zeggen.

'Ik moet weer aan het werk,' zei Alex. Hij stond op. 'Ik wens je veel succes bij het vinden van je vader.'

Toen Alex weg was, bleef ik nog een poosje in de pub zitten. Na mijn rit van Evendon naar Londen wist ik niet of ik terug kon gaan. Ik bestelde nog een koffie en een pasteitje, maar liet ze onaangeroerd op de tafel staan, alsof ik parkeertijd had gekocht, en bleef zitten om na te denken.

Ik wist niet wat ik van Michael wilde, maar ik kon niets anders bedenken dan proberen hem op te sporen. Als ik niet naar hem zocht, zou ik met niets achterblijven. Alleen met haar, zoekend naar haar gezicht in het duistere water, paniekerig achter haar aan duikend in een vergeefse poging een enkel of zoom vast te grijpen.

∼

Na mijn gesprek met Alex bleek ik al snel door de mensen heen die ik naar mijn vader zou kunnen vragen. Eve had niets op papier achtergelaten, zelfs geen creditcardafschriften of telefoonrekeningen. Alles waarvan journalisten of detectives gebruik zouden kunnen maken, was van haar computer gewist. Ook de gezichten van haar juristen verrieden niets; lege, behoedzame blikken, monden die zich beleefd verontschuldigden. Niet de vrijheid om zaken te onthullen. Ik googelde op de naam Michael Caplin, maar vond niets, behalve wat Theo ook al had gevonden. Dus surfte ik verder op privédetectives en kwam ik uit bij meneer Crace.

'In een zaak als deze is de kans groot dat we uw vader traceren,' zei meneer Crace tegen mij. 'Maar u moet zich er ook van bewust zijn dat de mogelijkheid bestaat dat we hem níét vinden.'

'Hoe lang kan zoiets duren?' vroeg ik.

'Daar kan ik niets over zeggen,' zei meneer Crace. 'Als de persoon in kwestie langer dan twintig jaar wordt vermist, zijn er altijd wel een paar valse sporen en doodlopende straten. Maar dat wil niet zeggen dat het een onbegonnen zaak is. Ik hoop dat u mijn grapje kunt waarderen.'

Hij zei het op dezelfde emotieloze toon als waarop hij me over zijn betalingsregeling had geïnformeerd, dus het duurde even voordat ik hem begreep. 'Een doordenkertje. Leuk,' zei ik.

'Ik bel u zodra ik nieuwe informatie heb,' zei meneer Crace. Hij wenste me een fijne dag, en toen stond ik weer buiten zijn kantoor en was ik op weg terug naar Evendon, waar ik de ontwikkelingen zou afwachten.

Zelfs als meneer Crace mijn vader niet wist op te sporen, bedacht ik, en hij toch nog leefde – in een of andere duistere uithoek, waar het nieuws van Eves dood nog niet was doorgedrongen – dan zou hij op een dag misschien de televisie aanzetten, waar op dat moment toevallig net een gedegen filmbiografie over Eve Anthony op was, met een gemaakt glimlachende actrice op een podium, of kocht hij een gedateerde internationale krant van een straatverkoper, omringd door fietsers en kinderen, roepend als vogels in de ochtendzon, en viel zijn oog op haar naam in een kop, verleden tijd, en zou hij beseffen dat hij terug kon keren.

In het café in Oxford was ik tot de conclusie gekomen dat ik onmogelijk op Evendon kon blijven wonen. Ik dronk te veel, sliep te weinig, was te kwaad. Eve had mij in haar testament het landgoed nagelaten, maar ik zei tegen Alex en Alicia dat ik het huis niet wilde.

'Wil jij op Evendon blijven wonen?' vroeg ik aan Alicia.

'O, dat weet ik niet. Misschien niet…' zei Alicia. 'Philippa Steele wil heel graag dat ik in het vrijstaande huis naast haar kom wonen, in Chelsea.'

'Wilt u Evendon hebben?' vroeg ik aan Alex.

'O, god, nee. Bedankt voor het aanbod, maar nee. Als iemand een stempel op Evendon heeft gedrukt, is het Eve. En die pilaren… Nee, dank je.'

Ik raadpleegde mijn jurist en een makelaar en gaf hun de opdracht de verkoop van het landgoed te regelen. Er werd een koper gevonden – een zekere meneer King – waarna de procedure voor de antiekveiling van start ging. Alicia wilde een groot deel van de meubels, juwelen en schilderijen voor in haar nieuwe huis; Alex wilde niets. Ik sprak met het personeel om hun te vertellen dat de nieuwe eigenaar hen in dienst zou houden. De gezichten tegenover me namen me nieuwsgierig op. Ik kende hen nauwelijks: de dagen van mevrouw Williams en mevrouw Wynne Jones waren allang voorbij.

Naast het huis had Eve ook bijna al haar geld aan mij nagelaten. Alex en Alicia kregen elk vijf miljoen. Alex leek het niet te deren, maar Alicia trok een verontwaardigd gezicht en zei: 'Zo. Wat vreemd.'

'Ik wil het niet,' zei ik. 'Het is te veel.'

Ik had nooit geweten hoe groot Eves vermogen was; ik had me nooit zorgen hoeven maken over te veel of te weinig geld. Mijn leven lang was er genoeg geld geweest om voldoende en gedienstig personeel om me heen te hebben, er auto's van te laten rijden, vliegtickets van te betalen, schilderijen, kleren, wijn, eten. Overal in huis vazen met bloemen in goed verlichte kamers. Ik had me nooit bezig hoeven houden met de financiële kant van het leven, die koude, kwetsende ruil die mensen uit hun bed drijft, hen in pakken snoert, hen uren met felverlichte schermen confronteert om 's avonds laat afgepeigerd thuis te komen, en dat allemaal voor een stapeltje papier en een stukje plastic. Ik had al die dingen gedaan omdat ik het zelf wilde. Nu kwam ik erachter dat ik het niet meer wilde.

De projectontwikkelaars van het warenhuis met wie ik zaken had gedaan voordat Theo overleed, hadden me inmiddels een grimmige brief gestuurd over mijn contract, dat de weken daarvoor al een lange weg had afgelegd langs een legertje juristen. Ik ging erheen voor een gesprek, waarna het contract werd ontbonden. De vennoten van de firma maakten een geïntimideerde indruk toen ik tegenover hen plaatsnam. Ik was broodmager omdat ik nauwelijks at en sliep en moet er nogal morsig en licht wanhopig hebben uitgezien; niet langer de persoon die persconferenties geeft over hypermoderne architectuur.

Ik kocht een nieuwe telefoon en gaf het nummer door aan meneer Crace. Vervolgens sloot ik mijn appartement in Londen af met mijn laptop en mobiele telefoon erin. De laatste oproep op de telefoon was van Maria. Ik belde niet terug. Ik had haar niets te zeggen: de poolster van een verlaten pad, de liefde uit een vorig leven.

In de weken voor de verkoop had ik het minder druk dan ik had verwacht. Soms werd ik gekweld door een ongerichte woede en was ik bang dat ik zijspiegels van auto's zou trappen, verkeersborden zou vernielen, een steen door een winkelruit zou gooien. Sterker nog, ik was bang dat ik de controle over mezelf zou verliezen en de eerste de beste die Theo, of Eve, ter sprake bracht iets zou aandoen, enkel en alleen omdat ze het waagden onbezorgd verder te leven en de namen van de doden over hun warme, rode lippen te laten rollen.

Vandaar dat ik lange wandelingen maakte over verlaten weggetjes, waar ik slechts schapen en tractoren tegenkwam, en een enkele afgedwaalde auto. Ik was regelmatig de weg kwijt. Soms bleef ik op een afgezonderde plek zitten totdat de zon onderging en ik besefte dat ik daar uren moest hebben gezeten. Eén keer, heel vroeg in de ochtend, bezocht ik Theo's graf in Carmarthen; het gras glinsterde in het vochtige, bleke licht. Er was niemand behalve ik, en een paar boeketjes: goedkope anjers, uit tuinen geplukte bloemen.

Ik zag haar in gedachten onder de steen liggen. Haar ogen gesloten, haar wilde, blonde haardos om haar gezicht als vuurwerk; haar bleke huid. Ik had haar niet willen zien voordat ze begraven werd; nu kon ik me haar gezicht niet meer voor de geest halen. Mevrouw North zei dat ze sterk was vermagerd in de tijd dat ik haar niet meer had gezien. Weggekwijnd; al dat leven dat verloren was gegaan.

Een week voordat we Evendon moesten opleveren waren de kamers bijna leeg, de inhoud ervan verpakt in dozen, klaar om in verschillende richtingen vervoerd te worden. In ontmantelde staat had het huis iets onzekers; het had zijn machtige uitstraling verloren, de essentie van wat was nagestreefd, die blinde, mooie kern van bezit. Nu ik de enorme zitkamer rondkeek en de witte verlatenheid van de hal, voelde ik een bittere triomf – een bolsjewistisch genot – terwijl de imperialistische inrichting van het huis werd weggedragen, ingepakt en afgevoerd.

Maar… dan was Theo's kamer er nog. Sinds de begrafenis waren haar spullen met rust gelaten. Terwijl de laatste week voor de verhuizing wegtikte, informeerde mevrouw North voorzichtig wat ik met Theo's spullen wilde doen. 'O, dat regel ik morgen wel,' antwoordde ik, alsof het slechts een organisatorische kwestie in de verhuisagenda was, maar ik denk dat we beiden wisten dat het veel meer was dan dat. Ik had nog niet nagedacht over wat ik met Theo's kamer zou doen. Ik had zelfs nog niet nagedacht over hoe ik de deur van haar kamer zou openen. Ik liep er elke ochtend langs, en dan voelde ik me met een lange draad van angst verbonden met die plek, een draad die uitrekte maar nooit knapte.

Toen de volgende ochtend aanbrak, lag ik in bed te piekeren over de vraag hoe ik de verhuizing van Theo's spullen zou 'regelen'. Ik had gedroomd dat ik in de gang voor haar kamer stond, zonder te weten of Theo of Eve zich achter de deur bevond. De deur, die geen klink had en ook geen slot, leek op de muur getekend. Het was een vreemde, beangstigende droom – ik bleef maar tegen de niet-deur duwen, half beseffend dat het een muur was – totdat ik zo bang was dat ik de droom nog een keer zou dromen, of nog iets ergers, dat ik uit bed sprong.

Ik liep de gang door naar haar kamer, bleef een ogenblik voor de deur staan en kwam tot de conclusie dat ik toch niet naar binnen durfde. Ik keek op mijn horloge. Het was al laat in de ochtend, het tijdstip waarop Theo gewoonlijk opstond, een spoor van handdoeken, vergeten theekopjes en half verorberde sneetjes toast achterlatend; het tijdstip waarop ik al op mijn kantoor aan het werk was. Maar nu stond ik hier naar een deur te staren. Uiteindelijk voelde ik me door het geluid van voetstappen op de trap gedwongen de deur te openen en naar binnen te gaan.

De gordijnen waren geopend en de kamer was licht, op een vreemde, serene manier. Het rook naar leegte; bevroren adem, oude, koude parfum. Ik keek rond en alles kwam me vertrouwd voor. Ik weet niet waarom, maar ik had verwacht dat de kamer er anders zou uitzien. De meubels waren nog altijd beplakt met tijdschriftfoto's en lang geleden bekrast met een nagelschaartje in een poging onze namen te schrijven. Boven het bed, naast een artikel over het Panda-pand, hing een poster van een Indiase tempel, ansichtkaarten, schetsen. En daar stond haar bureau, met de rommelige verzameling poppen, en de kleine kaptafel, bezaaid met lekkende cosmeticaflesjes en sieraden. Ik pakte een borstel op, vol lange blonde haren.

In het ladekastje naast haar bed bewaarde Theo haar dierbaarste spullen. In een van de laden lagen dingen die een kind had kunnen verstoppen: een oud etui, een poederdoosje zonder poeder, een zilveren halskettinkje, lege pennen en bierviltjes, een platgedrukte origamizwaan, een beeldje van Ganesha dat Sebastian haar had gestuurd, een oud, door mij afgedankt Action Man-poppetje. In de la eronder herkende ik mijn eigen ansichtkaarten en brieven. Er lag een foto tussen waarop Sebastian, Nick en ik in de keuken zitten op Charlies feest; ik steek toegeeflijk mijn hand op naar de fotograaf. Vervolgens een paar foto's die ze uit het familiealbum moet hebben gehaald, van ons beiden als kinderen. Nog een foto van mij, nu als tweejarige, waarop ik met een rood schepje in mijn hand boos in de camera kijk. De foto van mijn ouders op hun trouwdag, een vierkantje felle kleuren en licht, als een verlicht scherm. Mijn vaders brede glimlach.

De derde la lag vol met papier. Ik pakte het bovenste vel op, en las:

> *Ik ben mijn broer kwijt, hij is overzee,*
> *Had het gemogen, dan was ik met hem mee.*
> *Mijn andere helft, een van ons twee*
> *… ~~Een hommel~~, wie is er gelukkig mee?*

Ik hield het vel vast alsof er nog een sprankje leven aan kleefde, een indruk van haar hand of oog. Ik pakte nog een paar vellen op, totdat ik met een schok besefte hoe oneerlijk het was dat ze er nog lagen terwijl zij er niet meer was; dit hardnekkige papier, een nagalm.

Ik pakte alles met de rest van haar spullen in dozen, totdat het donker werd in de kamer en alles was ingepakt. Ik bleef nog een tijdje in de stilte naast de stapel dozen zitten. Vage geluiden stegen als warme lucht op door de vloer. Het gebonk en geschraap van meubels onder me, zo nu en dan een stem van een dienstmeisje. Buiten hoorde ik vogels roepen, een motor draaien. Een klok tikte traag, de batterij bijna leeg. Binnen klopte mijn hart, het geluid van mijn adem in mijn oor.

Toen ik opstond besefte ik dat ik de deur open had laten staan en dat haar geur was vervlogen.

Ik vroeg aan Alicia of de dozen met Theo's spullen zolang in haar nieuwe huis in Londen konden worden opgeslagen totdat ik terug was.

'O jee... Ik heb eigenlijk maar heel weinig plaats nu alle meubels erin staan.'

'Je hebt zeven kamers. Zet ze in een logeerkamer.'

Ze bleef roerloos zitten; haar blik maakte zich los van de mijne en gleed omlaag naar de vloer. 'Maar,' zei ze na een korte stilte, 'stel dat de andere logeerkamers vol zijn en ik de kamer nodig...'

'Vind maar een plek. Ze was godver... ze was je dochter!' Toen Alicia verschrikt opkeek, liet ik mijn stem dalen. 'Weet je nog wel?'

Ze mompelde iets over het verleden loslaten.

'Vind maar een plek,' zei ik nogmaals. Ik ging naar buiten, liep de tuin in en vloekte: 'Je dochter, verdomme, trut dat je bent!'

Toen ik eenmaal begonnen was met lopen, bleef ik lopen. Steeds verder liet ik het huis achter me, zonder te weten welke kant ik opging, totdat ik ineens aan de rand van het bos stond, aan het begin van het pad.

Ik volgde het pad door het hoge gras, dat nu bijna overwoekerd was door varens en bramen. Donkergroen licht spatte op mijn kleren en mijn gezicht; ik rook die geur weer van water, van aarde die koude lucht wordt. Mijn voeten ritselden door lagen bladeren, afgevallen schors, mos. Ik zag diverse voetsporen in de modder waar de grond onbedekt was, langs en door het eenrichtingsvoetspoor dat Theo had achtergelaten.

Ik had hier niet meer gelopen sinds ik als kind met Theo en Charlie Tremayne bij de vijver was geweest. Het pad was korter dan ik me herinnerde, de vijver toen ik hem bereikte kleiner. Het water was stil; zwermen vliegjes hingen boven de lege, glazige vlakte waarop het licht kille vlekken wierp. Bij elke zachte windvlaag beroerden de overhangende takken van de wilgen het wateroppervlak en werd mijn weerspiegelde gezicht uitgewist en weer hersteld.

Theo, zo had ik vernomen, was hier bijna de hele dag geweest. Ik liep naar de plek waarvan ik vermoedde dat ze er had gezeten en zag dat de nimf er nog stond, vrijwel helemaal groen nu en bezorgd vooroverleunend. Haar gezicht, dromerig en treurig, deed me denken aan het gezicht van Alicia toen ik haar die bewuste ochtend, lang geleden, op de bank had zien liggen.

Vervolgens was Theo langs de vlakke helling naar de vijver gelopen. Het water moest ongeveer zo koud zijn geweest als nu; het had haar omsloten, was langs haar jas omhooggekropen naar haar nek, langzaam maar gulzig. Ze keek door het loodgrijze oppervlak in het water en zag onze vader. Het enige wat ik zag, was een diepgroene duisternis, het nevelige licht dat brak op het wateroppervlak. Haar zag ik niet.

Ik stond al tot aan mijn knieën in het water, toen ik besefte wat ik deed. Ik waadde verschrikt terug naar de kant en rende, net als twintig jaar geleden, terug naar het pad.

2008

Zoals altijd als ik in New York aankom, is het nacht en zie ik vanuit het taxiraampje alleen een donkere, grote stad. Ik kan de gebouwen niet van elkaar onderscheiden: het felle licht van de cafés en de straatlantaarns verduistert de wolkenkrabbers erboven. Omdat ik niet naar het Charis-hotel wil, waar ik anders altijd verblijf, vraag ik de taxichauffeur me naar het hotel te brengen dat me als eerste te binnenschiet.

'Goede keuze,' zegt de man tegen me, zijn ogen uitgesneden door de achteruitkijkspiegel. 'Bent u al eerder in New York geweest?' Hij straalt vriendelijke vastbeslotenheid uit. Ik probeer te glimlachen.

'Een paar keer.'

Hij knikt voldaan. 'Dat dacht ik al. Je krijgt mensenkennis als taxichauffeur. Ik kon aan u zien dat u hier eerder bent geweest. De meeste toeristen kunnen niet genoeg krijgen van het uitzicht en kijken constant uit het raam. Ik heb familie in Engeland, verre neven en nichten. Waar komt u vandaan in Engeland? Wales... Wales ken ik niet. Mijn familie woont in Surrey. Kent u Surrey? John en Linda Woods. Nee, daar was ik al bang voor. Mag ik vragen wat u doet? Architect! Logisch. Daarom verblijft u in mooie hotels. Ik wed dat u zelf ook een paar mooie hotels hebt ontworpen. Bent u daarom hier? Om iets te bouwen?'

Ik doe de hele rit mijn best me tegen zijn spervuur van vragen te weren totdat de taxi uiteindelijk langs de kant van de weg stopt.

'Zo, daar zijn we dan,' zegt hij. Hij klinkt teleurgesteld dat ons gesprek zo abrupt moet worden afgebroken. 'Een prettig verblijf.'

Als ik uitstap zie ik aan de andere kant van de straat de voorgevel van het vlaggenschip van de Charis Hotels, bescheiden verlicht maar indrukwekkend. Geschrokken keer ik me bijna om naar de taxichauffeur. Maar dan vraag ik me af of ik, in mijn labiele toestand, toch onbewust het Charis-hotel aan de chauffeur heb opgegeven. Uiteindelijk draai ik me om en zie ik mijn eigen hotel achter me, recht tegenover het Charis, als twee douairières op een bal.

'Natuurlijk,' zeg ik, tot verbazing van de portier. Natuurlijk gaat het niet zo eenvoudig. Eve zal bij me zijn, of mijn raam nu wel of niet uitkijkt op het paleis van haar imperium, en dus ga ik naar binnen en boek een kamer voor de nacht.

Uiteindelijk blijkt mijn kamer aan een andere straat te liggen. Hij is luxe maar eenvoudig: gedempt licht, zware kwaliteit handdoeken, zeep in doosjes. Op het bed – een groot, spierwit vierkant – ligt een doos chocolaatjes, die ik opeet in plaats van een avondmaaltijd. Ik herinner me dat Theo en ik – we moeten een jaar of tien, elf geweest zijn – op een dag allebei een zak toffees hadden gepikt uit de winkel van mevrouw Edwards. Ik had Theo ertoe overgehaald, zodat ik niet alleen de schuld zou krijgen als we betrapt werden. Op de terugweg in de auto stopte Theo een toffee in haar mond voordat ik haar kon tegenhouden.

'Wat is dat?' vroeg juffrouw Black. 'Wat ruik ik?'

'Mijn toffee,' antwoordde Theo geschrokken.

'Maar het is jouw snoepdag niet.'

Juffrouw Black zei het zonder veel aandacht aan Theo te schenken omdat ze bijna bij een rotonde was (waarop ze ons meestal binnensmonds vloekend tot stilte maande), maar Theo trok wit weg en bekende haar diefstal alsof ze gemarteld werd: 'Ik heb ze gestolen!'

'O!' riep juffrouw Black geschrokken uit. 'Nou... meisjes die stelen krijgen geen zakgeld. Heb jij gezien dat ze het in haar zak stopte, Jonathan?'

'Nee,' zei ik met een strak gezicht. Ik was zo verstandig te wachten tot ik thuis was voordat ik aan mijn eigen toffees begon.

De volgende ochtend koop ik een kaart, huur een auto en rij in noordwestelijke richting. Mijn rit neemt een paar uur in beslag, tot vroeg in de middag. Als ik eindelijk uit de auto stap, is de temperatuur gestegen tot een levenloze hitte, zwaar en droog. De wolkeloze lucht is grijsblauw. Met het adres dat ik van meneer Crace heb gekregen in mijn hand loop ik een paar straten door en na nog even zoeken sta ik voor de ingang: Ithaca City Cemetery.

Het kerkhof zelf is groot: hoe verder ik het terrein op loop, hoe minder verkeerslawaai ik hoor; het geluid wordt gedempt door de dennenbomen die roerloos in de windstille zon staan. Het graf van mijn vader ligt in de schaduw van een grote boom en is bedekt met een laag dennennaalden, die ik eraf moet vegen om de steen te kunnen zien. Ik laat mijn vingers over de letters glijden. Michael Caplin. M.C., diep gegraveerd in het graniet. In de koelte van de boom zou ik me op Evendon voor de boom met het gekerfde hart kunnen wanen. In het duister van de boom zou ik me op mijn slaapkamer kunnen wanen; het is donker en ik kijk uit op het terras met de kristalscherven, een glas dat ik voor het eerst herken nu ik de scherven uit mijn droom isoleer en tegen het licht hou. *Wat is er met het zesde glas gebeurd?* vroeg Theo. *Het zesde glas is... verloren gegaan in de tijd.*

Meneer Crace heeft me verteld dat mijn vader hier een jaar geleden is overleden; Theo kan hem dus niet in Londen hebben gezien. Michael is gestorven aan een hartaanval. In het jaar voorafgaand aan zijn dood woonde hij op een gehuurde etage in Ithaca. Van voor die tijd is er niets bekend over zijn verblijfplaats. Meneer Crace heeft nader onderzoek gedaan, maar Michael blijkt daar geen familie te hebben gehad en ook geen vrienden die getraceerd kunnen worden.

'Het lijkt erop dat hij een afgezonderd leven leidde,' zei hij tegen me.

'Weet u zeker dat hij het is?' vroeg ik.

'Zonder twijfel. Hij was in bezit van een legitimatiebewijs.'

Ik ga in het gras zitten en probeer iets te voelen over mijn vaders dood. Maar ik voel niets. Ik was op zoek naar iemand die ik niet ken en die evenveel voor mij heeft betekend als al die anderen die hier onder hun grasdeken liggen, aan de andere kant van de grens tussen aarde en lucht. Minder zelfs, omdat ik waarschijnlijk wel naar de familie van de andere doden zou kunnen gaan om te vragen hoe hun zoon, echtgenoot of vader was toen hij nog leefde, en die zouden me dat vertellen, en het zou waarschijnlijk nog waar zijn ook. Ik was niet op zoek naar Michael Caplin: ik was op zoek naar een helft van Theo, een helft die ze miste en graag had teruggevonden. Ik zocht naar haar, maar ze is hier niet.

Ik verlaat het kerkhof en loop terug naar mijn auto. Eenmaal buiten de stad rij ik in dezelfde richting, noordwestwaarts, verder het land in, tot de gebouwen zullen verdwijnen en ik een relatief verlaten streek bereik waar ik kan wonen totdat ik weet wat ik wil. Vanuit de aircokoelte van mijn auto kijk ik naar het voorbijglijdende landschap, dat zindert in de hittegolf. De uitgestrekte vlakte van Amerika lijkt bedekt met een groot rasterwerk van wegen dat als een net over het land ligt en het in rechte stukken verdeelt. Ik ben nooit ver verwijderd van boerderijen, motels, tankstations, cafés, bouwplaatsen, huizen met een wapperende vlag. Ze zetten de beschaving uit in het niets, markeren de lengte van de weg als ritmetikken bij een verkeerd afgestemde radio.

Uiteindelijk rij ik een stoffig wit, recht pad op dat wordt omzoomd door ritselende beukenbomen en twee telefoonkabels, totdat ik uitkom bij de oever van Lake Ontario, dat blauw en breed is als een zee. Ik parkeer mijn auto bij een haventje. Het is stil. Boten dobberen tegen elkaar aan in het water, een paar mannen staan bij een auto te praten. Een witte hond houdt me vanaf de laadbak van een pick-up in de gaten. De geur van asfalt stijgt op in de hitte.

Ik ga een hengelsportwinkel binnen, waar nog meer mannen met elkaar staan te praten. Het ruikt er naar oude schaduw, naar de paprikageur van lokaas. Niemand schenkt aandacht aan mij, dus ik ga bij de toonbank staan en wacht totdat een man met een rond baardje en een snor die overgaan in zijn haar, als de borstelige manen van een leeuw, zich tot me wendt.

'Hebt u hulp nodig?' Als ik mijn mond open om te antwoorden, vraagt hij: 'Vist u?'

'Nee, ik vis niet.' De korte opening in het gesprek waait over; de andere mannen draaien zich om. 'Ik wou vragen of ik hier in de buurt misschien een huis kan huren.'

'Een huis?' De man wrijft over zijn baardje.

'Bob heeft een huis te huur,' zegt een van de andere mannen ineens.

Ze kijken allemaal naar een man die vermoedelijk Bob is. Bob heeft een bruingrijze baard en draagt een geruit overhemd; een onaangestoken sigaret bungelt in zijn hand, als een overbodige vinger. Hij lijkt zich niet op zijn gemak te voelen.

'Hij houdt je voor de gek,' zegt Bob.

'Nee hoor, het is een toplocatie,' zegt de eerste man. 'Maar het heeft nog wel een verfje nodig.' Er klinkt gelach. Ik begrijp dat het huis een bouwval is.

'Het is een bouwval,' zegt Bob.

'Zou ik het huis mogen zien?' vraag ik aan hem. 'Alstublieft?'

Hij staart me aan, haalt dan zijn schouders op en zegt: 'Oké.'

We rijden langzaam hobbelend met onze auto's over een ander kalkwit bospad naar een huis dat aan het einde van het pad ligt te schitteren in de zon. Als we uitstappen schudt Bob zijn hoofd, alsof het aan het huis zelf te wijten is dat het er zo verwaarloosd uitziet. (*Je brengt ons beiden in verlegenheid*, zegt het hoofdschudden.) De witte verf laat in repen los van het verkleurde houtwerk aan weerskanten van het huis, de veranda is scheefgezakt, het verwaarloosde gazon vertoont bruine plekken. Dunne, rechte bomen werpen schaduwstrepen op het kale lapje grond voor het huis. De struikdennen, berken en populieren maken dezelfde kras-krasgeluiden als de cicaden en de ruisende varens. Alles is droog; het groen is verbleekt tot bijna zilverachtig.

Ik zie dat het huis een wit privéstrandje heeft. Half verzonken in de branding dobbert een verroeste boot. Tussen de bomen in de verte aan weerszijden van het huis zijn andere huizen te zien, en aan de verre rand van het meer rijst een luxe appartementencomplex op, maar recht tegenover mij is geen oever, alleen een waterrand die overgaat in lucht.

'Dit is het huis,' zegt Bob kortaf. Het is duidelijk dat hij het verspilde tijd vindt.

'Mag ik het vanbinnen zien?'

In het huis hangt een niet onaangename sodageur van oud, uit-

gedroogd hout. De vloeren buigen door; één raam, aan de achterzijde, is gebarsten en wordt met tape bijeengehouden. In een van de
kamers staat een kaarttafel, in een andere een verbleekte bloeme-
tjesbank. Terwijl we rondlopen valt het zonlicht aan de achterkant
van het huis de kamer binnen en krijgen de muren ineens een zachte
glans en licht de kale houten vloer op.

'Wat is de huurprijs?' vraag ik.

Bob fronst; zijn gezicht verandert in een verzameling rimpels,
vouwen, haar. 'Duizend dollar per maand.'

'Dank u. Ik neem het. Hoe lang kan ik het huren?'

Bob staart me aan. Hij steekt zijn sigaret aan maar het vuur dooft.
Hij doet geen moeite hem opnieuw aan te steken.

'Hmm... hoe lang zou u het willen huren?' zegt hij.

'Dat weet ik nog niet precies. Ik denk een paar maanden. Misschien langer. Ik kan u vooruitbetalen.'

Hij wrijft in zijn nek. 'Er staan geen meubels in. Hebt u zelf meubels bij u?'

'Nee. Maar dat geeft niet. Ik regel wel iets.'

We kijken even voor ons uit.

'Hebt u hier in de buurt al eens eerder iets gehuurd?'

'Nee.'

'Er zit een gat in de vloer. Daar in de hoek.'

'O ja. Dat had ik nog niet gezien.'

'Luister,' zegt hij. 'Maak er maar zeshonderd per maand van. Dat
lijkt me wel genoeg.'

Bob Heilman rijdt uiteindelijk hoofdschuddend weg. Ik ga op mijn
nieuwe bank zitten, in mijn huis, dit huis dat voor mij alleen bestaat
in het hier en nu.

Die nacht lig ik op de bank; ik zal morgen een nieuw matras moeten kopen. De nacht is aardedonker hier en doortrokken van het geruis van het meer. Het duurt lang voordat ik in een toestand geraak die in de buurt komt van slaap; slapen is een probleem dat ik een andere keer zal aanpakken. Ik luister naar de vliegen die hun rondjes vliegen onder het plafond. Mijn gedachten dwalen af. Het verleden komt boven.

Ik herinner me de keer dat ik Theo hielp met haar biologiehuiswerk. Ze tuurde ingespannen met haar handen tegen de zijkant van haar hoofd gedrukt naar mijn schema.

'Dit zijn gewassen,' zei ik terwijl ik ze tekende. 'En een paar vliegen.'

'Dat zijn stippen, geen vliegen.'

'Gebruik je fantasie. Dit is een vogel. En een… kat.' Ik negeerde haar gegiechel. 'Als de boer nu pesticiden op het gewas spuit en de vlieg eet van het gewas, en de vogels eten de dode vliegen, en de kat eet de vogels, dan hopen de pesticiden zich op in de voedselketen.'

'Wat gebeurt er met de kat?'

'Die gaat dood. Oké, nee, nee, hij gaat niet dood. Hij krijgt alleen buikpijn.'

'Arme kat,' zei Theo. Ze tekende het schema na in haar eigen schrift. Toen keek ze op en glimlachte naar me; haar plotselinge, onzekere glimlach. 'Dank je, Jonathan.'

De volgende ochtend inspecteer ik het huis. De ooit witte keuken is verrassend functioneel. De koelkast werkt; de oven wordt warm en ruikt naar oud vet. Ik ontdek een muizenfamilie in een van de kasten. Aanvankelijk heb ik geen idee wat het zijn; de roze, wriemelende muisjes in het nest van afval lijken op vingers. De moeder kijkt snuffelend naar me op. Ik doe de kastdeur zachtjes dicht.

Alle kamers zijn leeg, het behang is vergeeld en laat los in de hoeken. Een van de kamers heeft roze bloemetjesgordijnen en een roze lampenkap die een feeënkasteel voor spinnen is geworden. In het raamkozijn heeft iemand *T* ❤ *J* gekrast. Zo is het leven nu: vol pijnlijke momenten die om elke hoek op me liggen te wachten, op verborgen plaatsen. Ik loop de kamer uit en sluit de deur achter me. Later zie ik onder de bank een oude Vrolijk-Pasenkaart liggen waarop geschreven staat: *Beste Bob, Lois en Terri. We moeten snel een keer afspreken! Dit is ons nieuwe huisnummer. Vrolijk Pasen allemaal!* Dus het is Terri die van J houdt.

Ik vraag me af waarom het huis er zo bij ligt en waarom Bob, die vermoedelijk in dit huis heeft gewoond, is vertrokken en nooit meer is teruggekeerd. Maar ik heb de energie niet om het uit te zoeken. In plaats daarvan ga ik naar buiten.

Het is nog vroeg, maar de ochtend voelt al uitgeput, vastgelopen in de ondraaglijke hitte, de gonzende hitte die van de bomen en het gebarsten, gebakken zandstrand af slaat. Het meer komt me vreemd voor; het heeft een getij en geen oevers, maar is ook geen zee. Zacht kabbelend water, geen geruis van golven over zand. Ik sta niet aan de rand van land; ik bevind me in het midden van een land dat zo uitgestrekt is dat het ingesloten zeeën heeft. Ik denk aan Wales, aan de kronkelweggetjes, het donkere groen, de weerkaatsing van het licht in het water en op het blad aan de bomen. Mijn geboorteland is een wilde tuin; Amerika is een open vlakte, kaal en onverschillig onder de brandende zon.

Dan zie ik tot mijn verbazing een grote, zwartglanzende auto aan het begin van het pad verschijnen. Hij hobbelt het pad af en stopt voor het huis. De zwarte ramen brengen me in verwarring. Dan springt er een jonge vrouw uit.

'Hoi!' Ze geeft me een hand, maar houdt net voldoende afstand om me goed te kunnen bekijken. 'Jij moet Jon Anthony zijn. Ik ben

Terri, de dochter van Bob. Wat leuk je te ontmoeten! Ik dacht, ik wip even aan om te zien of het allemaal een beetje lukt hier.' Ze is een aantrekkelijke, zongebruinde vrouw in een strakke spijkerbroek en een strak topje.

'Ja hoor, dank je.'

'Ik was nieuwsgierig of je hier echt wilt blijven.' Ze kijkt even langs me heen naar het huis. 'Ik bedoel... Toen ik van mijn vader hoorde dat hij het huis voor een paar maanden heeft verhuurd, ben ik meteen in de auto gesprongen en hiernaartoe gereden.'

'Heb je hier vroeger gewoond?' vraag ik. Ik besef dat ze gekomen is voor een praatje en niet vertrekt voordat dat is gelukt.

'Ja, tot aan mijn zestiende. Maar toen wilde mijn moeder scheiden en zijn mijn vader en ik verhuisd. Ik heb hem aangeraden het te verkopen. Ik zei: "Pa, je gooit een hoop geld weg als je niets met dat huis doet." Hij zei dat hij het wilde verhuren, maar dat was er nog steeds niet van gekomen. Mensen vroegen er wel naar, het leek hun in de zomer wel leuk voor een paar weken. Maar hij vroeg er altijd belachelijk veel huur voor, dus dan ging het niet door. En nu het zo verwaarloosd is wil niemand er meer in. Ik heb gehoord dat hij de huur heeft verlaagd?'

Ik knik.

'Maar wat doe je eigenlijk?' vraagt ze nieuwsgierig.

'Ik... was architect. Ik heb een tijd verlof genomen.'

'Wauw,' zegt ze. De zon is een stukje opgeschoven en schijnt in mijn ogen. Ik kijk over mijn schouder naar het huis en verplaats mijn gewicht op mijn andere voet ten teken dat ik weg wil. Helaas kan ik niet veinzen dat ik het druk heb. Ik heb hier niets te doen, en dat weten we allebei.

'Ken je hier mensen in de buurt?' vraagt ze. 'Ik kan je de omgeving wel laten zien als je wilt. Ik kan wel wat aanspraak gebruiken. Mijn man en ik zijn uit elkaar gegroeid. Hij had toestanden met zijn ex, want dat was nogal een controlfreak. Maar als ik hem nu vraag of hij de afwas wil doen, heeft hij het gevoel dat ik hem loop te controleren. En dan wil hij ook nog eens geen kinderen.' Ze zucht en schudt een sigaret uit haar pakje. 'Rook je?'

'Nee.'

'Heel verstandig. Ik rook er nog maar twee per dag. Ik heb een hypnotherapiebandje om me te helpen met stoppen. Ik rookte er eerst vierentwintig per dag.'

Ga weg, denk ik bij mezelf, in een poging mijn gedachten naar haar door te stralen. Ga weg, ga weg, ga weg. Maar ze is er nog, solide in de zon, en steekt haar sigaret aan terwijl ze haar meisjesachtige topje omlaag trekt over haar middenrif. Uiteindelijk zeg ik dat ik hoofdpijn heb en dat ik binnen even wil gaan liggen. Nadat ze met tegenzin is weggereden, met een wuivend gebaar en na me haar telefoonnummer te hebben gegeven – 'Bel me gauw, oké?' – loop ik om het huis heen en ga aan het meer zitten.

In de middag ga ik naar het dichtstbijzijnde stadje om eten te kopen. De supermarkt is in een brede grijze loods met andere winkels erin; de grote borden en geschilderde metalen zijwanden zijn te goedkoop en schreeuwerig. Het is een grote supermarkt en ook alles wat erin staat is groot. In plaats van twee voorverpakte maïskolven koop ik een hele zak voor een paar dollar. De pakken sinaasappelsap zijn groter, ijs zit in kartonnen emmers in plaats van in bakjes. De moed zakt me in de schoenen en ik laat mijn lijstje voor wat het is en koop op goed geluk wat etenswaren. Als ik terug naar de parkeerplaats loop, merk ik dat een vrouw die bezig is haar kinderen uit de auto te laden naar me staat te staren.

'Sorry,' zegt ze, 'maar ken ik u soms ergens van? Van de televisie misschien?'

'Nee. Het spijt me.' Ik stap snel in mijn auto en ze kijkt me fronsend na terwijl ik wegrij.

Dat overkomt me wel vaker. *Ken ik u ergens van?* vragen mensen dan, een vraag die niemand vreemd lijkt te vinden. Ik weet waar het door komt: ze herkennen Eve in mij. Bij nader inzien begrijp ik waarom. Ik praatte onbewust net als zij, zat kaarsrecht en met opgeheven hoofd, alsof ik recht had op iets, of ik daar nu in geloofde of niet. Ik had Eves manier van doen overgenomen, zonder te beseffen dat het een spel was en waarom ze het speelde.

In de maanden die volgen doe ik weinig. Soms rij ik kilometers de bossen in en ga ik een eind wandelen. De aantrekkingskracht daarvan ligt deels in het gevaar dat ik kan verdwalen. Ik zie eekhoorntjes, zowel gestreepte als zwarte, vogels. Ik zie berenkeutels, maar kom nooit ook maar in de buurt van een echte beer. Waarschijnlijk slaan ze op de vlucht voor mijn geur; ze ruiken dat ik oneetbaar ben, met mijn lijf vol pesticiden.

In het centrum regel ik dat de post van mijn Londense thuisadres wordt doorgestuurd naar het lokale postkantoor hier. Ik wil een communicatieroute openhouden. Maar sinds ik dat heb gedaan, merk ik dat ik het postkantoor mijd. Als Bob Heilman komt kijken hoe het met me is, weet hij me te vertellen dat de post zich voor me opstapelt. Ik vraag me af hoeveel brieven werkgerelateerd zullen zijn, of ik moedwillig mijn carrière aan het ruïneren ben. Het interesseert me niet of dat zo is. Bij nader inzien was ik bezig in het touw van een Indiase magiër te klimmen; bovenin aangekomen loste ik op in het niets.

Bob loopt met zichtbaar onbehagen om zijn vroegere woning heen. Met een verbaasde frons vraagt hij wat ik zoal de hele dag doe, en ik proef een beginnend wantrouwen. Hij vraagt me regelmatig wat ik ga doen als de zomer voorbij is, omdat we beiden voor het gemak veinzen dat ik een toerist ben. Hij knikt als ik zeg dat ik op een telefoontje wacht, van familie, van mijn werk. (Ik kan me zelfs de leugens die ik hem op de mouw speld niet eens meer herinneren.) 'Het heeft geen haast,' zegt hij.

Als Bob weg is, lees ik tot de schemering in een boek over de Maya's (waarin George Bennett een paar keer indrukwekkend ten tonele wordt gevoerd) dat ik de supermarkt heb gekocht. Ik heb nooit veel gelezen, althans niet sinds mijn jeugd, toen mijn lievelingsverhaal 'Roodkapje en de Wolf' was. Niet de versimpelde Walt Disney-versie, maar het boek dat Eve me had gegeven, van Charles Perrault. ('Dit is zoals het er in het echte leven aan toegaat.') In het origineel komt geen houthakker voor en er wordt ook niemand opengesneden. Een logisch einde, vond ik. Ik had geen medelijden met Roodkapje. Ik weet nog dat ik het nogal dom van haar vond dat ze zich door een wolf in een jurk om de tuin liet leiden.

Ik ben niet moe van het lezen maar het boek verveelt me, en omdat ik geen andere boeken heb gekocht zit er niets anders op dan naar bed te gaan. Ik heb een nieuw matras op de piepende, doorgebogen spiraalbodem gelegd: een ruimtetechnologiematras, dat ik heb gekocht omdat het een goede nachtrust beloofde. Het moet zijn belofte nog gestand doen, maar het zware, rubberachtige geval ligt zeer comfortabel, en voelt solide aan, als een stevige spiermassa. Als ik erop ga liggen, voel ik mijn rug uitrekken en zich ontspannen in de kuilen.

Ik vraag me af of er een tijd zal komen dat ik niet meer voortdurend word herinnerd aan het verleden, hoe vaag de associatie ook is. Als ik buiten kikkers hoor kwaken, denk ik aan een nacht in het paddentrekseizoen dat Theo opbleef en heen en weer rende met een emmer vol kleine padden om ze de weg over te zetten die ze probeerden over te steken. Als ik bomen hoor ruisen, denk ik aan de wandeling naar het strand van Llansteffan, achter elkaar in een rijtje terwijl we om beurten aan de fles hoofdpijnwijn lurkten.

Er is weinig voor nodig om de avonden op Evendon op te roepen. Alicia, lezend onder het lamplicht in de gouden salon, haar zijden benen netjes naast elkaar onder de stoel. Eve die, op een van haar zeldzame ontspannen momenten, haar post doorneemt. Theo, liggend op de grond, met haar ellebogen op een kussen, haar benen wiebelend als anemonen.

'Ik heb een raadsel gehoord, maar weet niet hoe ik het moet oplossen,' zei ze tegen me. 'Er zijn twee deuren; de ene leidt naar geluk, de andere naar tegenspoed. De deuren worden bewaakt door twee mannen. De ene liegt altijd, de andere spreekt altijd de waarheid. Je mag een van de mannen één vraag stellen om erachter te komen wat de goede deur is.' Ze keek me verwachtingsvol aan. 'Jij weet vast wie je wat moet vragen.'

'Ik heb ook een raadsel voor jou: waarom krijgt Jonathan zijn werkstuk niet af?'

'Geen idee? Zeg maar.'

'Omdat Theo hem van zijn werk houdt.'

Hoe vaak had ik haar niet op die manier weggestuurd? Nu betaal ik de prijs. Ik voel me leeg en lijd aan slapeloosheid; mijn herinnering aan haar is als een lichtpeertje dat ik niet kan uitdoen en dat elk hoekje van mijn geest verlicht.

Terri komt weer 'aanwippen'; ze hoopt dat ik me niet al te eenzaam voel in mijn eentje. Ze had ingezien dat het dom van haar was me haar nummer te geven nu de telefoon hier nog maar net weer is aangesloten. 'Ik ging ervan uit dat je een mobiel had,' zegt ze met een glimlach. Nu ben ik in haar ogen natuurlijk een ouderwetse, degelijke Engelsman.

Ze biedt me aan bij warm weer gebruik te maken van haar zwembad. Ze woont maar een klein eindje rijden hiervandaan. Ze geeft regelmatig een barbecue, en zou het leuk vinden als ik een keer langskwam. Ze hebben niet genoeg mannen. Ze slaakt een verbaasd gilletje als ik zeg dat ik nog niet terug naar New York ben geweest. Ik zeg tegen haar dat ik het juist heerlijk vind dat het meer zo afgelegen ligt. 'O, ik snap het helemaal. Ik ben ook graag op mezelf,' bekent ze. 'Ik vind het moeilijk om mensen in vertrouwen te nemen. Maar ja, ook mensen zoals wij hebben gezelschap nodig op zijn tijd...'

Als Terri weg is, merk ik dat ik aan Maria moet denken. Haar mond die zich plooit in een halve glimlach, haar bruine huid. En dan gebeurt het: de liefde komt terug. Ik had er de hele winter niet meer aan gedacht, maar ik vermoed dat die nooit helemaal weg is geweest.

Had ze echt haar hand op de mijne gelegd, die laatste keer dat we elkaar zagen? Ik denk niet dat ze het uit medelijden deed, maar aan de andere kant heb ik haar ook nooit echt begrepen. We lagen op het bed, in het irreële, regenachtige licht. In de korte tijd voordat de telefoon ging was ik gelukkig, gelukkiger dan ik misschien ooit was geweest. Haar kleine misstap, mijn mooiste moment.

Maria is iemand die nog bestaat. Ze werkt in Boston, in het Reiss-Carlow Centrum voor Autisme en Spectrumstoornissen. Ik weet het telefoonnummer van haar werk. Het is een bizar idee dat ik naar binnen kan gaan en haar binnen een paar minuten aan de lijn kan hebben. Het is niet Maria die weg is, het is Jonathan die haar zou kunnen bellen. Hij is achtergebleven op het strand in Llansteffan,

klaar voor de wereld die voor hem openligt, onwetend en onver-
schrokken als een middeleeuwse ridder. Hij zit naast het meisje van
wie hij houdt en denkt dat hij haar kan veroveren, dat hij alleen
maar met zijn vingers hoeft te knippen.

Op een avond neem ik een stoel mee naar buiten en ga aan het
meer zitten. Het water, dicht bij mijn voeten, is bijna onzichtbaar in
de duisternis. Achter me kraakt het huis als het door de wind in beroering wordt gebracht.

Mijn verdriet over Theo is liefde, en schuldgevoel, wij tweetjes
's avonds op het gazon, haar betraande ogen, mijn stem die de duisternis wegduwt, als een opgestoken hand. Mijn verdriet over Eve is
een giftig en complex iets. Ik ben niet alleen teleurgesteld maar ook
boos, wat het erger maakt. Ik ben boos op Eve omdat ze de schijn
niet heeft weten op te houden, een schijn waarin ik had kunnen blijven geloven. Ze zit weer aan het hoofd van de eettafel terwijl de zon
ondergaat in het raam en vertelt ons een verhaal. Haar stem voert
me mee, rijgt de ongelukkige voorvallen aaneen als een filmtrailer,
de acteurs vallen van paarden, rollen de trap af, slaan overboord.
Haar gezicht is nu bijna vergaan, zacht als as, de woorden denderen
voort, losgekoppeld, niet langer verbonden met haar mond.

Ik besef dat ik aan het indommelen ben, maar kan me niet ver-
roeren en zit daar maar, koud, zwaar, rechtop. Ik droom dat ik in
een vliegtuig zit. Buiten het raampje, in de diepte, ligt het water,
waar mijn zusje wacht. Ik kan me erin laten glijden, zodat mijn
leven naar me terug zou snellen en ik niet meer alleen zou zijn. Ik
leg mijn hoofd tegen het raampje, koud door de nabijheid van de
ijle lucht. De sterren achter het glas hangen in een ijzige nevel; ze
drukken me neer, duwen me de ochtend in.

Ik schrijf op een vel papier:

Maria

Na een paar uur vouw ik het papier dubbel, en dan nog een keer, waarna ik het in een keukenla leg.

Ik rij onder een strakke, synthetisch blauwe lucht naar de supermarkt. Het is benauwd en er hangt een geur van storm in de lucht. Ik neem de plastic zakken mee die ik de vorige keer heb gebruikt en zoek eerlijke producten uit: biologische maïs, diervriendelijk vlees. Ik heb me nooit druk gemaakt over de herkomst van mijn voedsel, maar nu wil ik anderen zo min mogelijk schade toebrengen, of het nu een bananenboer in Costa Rica is of een varken in Denemarken. Ik glimlach tegen de caissières, die als een rij stokstaartjes achter de kassa's zitten. Ze glimlachen vriendelijk naar me, maar toch mis ik mevrouw Edwards, nors zwijgend achter haar rookgordijn.

Ik betaal mijn boodschappen en loop naar buiten, waar het net is gaan regenen en een ondernemende zwerver zich naast de winkelwagentjes heeft geïnstalleerd. Ik zie hem pas als hij me aanspreekt: 'Hebt u wat kleingeld voor me?' Hij heeft wijd opengesperde, felgroene ogen in een pokdalig gezicht. Ik geef hem de rest van mijn papiergeld.

'Dank u,' zegt hij onthutst. 'Dank u.'

De hand met het geld trekt zich terug onder de grote deken, zodat alleen zijn hoofd en schouders nog te zien zijn, afgeschermd tegen de regen.

'Graag gedaan,' zeg ik. Hij kijkt nieuwsgierig naar me op. Misschien heb ik een of andere straatetiquette geschonden door zo lang te blijven staan. Of misschien doen andere gevers dit ook en willen ze in ruil voor hun gift een zielig verhaal over drugs of verwaarlozing horen. Ik stap gegeneerd in mijn auto.

Iets in deze man herinnert me aan Theo. In de manier waarop hij daar vol in het zicht zit, herken ik een neiging zich binnenstebuiten te willen keren. Ik kan niet werken, lijken ze te willen zeggen, ik kan niet geholpen worden. Hun afhankelijkheid haakt aan je als kleefkruid, ze smeken om medeleven. Ze weigeren van anderen gescheiden te worden en zichzelf te begrenzen.

Ik, daarentegen, ben door het leven gerold als een knikker, een zwerfkei. Ik heb geen mos vergaard, maar ook weinig liefde. Nu kom ik tot stilstand op het laagste punt.

Ik ga het lege huis weer binnen en luister naar het getik van de regen in de emmers die ik onder de lekken in het dak heb gezet. Buiten ruist de regen, als honderden vellen papier die verscheurd worden.

Ik begin opnieuw en staar met mijn pen in mijn mond naar het rechthoekige witte vel totdat het nabeeld in mijn ogen brandt. Dan schrijf ik:

Maria, Ik

Ik kijk naar het *Ik*, twee tekens die vreemd aandoen. Een I en een k. Harde letters. Het is te simpel: een streep, rechtopstaand, als een pilaar of een vlaggenstok. Ik kan me er niet mee identificeren. Een spiraal zou beter zijn, of gewoon een krabbel. Ik kijk er nog een tijdje naar, maar kan niet over de strengheid van de I heen komen. Uiteindelijk leg ik het vel papier terug in de la en ga weer buiten zitten, waar ik lang naar het flikkerende scherm van de regen blijf kijken.

～)

Voor ik er erg in heb, is het augustus en vraagt Bob aan me: 'Je zult voor kerst wel vertrekken, of niet?' Hij zegt dat het snel koud zal worden, en omdat het huis geen verwarming heeft, is het onmogelijk aan het meer te blijven wonen.

Ik heb Bob de huur betaald, maar hij blijft op de veranda rondhangen en voert nerveus een gesprek met me terwijl hij me steeds nieuwsgierig aankijkt. Ik besef dat hij zich zorgen maakt om mij, dus ik zeg niet dat ik daar nog niet over heb nagedacht. Ik speld hem een vage leugen over een verhuizing naar New York op de mouw.

'Daar zul je wel een paar gebouwen kunnen gaan ontwerpen,' luidt Bobs laatste poging om me uit de tent te lokken.

'Wie weet,' zeg ik.

De huizen op het platteland in dit land zonder ruïnes zijn overwegend van een nieuw, internationaal type: snelle, functionele bouw. Meestal doosvormig, alsof ze bedoeld zijn om ergens opgeslagen te worden, zelfs de kerken, magazijnen voor verafgoding. Waar het geld aan de bomen groeit, zijn de huizen gedetailleerder, zoals de luxeappartementen aan de andere kant van het meer, en veelal een speelse mengvorm van Zwitserse chalets, huizen in tudorstijl en Disneylandachtige kastelen met roze daken.

Ik besef met een schok dat wat ik gebouwd zou hebben niet beter zou zijn dan dit soort troep. Ik zou iets groots en opdringerigs hebben ontworpen van glas en staal; ik zou gehoopt hebben er een prijs voor te ontvangen uit de handen van iemand die er nooit in zou wonen. Ik had me niet gerealiseerd dat huizen harmonieus moeten zijn, laat staan mooi. Ik dacht dat liefde voor schoonheid iets voor gewone mensen was. Ik wilde niet dat iemand geroerd werd door een gebouw van mij; ik wilde dat ernaar gekeken werd en dat er aan mijn naam werd gedacht. Jonathan Anthony, Jonathan Anthony, een naam zonder betekenis, een leeg spandoek in de wind.

Maria,

Ik heb in het verleden een hoop verkeerde ideeën over liefde gehad, ideeën waar ik me bij nader inzien voor schaam. Je zult je wel afgevraagd hebben waarom ik je belde en je probeerde te versieren terwijl ik nooit iets aardigs of zinvols te zeggen had, maar als ik bij jou was, dan had ik het gevoel dat ik wist hoe liefde zou kunnen zijn. Ik was alleen te koud en te dom om te begrijpen dat het daarom ging.

Ik begrijp de liefde nu beter en de mijne is nog steeds voor jou – en dat zal altijd zo blijven – mocht je me nog willen.

Jonathan

Na een week met onverwachts slecht weer zie ik bij het ontwaken dat de zon zachtjes het huis in is gekropen. Het oude tapijt en de verbleekte vloer zijn veranderd in een uitgestrekte vlakte van geboend eiken met een raster van langgerekte rechthoeken licht dat vanaf het terras komt binnenvallen. De geuren van oud zout en verval hebben plaatsgemaakt voor een zweem van jasmijn en lelies. Ik hoor een vrouwenstem, in een andere kamer. Ik sluit mijn ogen weer, maar Evendon is dan alweer weg. Buiten vitten en krijsen de zeemeeuwen; ze roepen me terug naar Amerika.

Later die ochtend rij ik naar het postkantoor in de stad. Als ik nog even sta te aarzelen bij de toonbank, vraagt de vrouw erachter me: 'Kan ik u nog ergens mee helpen?' Voordat ik weet wat ik zal zeggen, verschijnt er een glimlach van herkenning op haar gezicht.

'Bent u soms de Engelsman die in Bobs huis aan het meer woont?'
zegt ze. 'Ik heb hier post voor u.'

Als ik thuiskom leg ik de stapel post op de kartonnen doos die ik
als tafel gebruik. Een samengebonden stapel brieven die me over de
wereld is gevolgd. Ik kijk ernaar terwijl ik ontbijt. Dan pak ik de
stapel op en ga op de veranda zitten, die baadt in het zonlicht. De
regen van de afgelopen week is al opgedroogd; het geritsel van de
bomen klinkt dor, de korenbloemen zijn bleekblauw. De hitte trekt
als een rilling over het water, laait weer op van de stoffige kalkweg.

Ik heb twee brieven van Alicia. De eerste is bijna energiek in zijn
verwijten. Klaarblijkelijk is een aantal meubels beschadigd tijdens
het vervoer vanaf Evendon, waar ze me net niet van beschuldigt.
Ze klaagt dat de opticien haar een leesbril heeft voorgeschreven en
slaagt erin te suggereren dat haar gezondheid broos is. *Het is moeilijk
als je er alleen voor staat*, schrijft ze. De tweede brief, die vorige week
is aangekomen, is korter. *Hoe lang blijf je nog weg?* vraagt ze. *Ik heb
nieuws. Ik ga trouwen, met Sir Marcus Balfour. Hij is een goede vriend van
prins Charles. Ik hoop dat je op tijd terug bent voor de bruiloft. Het wordt
een beetje gênant als mensen naar je vragen. Je lijkt wel een kluizenaar.*

Dat was eigenlijk wel te voorzien. Alicia is niet iemand die lang
alleen blijft. Ze was altijd afhankelijk van anderen. Natuurlijk zorgde ze ervoor dat ze een man kreeg. Ze sluit af met *Je moeder, Alicia*,
alsof ze zichzelf aan onze relatie moet herinneren.

Er zitten ook een paar brieven bij aangaande een boek dat op het
punt staat te verschijnen. Het is een biografie over George Bennett.
De schrijver komt met schokkende onthullingen. Van sommige zaken had ik geen idee, maar blijkbaar was er een groot verloop van
dienstmeisjes in zijn huishouden; eentje vertrok nadat hij haar had
geslagen omdat ze zijn kop thee had laten vallen, een ander had een
presse-papier naar haar hoofd geslingerd gekregen. Bovendien hield
hij er een rendabele nevenactiviteit op na: het op de zwarte markt

verkopen van dubieus verkregen artefacten. Onder George Bennetts dunne laagje eerbaarheid schuilden de primitieve instincten van de bandiet; hij roofde niet alleen uit buitenlandse graven en paleizen, hij roofde ook de erfenis van een ziekelijke Amerikaanse erfgenaam. Zijn spectaculaire salto-mortaledood was de vanzelfsprekende climax van een leven vol ondergronds geweld.

Ik weet dat ik de juristen opdracht zou moeten geven de beschuldigingen aan te vechten, zoals Eve zou hebben gedaan, maar ook al was het allemaal gelogen – wat ik betwijfel – dan nog zie ik er het nut niet van in. Eve, met haar netwerk, kon dit soort laster enigszins voorkomen, maar is nu zelf voer geworden voor journalisten, en spoedig zullen de biografen volgen om het 'ware' verhaal over Eve te vertellen. Verhalen, verhalen, verhalen, die als ratten uit hoeken en gaten tevoorschijn komen, nu de laatste oorlog gestreden is.

De brieven doen me meer dan ik had gedacht; ik voel de lange arm van mijn familie over de Atlantische Oceaan heen reiken. Geen antwoord van Maria, maar dat had ik eerlijk gezegd ook niet verwacht. Voor een excuusbrief was mijn brief te kort, voor een liefdesbrief te laat. Ik schenk mezelf een glas water in en loop weer naar de veranda, waar ik uren vrijwel gedachteloos zit en om de zoveel tijd even indommel totdat de zon bijna onder is en ik nog altijd tegen het oude, warme hout van het huis geleund zit en me afvraag wat ik straks zal gaan doen. Het kan me allemaal niets schelen, dat is het probleem. Mijn hart lijkt een in ijs verpakt stuk vlees; ik voel het niet, hoewel ik weet dat het inkrimpt en uitzet in mijn borst, dat het gewoon doorklopt, zonder reden, zonder zin. Mijn leven staat stil, maar ik ben er nog.

Ik moet teruggaan en tegen Theo zeggen dat ze gelijk had. Ik dacht dat ik volmaakt was, maar ik was blind. Ik dacht dat ik nuchter en vastberaden was, maar ik was bang. Ik heb Theo de last van de leugens alleen laten dragen, leugens die bezit van haar namen en haar verstikten. Geen wonder dat ze nooit wist wat echt was en wat niet.

Ik ga op de gammele veranda liggen en word opnieuw overspoeld door het idee dat ik haar nooit meer zal zien. Ik bevind me in een geheime vijver, onder het water, verstrikt in herinneringen die me als zeewier omstrengelen, dik en glibberig. De hemel is water, de lucht is onadembaar. Ik kijk door een zwaar, samengeperst groen op naar de donkere bladeren. *We zullen ver weg zijn... wat zullen we gelukkig zijn*, zegt ze. Ik kan het doen: het meer in lopen en naar die verre plek waden waar ze op me zal zitten wachten. Ik wil tegen haar zeggen dat het me spijt. Ik wil mijn hand uitstrekken en het bloed door mijn koude vingers voelen stromen.

Ik adem in, ik open mijn ogen. De avond daalt neer op het meer, paars als uitgelopen waterverf, opgaand in de horizon. Ik hoor de krekels; de vogels zijn stilgevallen. De bleke, gebarsten grond kleurt zacht lavendelblauw in het licht, het water is zilverachtig. De lucht boven me heeft een vreemde maar prachtige parelmoerkleur.

Dan zie ik Maria. Ze staat niet ver van me af op het witte zand naar me te kijken. Achter haar staat een auto, het portier nog open. Ze draagt een roomwitte jas die glanst als een maan in het donker, haar benen tekenen zich dun en donker af in de bleke schemering, over haar gezicht ligt een serene gloed. Het is de Maria van die laatste avond in Londen; haar ogen serieus, haar mond verdrietig. Ik zeg niets. Ik weet niet of ik in haar geloof, zoals ze naast het vervallen huis opdoemt uit de schaduwrijke gang tussen slaap en nietslaap, als een projectie. Ze ziet eruit als mijn beste herinnering aan haar, als iemand die ik heb verzonnen.

Ze komt naar me toe lopen en knielt zwijgend naast me neer op de veranda. Ze is zo dichtbij dat ik voel dat de lucht verplaatst wordt en vervolgens weer tot rust komt, vervuld van haar vertrouwde parfum. Dan omsluiten haar handen de mijne; de aanraking van haar handpalmen veroorzaakt een schokje op mijn huid. Haar ogen zijn donkertopaas, amber, goudgele aureolen als de stralen van de zon. Haar haar valt naar voren, als gordijnen die gesloten worden, haar warmte vloeit in me over en vindt haar weg naar mijn verschrompelde hart.

Epiloog

2010

Ik rij van ons huis in Berkshire naar Carmarthen. Door het autoraampje, dat op een kiertje staat, snijdt een luchtstroompje naar binnen dat uitwaaiert in een koele bries. Maria houdt haar haren vast om te voorkomen dat ze in haar gezicht waaien. Het is een warme, blauwe dag; als we de brug op rijden kunnen we tot helemaal aan de andere kant van de Severn kijken.

'Ik droomde vannacht dat we een zandkasteel aan het bouwen waren op het strand van Llansteffan,' zegt Maria.

'Zandkastelen... het is jaren geleden dat ik er een heb gebouwd.'

'Verbaast me niks. Ik had verwacht dat je ertegen zou zijn. Namaakmiddeleeuws, imitatiebouw: professionele zelfmoord.' Ze lacht en vervolgt dan nadenkend: 'Ik droom vaak over de tijd dat we nog met z'n allen in Wales woonden.'

Ze raakt even mijn hand aan omdat ik weet wie ze met z'n allen bedoelt. Maria, Jonathan, Nick, Theo.

'Ik droom nooit meer,' zeg ik.

'Jawel hoor, iedereen droomt,' zegt ze. 'Je herinnert het je alleen niet meer.'

'Gelukkig maar. Ik vind de nacht prettiger zonder dromen. Wel zo rustig.'

'Laten we vanavond in de tuin gaan zitten,' zegt Maria. 'Van daaruit kun je heerlijk over de zee kijken.'

Maria: liefhebber van de zee, van tuinen. Ik weet dit soort dingen nu van haar. Ze houdt van paarden, Bach, liberalisme, whisky, ballet. Ze houdt niet van baarden, religie, oesters, bont, liften. Ik weet dat ze vandaag, onder haar duifgrijze blouse en haar spijkerbroek, roomwitte lingerie draagt, met kanten bandjes en kleine pareltjes. Ik weet dat ze vanochtend na het opstaan een onwillige haarlok bij haar oor naar achter heeft moeten föhnen. Soms kan ik nog altijd niet geloven dat ik dit allemaal weet van iemand die ooit zo ver van me af stond en een raadsel voor me was.

⌒

'Hoe heb je het huis gevonden?' vroeg ik aan haar toen we in het vliegtuig terug naar Engeland zaten. 'Het stond nergens aangegeven langs de weg.'

'Ik heb in een hengelsportwinkel de weg gevraagd. Je gedroeg je nogal vreemd, dus ze wisten meteen wie ik bedoelde. Ze vroegen zich af waarom je in je eentje zo'n bouwval wilde huren.'

'Zo erg was het nu ook weer niet,' verdedigde ik het huis.

'Ik heb de eigenaar trouwens ook gesproken. Hij was blij dat ik was gekomen. Hij zei: "Het wordt koud, neem hem maar gauw mee naar huis."'

'En dat heb je gedaan,' zei ik.

'Inderdaad.' Ze zette met gespeelde verbazing grote ogen op. 'En kijk ons hier nu zitten.'

'Maar waarom ben je gekomen?' vroeg ik.

'Ik had al veel eerder willen komen. Maar je beantwoordde mijn telefoontjes en brieven niet. Uiteindelijk ben ik terug naar Wales gegaan, maar toen was je al weg en wist niemand waar je was. Totdat ik je brief kreeg.'

Maria zei dat toen ze mij die eerste zomer voor het eerst op Evendon in de tuin zag, ze een jongen zag die iets vitaals uitstraalde, iets daadkrachtigs. Ze was opgewonden, nerveus en benieuwd hoe het zou lopen. Hij had eenzelfde soort optimisme over zich als Theo, alleen schermde hij het meer af; hij koesterde zijn gevoelens als een wond. Ze besefte dat hij niemand bij zich in de buurt liet komen. 'Toen zagen we het schilderij van Eve.'

'Dat schilderij...' Ik fronste.

'Ik begreep je beter als je over haar praatte. Je had een toekomstverwachting, net als zij. Dat was het enige wat je bezighield.'

Maria zei dat ze altijd half had gehoopt dat er iets zou veranderen in de Jonathan die ze kende, omdat ze hem niet kon vergeten. Ze dacht aan hem in Frankrijk; ze kocht tijdschriften als ze zijn naam erin zag staan. Ze was verdrietig en blij dat hij bereikte wat hij wilde bereiken; hij versterkte zijn positie, werd beroemd, bouwde zichzelf op als een monument zonder ramen en deuren.

Die keer in Londen zag ze zijn onzekerheid, die als een dreigende regenbui boven hem hing, maar de timing was verkeerd – het telefoontje – en ze liet hem gaan. En toen veranderde alles en was hij ineens verdwenen. Totdat ze zijn brief kreeg en naar hem op zoek ging. Hij was niet langer een man in een monument. Hij lag op de grond in de nacht, als een dood iets, als iets wat net geboren was, bevrijd uit zijn kooi en verloren, eindelijk weer vitaal.

Nadat Maria en ik het huis aan het meer hadden verlaten, waren we nog een paar maanden in Amerika gebleven totdat zij klaar was met haar onderzoek. Daarna verhuisden we naar Engeland, waar ze haar eigen kliniek begon. Ze raakt steeds bekender vanwege haar theorieën over autisme en het syndroom van Asperger, en de medicijnloze behandeling die ze voorstaat. Ze brengt uren door met de jongste kinderen, van wie er een haar eigen haar en wenkbrauwen heeft afgeschoren, en een ander, een muzikaal wonderkind, al twee jaar lang geen woord heeft gezegd. Als een trotse ouder neemt ze de tekeningen die ze voor haar maken mee naar huis en plakt ze op de koelkast. Alleen zijn het geen tekeningen van kopvoeters; ze zijn veel gedetailleerder, met gezichten die uit licht- en donkervlakken zijn opgebouwd en anatomisch correcte handen, het werk van haar genie.

Ik ben nog altijd architect: een betere architect dan ik was. Mijn eerste opdracht voor Anthony & Crosse toen ik weer aan het werk ging, was een C-vormig herenhuis met renaissance-elementen voor een internetmiljardair, met spiegelglas in barokke ramen, baksteen-patronen, bogen en gewelfde plafonds. De *Architectural Review* noemde het een 'welkome volte-face van Jonathan Anthony'. Projectontwikkelaars bellen; ze willen kantoren, hotels, appartementsgebouwen die geen weerstand oproepen bij de lokale bevolking. De woorden 'postmodern', 'neo-eclectisch' en zelfs 'neoclassicistisch' zijn gevallen. Vanzelfsprekend ben ik door veel modernisten in de ban gedaan. Er verscheen een artikel in een krant waarin werd beweerd dat ik mijn lef had verloren. Ik zou me hebben afgekeerd van de strenge eisen van staal en beton en mijn toevlucht hebben gezocht in de tierlantijnen van de nostalgiearchitectuur. Een andere journalist verdedigde me en vond dat ik een 'nieuwe cohesie aan de architectuur' had gegeven, wat ook niet helemaal waar is.

Wat ik nu mooi aan gebouwen vind, behalve de structuur, is de manier waarop ze in hun omgeving passen: de manier waarop ze opgaan in het landschap en aansluiten bij de wensen van de bewoners. Als ik aan succesvolle architectuur denk, dan denk ik aan de huisjes die uitkijken op het strand van Llansteffan: heldere pastelkleuren, de ijsjeskleuren van zeelucht. Dat is de kern van wonen aan zee, het sprankje hoop dat voortkomt uit het vertoeven aan de rand van het land en het begin van iets nieuws.

Ik zei tegen Maria dat ik een huis aan zee voor ons zou bouwen, en ze lachte en zei: 'Waar anders?'

~

Toen ik thuiskwam merkte ik dat ik geen vrienden was kwijtgeraakt, behalve Emily, die in een categorie vriendschap viel die je eigenlijk geen vriendschap kunt noemen. Nick en zij waren al na een klein halfjaar gescheiden, waarna Emily met een miljardair was getrouwd en Emily Miloslavkaia was geworden, de saaie heerseres over haar dure stek in South Kensington. Ik hoorde dat ze vriendschap heeft gesloten met Alicia en dat ze regelmatig samen lunchen om hun elite-leventje te bespreken.

Na een tijdje van introspectie en navelstaarderij kwam Nick uit zijn scheiding tevoorschijn als de man die hij altijd was geweest. Hij werkt nu in Dubai als een soort van financiële tuinman. Hij plant en snoeit grote geldbedragen voor investeerders, zodat ze hun geld kunnen laten groeien. Ik denk dat hij gelukkig is.

Na Theo's dood was Sebastian teruggegaan naar India, en op een enkele vage ansicht van een aap of een mangoboom onder een wi-thete lucht na had niemand meer iets van hem vernomen. Toen kwam hij terug naar Engeland, samen met een meisje uit Kerela, genaamd Seema, dat in de buurt woonde van de school waarop hij lesgaf. Ze liep elke dag langs zijn raam en dan knipoogde ze naar hem, dus op een dag was hij haar achternagelopen en had hij haar een bloem gegeven, waarna ze een geheime affaire waren begonnen, als in een film. Toen haar ouders erachter kwamen, sloten ze Seema op in haar slaapkamer en werd er snel een selectie gemaakt van toekomstige echtgenoten. Ze ontsnapte op de traditionele manier – langs aan elkaar geknoopte beddenlakens was ze de nachtelijke tuin in gesprongen – en woont nu samen met Sebastian in

Truro. Toen ik haar ontmoette viel me vooral haar glimlach op: breed, hoopvol, het prachtige wit van een kustlijn. Een glimlach die insloeg als een bom; niet pijnlijk, zoals vroeger waarschijnlijk gebeurd zou zijn, maar op een verstandelijke manier, alsof een glimlach als die van haar meer is dan de som der delen, eeuwig als een platonische vorm, constant en puur.

∞

Niet lang na mijn terugkeer moest ik naar de bruiloft van mijn moeder, een herfstige praalvertoning met oranjebloesem, antiek kant, gesuikerde amandelen en goudgerand servies die Londen opschudde en als een glinsterende draak de rijken opslokte. Een nachtmerrie van begin tot eind, met als enige voordeel dat het Alicia afleidde van mijn maandenlange afwezigheid. Alle chagrijn werd gericht op de trouwjurk, de gasten en de weddingplanner.

'Het is zó veel werk,' verzuchtte Alicia met uitgeputte stem aan de telefoon.

'Waarom ga je er niet gewoon vandoor?' opperde ik. 'Ga naar Las Vegas en laat je trouwen door Elvis.'

'Wat kun jij toch raar doen soms, Jonathan.'

'Mag ik iemand meenemen?' vroeg ik. 'Maria Dumas. Je weet wel, uit Llansteffan.'

'O, de dochter van Sir John Bankbridge? Natuurlijk mag je haar meenemen.'

Alicia's nieuwe echtgenoot Marcus deed me denken aan een bijfiguur in een roman: zo eendimensionaal dat hij keurig in één alinea past en er nog ruimte overblijft. Iemand die dagelijks strijd voert met zijn rozen en de National Trust over zijn landgoed in Surrey, en elke avond met een bel whisky de race-uitslagen doorneemt. Met zijn harde blonde haar en smalle neus heeft hij iets van een Grieks beeld. Hij behandelt Alicia als zijn bezit, wat ze niet in de gaten lijkt te hebben.

Op de bruiloft leken de bruid en bruidegom op het wassen paartje boven op hun taart: elegante verschijningen, lichte ogen, lichte huid. Alicia droeg een vreemd ingesnoerde jurk; hoog bij de hals om het ribbenlandschap boven haar boezem aan het oog te onttrekken. De predikant declameerde zijn tekst op theatrale wijze, starend naar het plafond als een pop met achterovergekanteld hoofd. De goedgeklede gasten zaten in keurige rijen in de banken en maakten een voorspelbaar ongeïnteresseerde indruk. Ik was het enige familielid, op enkele verre neven en nichten na. Alex was niet gekomen, iets waar Alicia niet mee leek te zitten. Ik vermoed dat ze blij was dat ze die sjofele, nerveuze man met zijn goedkope das, die zojuist uit de donkere krochten van een bibliotheek kwam gekropen en nog knipperde tegen het licht, niet aan haar gasten hoefde voor te stellen als haar broer.

Ik vroeg me af of Alicia, wier gedrogeerde blik kon worden aangezien voor emotionaliteit, zich in haar verdoofde staat haar bruiloft met mijn vader herinnerde. Ik kon het me niet voorstellen. De muffe lucht in de kerk moet hetzelfde zijn geweest; de kerkbanken, de wandtapijten, het gesmolten kaarsvet en de zware, fluweelachtige geur van lelies die zich vastzette in mijn longen. Terwijl ik naar het paar voor het altaar staarde, spoelde de tijd terug en veranderden hun gestalten. Alicia's jurk bolde op, haar haren ontkrulden, haar leeftijd gleed van haar af. Naast haar stond een vage man. Blond haar, donker pak, de rug naar me toegekeerd, zijn schaduw achter hem op de stenen vloer. Mijn vader, de ontbrekende persoon, verloren, teruggevonden en weer verloren.

Ik heb soms het gevoel dat Eve me aan het einde van haar leven meer over hem had willen vertellen, maar dat ze daar de kans niet toe heeft gekregen. Ik kon de glans in haar ogen bijna zien verdampen terwijl ze sprak, alsof het leven als stoom van haar af rolde. Net als in een film zakte haar hoofd terug in het kussen en vielen haar oogleden dicht, als neerdwarrelende bloemblaadjes.

Ik zal nooit weten wat voor man mijn vader was. Eve en hij staan tegenover elkaar als spelers bij een spelletje touwtrekken. Als de een aan het touw trekt, wordt de ander naar het witte bandje in het midden getrokken, en vice versa. Als mijn vader een onschuldige man was die zijn toevlucht nam tot chantage om de voogdij over zijn geliefde kinderen te krijgen, dan was Eve hardvochtig en bedreigde ze hem, waarmee ze haar kleinkinderen tot halfwezen maakte om zichzelf te beschermen. Maar als Eve de waarheid vertelde, was mijn vader een op geld beluste schurk, en had ze niet alleen zichzelf maar ook ons tegen hem in bescherming genomen. Het lijkt erop dat de waarheid, zoals altijd, ergens tussen de twee uiteinden van het touw ligt.

Geef ik Eve de schuld van Theo's dood? Dat weet ik niet. Eve heeft haar niet met opzet gekwetst. Het was gewoon pech dat ze aan dezelfde kaarttafel kwamen te zitten, de onschuldige tegenover de gehaaide valsspeler. En soms denk ik aan de Eve op de foto die ze ons lang geleden liet zien: het meisje met het strakke, golvende haar en een gezicht dat net gevormd is, nog niet ontvlamd. Ik weet niet wat er in de tijd tussen Eve Bennett en Eve Anthony is voorgevallen. Ik weet niet waarom begrafenissen en doden voor haar een ontsnappingsroute naar de vrijheid waren. Ik weet niet wat er is weggelaten uit haar verhalen. Ik zag een personage, even onvolkomen als al haar andere personages, even machteloos. Ze was een prinses die in haar glazen kist in slaap viel en niet meer wakker werd, een heks, een genie met al haar macht verenigd in een diamant, die drie wensen liet uitkomen: George Bennett, Freddie Nicholson, Michael Caplin. Ze verdween in het flitslicht van honderden camera's, sprankelend en onecht, en als ik me herinner hoe ze door een kamer liep, kaarsrecht, puur, buitenaards, dan weet ik niet of ik de gewone levensmaatstaven mag toepassen op iemand die nooit echt aan het leven heeft deelgenomen.

Neem ik het mezelf kwalijk? Ja. Meer dan wie ook had ik moeten inzien wat er aan de hand was. Ik stond altijd tussen hen in, tussen Eve met haar verzonnen verhalen, haar stijlfiguren en archetypen, en Theo met haar intuïtie, reagerend op de pieken en dalen van haar gevoelens, aangetrokken door de lacunes, door de lege plekken in het verleden. Ik stond aan de zijlijn. Ik luisterde niet, ik keek niet, ik zei niets: Jonathan de steen, hard als beton. Ik kijk achterom en zou mijn vorige ik een duw willen geven, hem op zijn zelfgenoegzame bek willen slaan, aan zijn haren willen trekken, alles om hem wakker te schudden uit zijn lethargische staat.

Op een nacht vertelde ik dit aan Maria, in een poging mijn slapeloosheid te verklaren die in die eerste maanden kwam opzetten en uitdoofde als een neonlicht. Vaak trof ze me rond vier of vijf uur in de ochtend aan voor de televisie terwijl ik naar reclamespotjes en tuinprogramma's zat te kijken. Die keer kwam ze naast me zitten, nestelde zich tegen mijn zij en legde haar voorhoofd tegen het mijne.

'Ze wist dat wat ons werd verteld over onze vader niet waar was. Dat voelde ze,' zei ik. 'Ik wist dat ze van die rare wanen had, maar dat kwam door die leugen over onze vader. Dat was het begin van haar ziekte. Aan het einde bespioneerde ze Eve en ontdekte ze dat ze gelijk had, dat we voorgelogen waren, en daarom dacht ze dat al die andere hersenschimmen ook waar waren.'

'De leugen kan haar niet ziek hebben gemaakt,' zei Maria. 'Ze zal zeker de spanning die er rond je vader hing hebben opgevangen, maar geloof me, als die er niet was geweest, had ze zich wel in iets anders vastgebeten.'

'Ik wou alleen dat ik het geweten had. Als ik had geweten wat haar mankeerde, had ik niet zo afwijzend op haar gereageerd. Dan had ik haar kunnen helpen.'

'En wat zou je dan gedaan hebben?' zei ze. 'Als je alles had geweten?'

'Ik zou voor haar gezorgd hebben. Ik was met haar naar een arts gegaan.'

'Oké, je gaat met haar naar een arts en die stelt een diagnose,' zei Maria. 'Het blijkt ernstig. Ze wordt opgenomen in een instelling of krijgt medicijnen die haar niet kunnen genezen. En ze heeft een hekel aan die pillen omdat ze door de bijwerkingen niet helder kan denken, maar jij zegt dat ze ze toch moet slikken. Dus soms neemt ze de medicijnen wel in, maar soms vergeet ze dat, en dan is ze ongelukkig en neemt ze uiteindelijk misschien toch dezelfde beslissing. En elke keer dat jij haar ziet, ben je bang, of boos, of heb je medelijden met haar.'

Ik kon niet antwoorden, en dus ging ze op zachtere toon verder.

'Dat zou ze verschrikkelijk hebben gevonden. Het enige wat Theo altijd wilde, was bij jou zijn, zonder dat er iets tussen jullie in stond: geen verdriet, geen schuldgevoelens. Dat kun je haar nu geven. Laat haar op die manier in je gedachten voortleven: alleen jij en zij.'

Ik knikte dankbaar en pakte haar hand, omdat ik wist dat ze gelijk had. Maar ik kon het niet. Ik sloot mijn ogen en probeerde Theo te zien, maar haar gezicht ging schuil achter een paraplu, een strohoed, het licht in het raam, het hoge gras waarin ze lag, de laag water. Ik wist niet hoe ik haar terug moest krijgen zonder terug te gaan naar de plek waar ze was verdwenen.

Als Maria en ik bij Castle Hill aankomen, zien we Nathalie met een hond aan de lijn in de deuropening staan. De hond hangt zichzelf bijna op, in een poging zich los te rukken en onder de wielen van de auto te lopen.

'Wat krijgen we nou?' zegt Maria.

'Hallo, samen! Dit is mijn nieuwe hond. Nick was hier vorige week met Sebastian en Seema. Ze gingen naar Carmarthen en vonden hem in het centrum. Het is waarschijnlijk een zwerfhond. Ik heb overal briefjes opgehangen. Nick vond dat ik hem Emily moest noemen, arme Nick! Maar het is een reu. Sebastian zei dat we hem Bonzo moeten noemen.'

'Bonzo klinkt wel goed,' zeg ik. De hond kijkt naar ons op. Hij is wit met roodbruine oren en heeft een beetje gekke blauwe ogen. Zijn tong, die verrassend roze is, hangt uit zijn bek.

Nathalie omhelst Maria en kust mij, en zegt: 'Ik heb uitgekeken naar jullie auto, maar ben helemaal vergeten avondeten te kopen. Ik weet niet wat ik jullie nu moet voorschotelen.'

'We kunnen straks wel even wat patat halen,' zegt Maria. 'Maar Jonathan wil eerst nog even ergens heen. Weet je zeker dat je alleen wilt gaan?' vraagt ze aan mij.

'Ik weet eigenlijk niet eens of ik het nog wel wil,' zeg ik. Maar ik stap weer in de auto en rij zwaaiend weg. Maria kijkt me met haar hand boven haar ogen na. Ik herinner me dat ik aan de rand van Evendon stond en door het vlies van de dag naar de knipoog van haar raam keek, denkend aan wat Eve me had verteld over de liefde. Dat liefde zelfzuchtig is maar veranderlijk. Dat ze niet bestendig is, maar toch het belangrijkste van alles wil zijn. Dat is natuurlijk onredelijk. Eve had gelijk: Maria kan doodgaan, ze kan me verlaten, ze kan verliefd worden op iemand anders. Er zijn bijna oneindig veel manieren waarop ze me kan kwetsen. Maar toch is zij het belangrijkste in mijn leven, en als ik dat begrijp, sta ik niet meer vanaf de rand naar het licht in de verte te kijken.

Mevrouw King reageerde verbaasd toen ik haar belde om te vragen of ik door de tuin van Evendon mocht wandelen. Voor toeristen is dit een normale vraag, maar niet voor mij. 'Ik ben niet thuis, want ik ben naar de kapper,' zei ze. 'Maar Carmen zal je binnenlaten… Wat jammer dat ik je misloop. Doe maar net of je thuis bent, hoor. Nou ja, het is je thuis… was…' Ze klonk beschaamd, en nam nogal haastig afscheid. Ik herinnerde me dat ze ten tijde van de verkoop nogal nerveus overkwam en op een gegeven moment haar hand uitstak naar een tafeltje, maar dat ze die vervolgens weer schielijk terugtrok, als een gevoelig slakkenoog.

Ik rij door Llansteffan: de kleine huizen, grijs en pastel, de weggetjes en de dichte bomen aan weerszijden. Ik voel hoe de lagen herinneringen zich uitstrekken over het land, de contouren en oppervlakken flikkeren in de tijd. Daar is de winkel van mevrouw Edwards, de plek waar ik Maria voor het eerst zag, de weg die Theo, Sebastian en ik altijd naar het strand namen. Dan strekt het strand zich voor me uit en zie ik de roomwitte halvemaan waarop we onze zandkastelen bouwden; de glinsterend donkere vlakte achter onze kampvuren. De zee: het verblindende getij als de zon in het zenit staat, grijs en miezerig, een zwarte nachtzee, bleekblauw in het licht van de ochtend. Uiteindelijk rij ik door de tunnel van bomen de heuvel op, de lichtstralen vallen tussen de takken door en slaan als pijlen op de autoruit. Ik rem even af om de bocht in de weg uit te stellen, maar de bomen wijken al en dan komt Evendon in zicht.

Het huis lijkt groter, harder ook met zijn grijze en witte vlakken, de reflecterende ramen als anonieme maskers. De zon, die sinds die ochtend zijn gebruikelijke gang over het huis heeft gemaakt, hult de voorkant in schaduw. Er staan geen auto's op de oprit, behalve die van mij. Ik besef dat ik hem zonder erbij na te denken op mijn oude plek onder de wilde vijgenboom heb geparkeerd.

Ik stap uit, blijf even naast de auto staan en kijk dan op naar het huis, naar de grote, rechthoekige schaduw die het op het grind van de oprit werpt, de ondoordringbare ramen, de zes stenen treden naar de deur, de clematis boven het portiek, die zijn zware geur verspreidt. Terwijl ik buiten sta te dralen, gaat de voordeur open en ik loop snel de trap op, zodat de huishoudster – Carmen, naar ik aanneem – me binnen kan laten. Ze is verlegen en lijkt opgelucht als ik zeg dat ik de weg naar de tuin wel alleen weet te vinden.

Als ze wegloopt, blijf ik alleen achter in de grote witte hal. Uit niets blijkt dat hier de dramatische dood van George Bennett heeft plaatsgevonden. De pilaren lijken dunner, ontmanteld, als twee kaarsen voor een wake. De kleine rozenhouten tafel met de telefoon is weg, evenals de vazen met de lelies aan de voet van de trap. De rest van de hal is hetzelfde gebleven, de marmeren vloer, de hoge ramen, opnieuw gevuld met stilte, het koude waas van verlatenheid.

Ik maak niet van de gelegenheid gebruik om rond te neuzen; ik loop door een paar kamers naar het terras, gelijkvormige vertrekken die me niet meer vertrouwd voorkomen. De zitkamer is niet langer rood; er zijn geen gouden olifanten meer, geen Perzische tapijten. De muren zijn behangen in een koud blauwgrijs, hier en daar ligt een gebloemd tapijt in pastelkleuren, aan de muur hangt een enorme televisie; er staan een paar moderne banken, als hompen marshmallows. De eetkamer wordt gedomineerd door een grote foto van de Kings, waarop ze poseren met twee kinderen en een loensende cockerspaniel; een lange tafel van imitatiemahoniehout heeft de plaats ingenomen van de originele Georgian tafel. Ik zie door een deuropening een stuk van de gouden salon, waarin nu een biljarttafel staat.

Ik heb het gevoel dat de Kings, nadat ze Evendon hadden gekocht, beseften dat ze eigenlijk niet wisten wat ze ermee aan moesten. De kamers zijn halfslachtig ingericht, hun alledaagse meubels verspreid door de ruimte als lading na een schipbreuk. In de tijd van Eve was het huis gevuld met gericht licht; er hing een open, zonnige sfeer. Nu is het huis koud en somber, als een opgeheven winkel. Ik had gedacht dat het me een voldaan gevoel zou geven om het huis zo te zien, of dat het me pijn zou doen, maar het doet me niets. Evendon voelt als wat het is: het huis van iemand anders.

Ik loop naar buiten, de zon in, die me overspoelt met een warme gloed. Ik knijp mijn ogen samen tegen het licht. Dan neemt de tuin weer zijn oude vorm aan, volmaakt en onveranderd. De brede flagstones van het terras, waar Alicia's rozen in bloei staan, de strakke kruidentuin. Het gazon, omzoomd door beuken en magnoliabomen, is pas gemaaid en helder van kleur in plaats van donkergroen. De lucht fluorescerend blauw tussen de bladeren van de eiken die het dichtst bij mij aan de rand van het gazon staan, een wolkeloze, droomachtige kleur. Het is uitzonderlijk stil nu de zomer op zijn einde loopt. De warmte heeft een zekere helderheid, net als de dag, alsof de klamme hittegolven van de laatste paar maanden zijn samengevloeid en gedestilleerd.

In de verstilling stopt de tuin en keert hij terug naar wat hij ooit was. Daar paradeert een zwaan uit het meer koppig om de gesnoeide hegfiguren heen. Rookt de kok een sigaret in de kruidentuin. Staat een gin-tonic naast een grote witte parasol op het terras, vliegen de tennisballen over het strak gemaaide tennisveld. Ligt het meisje met het blonde haar in haar ogen in de schaduw van een boom madeliefkransjes te vlechten terwijl ze wijn drinkt uit een fles. Schittert het bladgoudkristal in het zand tussen de flagstones van het terras. Hoor ik een vrouwenstem, als donker water, aan de telefoon.

Het verleden is geen verhaal. Het is niet Eves of mijn verhaal. Het is niet lineair, het ligt niet vast. Het verleden is een onbekende poel, zijn koude rand de grens waar de herinnering begint. Het rimpelt als het licht verandert; het vertoont samenhang en is van een andere substantie dan het heden; het kan niet ingeademd worden. Je kunt het niet vertellen: wat je ook vertelt, het is niet de waarheid, omdat het niet volledig is. Je kunt slechts in het water staren en zo veel mogelijk proberen te zien.

Ik loop de helling af naar het bos, totdat ik de rand van het gazon bereik en blijf staan bij de plek waar het pad ooit begon, waar het licht trilt en in schaduwvlekken uiteenvalt tegen het raster van de hoge braamstruiken. Het is een plek waar niemand meer van af-weet, overwoekerd, dichtgegroeid met hoog gras.

Ik weet dat er geen heks zal zijn als ik naar de vijver loop, geen vloek, geen gezicht dat tussen de bomen verschijnt. Het is niet de geest die me tegenhoudt; het is de afwezigheid van geesten. Ik blijf nog een poosje staan, draai me dan om en loop door het gras terug naar de hal en Evendon uit. Als ik wegrij, schittert het weerspiegelde huis klein in het autoraampje als een televisiebeeld, en knippert dan uit.

Ik dacht dat ik hier iets had achtergelaten, maar ik vergiste me. Evendon is leeg; ik zie slechts stenen en ramen, stof en vinger-afdrukken. Ze ligt niet op de kussens in de gouden salon, niet in het gras, niet omsluierd en stil in het water. Ze maakt geen deel uit van een verhaal. Ze is de andere helft; de ene wakker, de andere dro-mend in de jonge nacht. Ze is bij mij, zoals altijd.

Dankwoord

Ik dank Nicole, Diane en Sue voor hun raad, steun en wat eindeloze herlezingen moeten hebben geleken. Tevens dank ik Richard voor papier en inkt en Cian voor het geven van een (half af) dak boven het hoofd van de worstelende schrijver. Dank aan Penny voor het logeren en het laten zien van Carmarthenshire. Dank aan het team van Conville & Walsh: aan David Llewelyn voor zijn eerste raadgevingen, aan Jo Unwin voor al het harde werk en alle goede raad. Dank aan Millicent Bennett voor haar inzichtelijke analyse. En veel dank aan Leah Woodburn en iedereen bij Headline voor al het werk en de steun die in elke fase van een boekproductie gaan zitten.